Geheimenis

Geheimenis is het eerste deel van een serie over Grace Byler.

Andere boeken van Beverly Lewis:

Dochters van het verbond
Verbroken verbond
Verloren dromen
Verdwaalde harten
Voltooid verleden

Onrustig hart
De vreemdeling
De broeders

Katie Lapp-trilogie

De breuk
Verboden wegen
Diepste verlangen

Beverly Lewis

Geheimenis

Roman

Vertaald door Lia van Aken

de groot goudriaan

Voor Judith Lovold, toegewijd lezeres en vriendin

© Uitgeverij De Groot Goudriaan – Kampen, 2009
Postbus 5018, 8260 GA Kampen
www.kok.nl

Oorspronkelijk verschenen onder de titel *The Secret* bij Bethany House Publishers,
a division of Baker Book House, 11400 Hampshire Avenue South, Bloomington,
Minnesota 55438, USA
© Beverly Lewis, 2009

Vertaling Lia van Aken
Omslagillustratie Bethany House Publishers
Omslagontwerp Prins en Prins vormgevers
ISBN 978 90 8865 113 7
NUR 302

Proloog

Lente

Eerlijk waar, ik dacht dat het ergste voorbij was. Er was een volle maand voorbijgegaan sinds die ijskoude dag dat ten zuidoosten van Strasburg een schuur werd opgetrokken. Mama en ik waren er helemaal heen gegaan met een mand vol voedsel om de mannen die de nieuwe schuur hielpen bouwen te eten te geven. Het verzoek om een handje toe te steken was via de Amish geruchtenmolen verspreid, die volgens sommige mensen nog sneller werkte dan het nieuws over de radio.

We zaten daar met de andere vrouwen om de tafel toen mama een kreet slaakte, opsprong en haastig wegsnelde om een vrouw te gaan begroeten die ik nog nooit van mijn leven had gezien. En toen liep ze warempel samen met die onbekende een hele tijd weg, zomaar, zonder iets tegen mij of iemand anders te zeggen.

Vanaf dat moment was mijn moeder verstrooid... *ferhoodled* zelfs. En het meest verontrustende was dat ze midden in de nacht opstond en buiten liep rond te dwalen. Soms zag ik haar het maïsveld oversteken, altijd dezelfde kant op, tot ze uit het zicht verdween. Ze liep gebogen alsof ze het gewicht van de hele wereld mee moest torsen.

Maar de afgelopen dagen was ze net een beetje tot rust gekomen. Ze was weer aan de slag gegaan met koken en schoonmaken en zelfs wat handwerken. Ik had haar zelfs nu en dan zien lachen, en haar gezicht had weer lief en zacht gestaan.

Maar wie schetst mijn verbazing: toen we het gisteravond

5

over mijn eenentwintigste verjaardag kregen, stroomden er stille tranen over haar bleke gezicht terwijl ze de borden afspoelde en opstapelde. Ik kreeg het benauwd. 'Mama... wat is er?'

Ze haalde slechts haar schouders op en ik ging maar door met afdrogen en onderdrukte de stroom van vragen die in mijn hoofd opkwam.

En toen ik vandaag een thermosfles met koude limonade naar de schapenschuur bracht, zag ik mijn oudere broer Adam, die met pa in de geboortestal stond. Ik hoorde Adam zacht en ernstig zeggen: 'Er zit mama iets dwars, hè?' Mijn broer ging binnenkort trouwen en dacht zeker dat hij in elk geval binnenkort op gelijke voet zou staan met pa dat hij dat zomaar durfde te vragen. Of hij voelde zich veilig om zijn nek uit te steken en van man tot man te spreken, omringd door de muskusachtige, aardse geuren en met alleen de schapen als getuigen.

Ik hield mijn adem in en zorgde dat ik onzichtbaar bleef. Pa was een man van weinig woorden en antwoordde niet meteen. Ik wachtte af, in de hoop dat hij een reden op zou geven voor mama's gedrag. Het hield vast en zeker verband met die onbekende bij de schuurbouw in maart. Want mama is zo lang ik me kan herinneren altijd een beetje humeurig geweest, maar ik was er zeker van dat er die dag iets fout was gelopen. Ze werd steeds meer op zichzelf en ze was zelfs twee keer weggebleven bij de zondagse kerkdienst. *Jah*, mijn moeders gedrag gaf stof tot nadenken. En nadenken deed ik.

Nu ik koppig stond te wachten tot mijn vader antwoord gaf op Adams vraag, was het enige geluid dat ik hoorde het klaaglijk blaten van de arme ooi, die een moeilijke bevalling doorstond. Ik zette mijn teleurstelling opzij. Maar het had me niet moeten verbazen dat pa totaal niet reageerde. Zo deed hij nu eenmaal als hij in het nauw gedreven werd. Het was pa's manier van doen in het algemeen, vooral bij vrouwen.

Ik bleef beweginloos staan in de bedompte schapenschuur

en bekeek het ernstige gezicht van mijn vader, met de neer-hangende mondhoeken. De blonde, slanke Adam knielde neer in het diepe stro en wachtte om de worstelende ooi bij te staan bij de geboorte van het volgende kleine lammetje: een tweelingbroertje of -zusje voor het eerste, dat enkele ogenblikken na de geboorte al op zijn pootjes stond te wankelen. Ik voelde een diepe liefde voor mijn broer met de mooie blauwe ogen. Binnenkort moesten we afscheid van elkaar nemen, als Adam trouwde met een zus van Henry Stahl, de negentienjarige Priscilla. Ik was ze laatst op een avond toevallig tegengekomen toen ik lopend op weg was naar mijn goede vriendin Becky Riehl. Natuurlijk hoor ik niet te weten dat ze verloofd zijn voordat ze in de herfst een paar zondagen voor de bruiloft worden 'afgekondigd'. Eerlijk gezegd schrok ik me naar toen ik zag dat Adam uit rijden was met Priscilla, en ik vroeg me af hoe mijn verstandige broer had kunnen vallen voor de grootste *Schnuffelbox* van heel Lancaster County. Iedereen wist dat ze een bemoeial was.

Nu liep ik achteruit weg van de schuurdeur, met de thermosfles nog in mijn handen. Verstoord door het onwrikbare zwijgen van mijn vader vluchtte ik van de schapenschuur naar huis.

Adams kennelijke ongerustheid en zijn onbeantwoorde vraag kwelden me tot diep in de nacht, waar ik lag te woelen en te draaien zodat mijn katoenen nachtpon in de knoop raakte. Tevergeefs deed ik mijn best om in slaap te vallen, omdat ik morgen klaarwakker wilde zijn voor het werk. Het zou tenslotte een schande zijn als ik mijn goede naam als ijverige parttime medewerkster bij Eli's Natuurvoeding niet zou kunnen hooghouden. Als ik als *Maidel* eindigde, zou ik nog blij genoeg zijn met die baan.

Voor alle jonge Amish vrouwen was alleen blijven een punt van zorg. Maar geen echtgenoot te hebben leek mij niet het allerergste, al was ik al een tijdje gek op Henry. Soms was het gewoon lastig uit te maken of de gevoelens wederzijds waren, misschien omdat hij van nature een beetje terughoudend was. Niettemin was hij een aardige, trouwe kameraad, en ook heel *gut* in volleybal. Als er verder niets van kwam, wist ik dat ik op de zwijgzame Henry kon rekenen als toegewijde vriend. Hij was door en door betrouwbaar.

Ik was te rusteloos om te slapen, dus ik stond op en liep de lange gang door. De gedempte gloed van de volle maan wierp een griezelig licht op de kant van het huis waar de slaapkamers aan de oostkant uitstaken. Ik keek uit het raam naar het verlaten erf beneden, of er een spoor van mama te zien was. Maar de weg en het erf waren verlaten.

Beneden begon als op commando de klok te slaan. Mama had de pendule stilgezet op het uur dat ze had gehoord dat haar geliefde zus Naomi was overleden en hem maandenlang niet opgewonden. Nu bereikte het schelle geluid via de steile trap mijn oren: twaalf nagalmende slagen. Ik vond het op de een of andere manier storend dat de uren midden in de nacht werden geteld.

Ik liep door de gang langs de smalle trap die naar de tweede verdieping voerde, waar Adam en Joe in twee kleine kamers sliepen. Veilig buiten gehoorafstand van mama's geheimzinnige komen en gaan.

Sliep pa zo diep dat hij mama's voetstappen nooit hoorde?

Waardoor zou ze zo rusteloos zijn? had ik me al tientallen keren afgevraagd. Maar hoe ik er ook naar snakte om mijn moeders geheimen te leren kennen, iets zei me dat ik later weleens zou kunnen wensen dat ik het niet had geweten.

De mooiste van alle feestdagen zijn die welke wij in stilte voor onszelf bewaren; de geheime gedenkdagen van het hart.

Henry Wadsworth Longfellow

Hoofdstuk 1

April in Bird-in-Hand werd ingeluid door schitterende zonsopgangen en frisse, tintelende avonden. De struiken waren tot leven gekomen met nieuw groen en de beken stroomden snel en helder.

Het idyllische stadje stond bekend om zijn vruchtbare grond en lag genesteld tussen de stad Lancaster in het westen en het dorp Intercourse in het oosten. Ondanks de aantasting door rijtjeshuizen en pas ontwikkelde verkavelingen aan bijna alle kanten, bleef het vruchtbare boerenland even aantrekkelijk voor buitenstaanders als voor Judah Byler en zijn boerende buren.

Judahs grote, witte huis met buitenmuren van overnaadse planken was nieuwer dan de meeste boerderijen in de streek. De dubbele schoorsteen en de reusachtige gevelspitsen gaven charme aan de eenvoudige bouwmaterialen en de zwarte luiken voor de ramen. Hij had de plannen meer dan twintig jaar geleden opgesteld en het huis neergezet op een stuk land dat afgescheiden was van een uitgestrekt perceel weidegrond dat van zijn vader was geweest. Judah had met grote zorg een ideaal glooiend plekje uitgezocht om het fundament op te storten, want het huis kwam op een uiterwaard te staan. Samen met zijn vader had hij bomen geplant als beschutting tegen de wind en in de tuin een paar zwaluwhuizen gebouwd. Zijn getrouwde broers, vader en ooms hadden allemaal de helpende hand geboden bij de bouw van het grote huis met tien slaapkamers. Een huis dat, in tweeën gesneden, aan beide kanten identiek was.

Vlak nadat de eerste spade in de grond was gestoken, nam Judah Lettie Esh tot zijn bruid, het mooiste meisje van het kerkdistrict. De eerste maanden van hun huwelijk hadden ze bij familie ingewoond en bij hun bezoeken steeds talrijke huwelijksgeschenken ontvangen, tot het huis klaar was.

Judah keek naar het huis en zag met genoegen dat de verf aan de buitenkant van drie zomers geleden nog goed was. Dit voorjaar kon hij al zijn energie in het lammeren steken. Het was nog steeds jassenweer en deze ochtend ademde hij de scherpe geur van zwarte aarde in toen hij weer bij zijn nieuwe lammetjes ging kijken. Hij was die nacht vele malen opgestaan om te zien of de ooien hun baby's voedden. Een pasgeboren lam moest kunnen drinken wanneer het wilde, minstens zes tot acht keer in vierentwintig uur.

Er hupten twee dikke roodborstjes over het pad, maar Judah lette er niet op terwijl hij naar de schapenschuur liep, en suffig dacht aan de dag dat hij Letties spullen de trap op had gedragen naar de eerste verdieping. Naar de kamer die van hen zou worden. *Als man en vrouw*, dacht hij wrang.

Hij dacht een ogenblik aan Letties huidige sombere toestand en vroeg zich af of hij vandaag niet thuis moest blijven. Maar hij kon geen vragen van Adam en steelse blikken van Grace meer verdragen. Gisteravond was zijn oudste dochter de schuur binnen geglipt. Ze had geprobeerd zich in de schaduw te verbergen, alsof ook zij naar Lettie wilde informeren. *Grace is zo opmerkzaam als haar grote broer vrijpostig is.*

Adam was met zijn tweeëntwintig jaar de oudste van hun viertal, en dan Grace, gevolgd door Amanda van negentien – hun Mandy – en Joseph van vijftien, die ze Joe noemden. Ze woonden allemaal nog thuis en waren van Eenvoud tot in hun tenen. Adam was twee jaar geleden lid van de kerk geworden en Grace vorig jaar september, samen met Mandy, die altijd al samen met haar enige zus gedoopt had willen worden. Hij was innig dankbaar voor zijn godvrezende kroost; hij wist wel van een paar stevige problemen waar andere ouders onder gebukt gingen.

Treurt Lettie nog steeds om Naomi? Haar zus was enkele jaren geleden in haar slaap gestorven, een paar dagen voor de verjaardag van Grace, zoals hij zich herinnerde. Het was een hartaanval geweest. Arme Lettie was een vol jaar in het zwart gegaan om haar eer te bewijzen, twee keer zo lang als het hoorde. Ook waren er andere tekenen geweest dat ze langer in haar verdriet opgesloten zat dan de meeste zussen waarschijnlijk zouden rouwen. Lettie kon zich er niet toe zetten over Naomi te praten, tot grote ongerustheid van haar ouders Jakob en Adah, die aan de overkant van de brede middengang hun eigen kant van Judahs huis bewoonden.

Nu nam Judah een kijkje bij de lammetjestweeling en hun moeder en stelde vast dat Adam en Joe met wat hulp van hun grootvader Jakob vandaag best voor de pasgeboren lammeren konden zorgen. Daarna snelde hij terug naar huis. Hij had Lettie eieren en melk zien kloppen om roereieren te maken toen hij haastig langs haar heen naar de zijdeur was gelopen. Verfomfaaid en nog in haar ochtendjas, haar blonde haar snel in een losse knot onder in haar nek gedraaid, had ze amper een woord gezegd.

Hij liep naar de gootsteen om zich op te frissen voor het eten. Terwijl hij zijn handen afdroogde, slenterde hij naar de tafel en vermeed de ernstige blik waarmee Lettie de tafel dekte voor zijn eenzame vroege ontbijt.

'We moesten maar es praten.' Haar grote blauwe ogen staarden haast een gat in hem.

'Nou, ik ga zo weg naar een veeveiling ginds,' antwoordde hij.

Ze trok een gezicht en zette twee kop en schotels op tafel om koffie in te schenken. 'Dat hoeft niet veel tijd te kosten.'

Met een gespannen buik gebaarde hij haar te gaan zitten. Ze bogen hun hoofd en baden in stilte om een zegen, een gebed dat eindigde toen hij een snel amen uitsprak. Judah reikte naar de eieren en bestrooide ze royaal met zout, toen smeerde hij Letties frambozenjam op twee stukken toast. Uit zijn ooghoek ving hij nu en dan de blik van zijn vrouw. Ze at nauwelijks.

Toen Lettie niet zei wat ze op haar hart had, vertelde hij dat hij een nieuwe merrie wilde kopen voor het rijden langs de weg. 'Ik weet het pas zeker als ik zie wat ze vanmorgen hebben. We moeten er een paard bij hebben nu Adam komende herfst hoogstwaarschijnlijk gaat trouwen.'

'Kunnen we later niet op zijn paard terugvallen?' vroeg ze. Haar stem klonk dun en verdrietig.

'Een jongeman moet een eigen merrie hebben.'

'Nou ja, ik heb vandaag wel iets anders aan mijn hoofd dan rijtuigpaarden.' Ze zuchtte luid. 'Judah... ik moet je iets vertellen.'

Hij zette zich schrap. 'Wat dan?'

Er volgde een lange stilte waarin ze probeerde zich te vermannen. Hij vroeg zich af hoe het kwam dat de periodieke humeurigheid van zijn vrouw hierin was overgegaan. 'Je bent toch niet ziek, Lettie?'

'*Ach*, nee.'

'*Des gut.*' Maar de spanning hing haast tastbaar in de lucht. Daar kon eten en drinken niets aan veranderen.

'Ik weet echt niet hoe... of waar... ik moet beginnen.' Ze keek hem niet aan en dronk zwijgend haar koffie, tot Judah klaar was met eten en zijn mond afveegde met zijn mouw. Met verdacht glanzende ogen staarde ze uit het raam. 'Het is erg moeilijk...'

Hij vouwde zijn handen naast zijn bord en wachtte af. Zou ze eindelijk die hindernis nemen en hem vertellen wat haar dwarszat?

Ze deed haar mond open om iets te zeggen en keek hem aan. Toen schudde ze langzaam haar hoofd. 'Misschien is het zo maar beter.'

Hoe beter? Hoewel ze nooit zo van streek was geweest als de afgelopen weken, had hij wel vaker geprobeerd een antwoord van haar los te krijgen, maar hij wist nooit goed wat hij moest zeggen. Door de jaren heen had hij zijn pogingen tot een gesprek opgegeven, over penibele dingen in elk geval. Noch had hij hoop dat er iets zou veranderen.

'*Ach*, je hebt het druk,' zei ze weer.

Hij boog zich over de tafel, van zijn stuk gebracht door haar diepe droefheid. 'Jij toch ook?'

Ze keek hem aan en knikte. '*Jah*, we hebben allebei ons werk...'

Hij pakte zijn beker en nam traag een slok koffie. Lettie schoof de suikerpot dichter naar hem toe. Ineens legde ze haar koele hand op de zijne en keek hem met smekende ogen aan. Hij verstrakte en trok zijn hand terug.

'Ben je boos, Judah?'

Hij zag de diepe lijnen in haar vale gezicht. 'Boos?'

'Op *mij*.' Ze legde haar hoofd in haar handen.

Om woorden verlegen reikte hij naar de suikerpot. Toen stond ze op en begon de tafel af te ruimen. Lusteloos reikte ze naar zijn vuile bord.

Judah duwde zijn stoel naar achteren. 'Nou, ik ga maar eens.' Op zijn hoede liep hij naar de zijdeur.

Voorzichtig daalde hij het trapje af en met een knagend gevoel in zijn maag liep hij door het laantje langs de zwaluwhuizen. Op dat moment drong het tot hem door dat hij geen gedag had gezegd.

Met een steek van spijt wilde hij omkeren... om iets te zeggen om de moeilijkheden glad te strijken, als dat kon. *Wat haalt het uit?* Hij stond even stil, en liep weer door.

★

Grace Byler gleed in haar knusse grijze slippers en trok haar witte ochtendjas aan. Ze was wakker geworden voordat de wekker ging en ontstak de gaslantaarn op haar nachtkastje om haar kamer op te ruimen. Ze maakte haar bed op en schudde haar lichtgroen met wit gehaakte kussens op de sofa in de hoek op, waar ze graag zat om een paar Psalmen te lezen voordat ze zich aankleedde. Haar favoriete begin van de dag.

Ze telde nog twee schone jurken met bijpassende schorten

voor het weekend, die op hangertjes aan de houten haken langs de muur hingen. Ze ging op de bank zitten en reikte naar de Bijbel.

Toen ze klaar was met lezen, trok ze haar wijde lijfje aan. Ze had trek in haar ontbijt. Het avondeten van gisteren leek alweer veel te lang geleden. Ze borstelde haar blonde haar uit haar gezicht en wond het in de gewone knot. Ze zette haar *Kapp* op haar hoofd en liet de bandjes los bungelen.

Ze keek in de spiegel op de ladekast en schikte haar bruine pelerinejurk met bijpassende schort. Binnenkort was het weer tijd om een paar nieuwe jurken te naaien. Geeuwend liep ze naar het raam om naar buiten te kijken naar de opkomende zon. Aan het eind van de oprijlaan stond haar vader, die een busje aanhield. *Hij moet vandaag zeker verder weg dan anders.* Gewoonlijk gebruikte haar familie het liefst paard en rijtuig voor hun vervoer – het span – maar pa huurde regelmatig een *Englische* chauffeur voor langere afstanden.

Grace stapte weg van het raam, benieuwd waar hij zo vroeg heen ging, maar haar vader was weinig mededeelzaam over zijn komen en gaan. Ze stond even stil om de lichtgewicht beddenquilt glad te strijken. Het was gemaakt naar een antiek patroon dat ze van pa's moeder overgenomen had. Grace wist nog met hoeveel plezier ze het jaren geleden met mama, Mandy en *Mammi* Adah in elkaar had gezet.

Fijne herinneringen.

Op weg naar de deur zag ze dat het gevlochten tapijt tussen haar bed en de ladekast eens flink uitgeklopt moest worden. Dat zou ze na het ontbijt doen, voordat mama en zij met paard en rijtuig naar de stad zouden rijden om naar haar werk bij Eli's Natuurvoeding te gaan. Mama wilde naar het warenhuis.

Beneden was haar moeder eieren en worstjes aan het bakken. 'Morgen, mama,' zei ze, met een verbaasde blik naar haar moeders nu al besmeurde zwarte schort en ongekamde haar. Verdwaalde lokken grijsblond haar piekten in haar nek, heel anders dan de nette knot die Grace gewend was te zien. 'Hoe hebt u geslapen?' vroeg ze.

'Gaat wel. En jij?'

'Ik heb wel eens beter geslapen.'

'O?' Mama hield haar ogen neergeslagen, maar ze kon niet verhullen dat ze rood en gezwollen waren.

Grace zuchtte. Er was iets helemaal mis.

'Je werkt zo hard bij Eli's,' zei haar moeder. 'Je hebt je rust echt nodig, Gracie.'

'Wij allemááal,' fluisterde ze. Op weg naar de besteklade zei ze: 'Ik kom vandaag later thuis dan anders, maar ik rijd wel met iemand mee. U hoeft geen moeite te doen om me op te halen.'

'Het is geen moeite.' Mama zette het gas lager onder een pan met een stoofschotel voor het middagmaal. Met strakke mond begon ze verder te kneden aan een massa brooddeeg.

Grace had zin om haar armen om haar moeder heen te slaan en te zeggen dat iedereen wist dat ze het moeilijk had, hoe ze ook haar best deed om het te verbloemen. 'Ik zag dat pa al vroeg buiten op een chauffeur stond te wachten,' zei ze om een praatje te maken.

'*Jah*, en hij had flink trek in zijn ontbijt.' Mama tilde het deksel op van de pan vol stoofvlees en groenten en er steeg een wolk damp uit op.

'Pa geniet erg van uw kookkunst.' Grace was blij dat ze nu een gasfornuis hadden, en een koelkast en een geiser. Voordat zij geboren werd, had de bisschop het aanvaardbaar verklaard om het oude op hout gestookte fornuis en de ijskast te verkopen. Dat moest een wonder-*gute* dag zijn geweest voor mama, die graag in de keuken bezig was en de ene verrukkelijke maaltijd na de andere in elkaar draaide. Al het vrouwvolk was er in veel opzichten flink op vooruitgegaan.

Ze nam aan dat iemand pa destijds had overgehaald om hun keukenapparatuur te vervangen. Waarschijnlijk had haar grootmoeder van moeders kant, *Mammi* Adah, het voor mama opgenomen. Tot op de dag van vandaag heerste er een on-uitgesproken spanning tussen haar afstandelijke vader en haar openhartige grootmoeder.

Grace legde messen, vorken en lepels bij de borden en keek tersluiks naar haar vermoeide moeder, die nog steeds zo knap was dat iedereen naar haar omkeek. Het melkachtige blauw van mama's ogen was opmerkelijk en soms vroeg Grace zich af of haar moeder wel wist hoe aantrekkelijk ze was.

Toen Grace sap en melk had ingeschonken, riep ze on-der aan de trap naar Mandy, hun enige slaapkop. 'Opschieten, zus… het ontbijt is bijna klaar.'

Op dit uur waren Adam en Joe buiten om de schapen te drenken en bij de pasgeboren lammeren te kijken. Er waren nog meer lammetjes onderweg. Maar ze konden elk moment binnenkomen, zoals altijd hongerig, tenzij ze vroeg hadden gegeten met pa.

'Je zus is een slome, net als toen ze nog naar school ging,' zei mama terwijl ze koffie inschonk. 'Ik denk dat ze meer achter haar broek gezeten moet worden.'

Grace veegde het aanrecht schoon en beaamde het. 'Maar als ze de slaap eenmaal uit haar ogen heeft gewassen, is Mandy een goede hulp.'

'Nou, ze werkt niet half zo hard als jij.'

Grace' adem stokte in haar keel. Ze deed een stapje naar haar moeder toe. '*Ach*, mama,' zei ze verlegen.

Haar moeder schonk haar een spoor van haar vroegere warme glimlach en een goedgehumeurde knipoog. Ze nam haar koffiebeker mee en ging op haar gewone plaats naast het hoofd van de tafel zitten. 'Ga je broers maar roepen.'

Bemoedigd door haar moeders verbeterde humeur ge-hoorzaamde Grace en ze liep naar de brede gang, waar paren schoenen netjes op een rij op lage houten planken stonden. *Ook door toedoen van* Mammi *Adah*.

Langs de ene muur van de gang had pa op gelijke afstand van elkaar haken opgehangen voor werkjassen en truien. De aanblik van pa's lege haak stemde haar weer ernstig en ze wenste dat ze mama's neerslachtigheid weg kon strijken. Lukte het Grace maar om er net zo mee om te gaan als haar vader, die de droefheid van haar moeder van zich af liet glijden. *Zoals hij eigenlijk alles van zich af laat glijden.*

Hoofdstuk 2

Puur uit gewoonte begon Judah al naar de chauffeur te zwaaien toen het busje nog een eind weg was. Martin Puckett kwam hem vaak ophalen, dus hij verwachtte onderweg naar Brownstown een prettig, ongedwongen praatje. Judah bukte en pakte een steentje op. In gedachten verzonken draaide hij het om en om in zijn hand. Hij had gisteravond niet geweten hoe hij zijn oudste had moeten zeggen dat hij het ook niet wist. *Het is nu eenmaal zo...*

Hij had gedaan waar hij het best in was, zich terugtrekken in zichzelf, waar de lastige vraag van zijn zoon ophield te bestaan. Waar hij dagdroomde over schapen fokken, en een vredig huis verschaffen waar zijn gezin kon wonen, en de fijne broederschap in de Gemeenschap van Eenvoud. Ook aan eens oud worden, met kleinkinderen en achterkleinkinderen op zijn knie, die allemaal op zijn mooie Lettie leken.

Mijn vrouw. Mettertijd kwam het allemaal goed. Lettie zou uiteindelijk weer de oude worden, net als na de dood van haar zus Naomi. Naomi had niets gehad van Letties neiging tot humeurigheid en had zich altijd als een gewone echtgenote gedragen. Hij hoopte dat de jonge Grace, die zowel geestelijk als lichamelijk het toonbeeld was van gezondheid, in dat opzicht op haar tante leek. *Vooral als ze eens gaat trouwen.*

Het busje minderde vaart en kwam tot stilstand. Judah opende het portier en begroette de bestuurder. '*Wie geht's!*'

Martin antwoordde op komische wijze met een enigszins verminkt zinnetje in Pennsylvania Dutch vermengd met Engels; iets van dat hij zich goed genoeg voelde, maar niet zo goed als hij wel zou willen.

Judah maakte zijn gordel vast en riep een opgewekte groet over zijn schouder naar de twee Amish vrouwen van middelbare leeftijd achterin.

Martin keek hem aan. 'Binnenkort zal ik *jou* moeten huren om mij mee te nemen om boodschappen te doen,' zei hij met een grijns op zijn rode gezicht. 'Met die benzineprijzen.'

'Dat heb ik gehoord.' Judah hield van de eerlijke manier waarop Martin zich uitte en van zijn spontane gevoel voor humor. Martins joviale aard was een van de redenen dat Judah de drieënzestig jaar oude baas als eerste belde om transport, vóór de andere chauffeurs op zijn lijst. En de hoofdwegen waren onveilig voor paarden en rijtuigen nu er veel ongeduldige automobilisten over de wegen raasden.

Martin schudde zijn hoofd. 'Ze zeggen dat we van de zomer wel een dollar per liter gaan betalen.'

'Dan zul je je kilometertarief ook moeten verhogen.' Judah hoopte van niet. De prijzen van voer en zaad en van zo'n beetje alles waren onder het eten vaak een zorgelijk gespreksonderwerp.

'We zullen zien.' Martin keek in zijn achteruitkijkspiegel. 'Waar gaat de reis heen, dames?' Hij hield zijn hoofd een beetje schuin.

'U kunt ons op de markt afzetten,' zei een van hen.

'Nou, ik heb nog nooit iemand *afgezet*,' grapte Martin.

'Och, lieve help!' zei de andere vrouw lachend.

Judah deed mee met de vrolijkheid. Het was verbazend prettig om weer te lachen. Martin was een imponerende man in omvang en gestalte, daarbij had hij een ontzagwekkende persoonlijkheid en een handdruk die aan een berenklauw deed denken. Hij was ook spraakzaam en vertelde vaak boeiende verhalen. Hij was een van de weinige *Englischers* met wie Judah graag omging.

Judah keek uit het raam en genoot van de pracht van het jaargetijde op Beechdale Road. Hij zag witte rozenpriëlen pronkend met hun eerste verflaag, die de binnenkort kleurrij-

ke bloembedden benadrukten langs voor- en achterveranda's
en in de buurt van kleine koelhuizen.

Lettie is zo dol op haar rozen, dacht hij ineens. Zou hun
schoonheid weer een glimlach op haar knappe gezicht brengen?

Zoals het er nu voor stond, kon het hem weinig schelen wat
Lettie in juni met haar rozen ging doen. Dat was per slot van
rekening haar zaak. Maar om zijn ergernis geen wortel te laten
schieten in zijn ziel, duwde Judah de overgebleven frustratie
weg. Daar had hij de afgelopen weken vaak genoeg op kunnen
oefenen – nee, bijna zijn hele getrouwde leven. Wat maakte
nog een dag voor verschil?

Hij richtte zijn aandacht weer op de weg. Op dit moment
wilde hij alleen genieten van de snelheid waarmee hij vanmorgen zijn bestemming bereikte, zoals hij ook altijd graag
met de auto op bezoek ging bij zijn oudere broer Potato John,
in de buurt van Akron. In minder drukke tijden van het jaar
maakte hij ook weleens een reisje naar Bart in het zuiden, om
op visite te gaan bij tientallen neven en nichten Stoltzfus van
zijn vader. Een snelle en moeiteloze manier om aan de zorgen
over Lettie te ontsnappen.

Maar nu midden in de lammertijd moest Judah niet te lang
wegblijven, al was hij blij met een goed excuus om zijn hoofd
een paar uur leeg te maken. Hij was op weg naar een particuliere veeveiling en hoopte een nieuw tuigpaard aan te kunnen
schaffen. De verkoop werd gehouden in de schuur van een
mennonitische boer in Brownstown die geadverteerd had in
Die Botschaft, de weekkrant voor de Gemeenschap van Eenvoud. Op zoek naar het juiste paard had Judah half maart in
Gordonville de door de brandweer gesponsorde paardenvei-
ling bezocht, maar hij was met lege handen thuisgekomen.
Hij wist wat hij wilde, maar nu de voerprijzen zo hoog waren,
wilde hij niet de hoogste prijs betalen.

Hopelijk zie ik vandaag iets. Met een bruiloft voor de deur
zou het nog maar een paar maanden duren voordat zijn zoon

Adam de pittige Sassy, zijn vos, en nog een paard voor zichzelf nodig had. En hun favoriete tuigpaard Willow – een lieve, kastanjebruine merrie die praktisch een huisdier van het gezin was – werd wat ouder en zou binnenkort haar steentje niet meer kunnen bijdragen rond de boerderij. Of op de weg. Judah had vaak gadegeslagen hoe Grace haar in de paardenstal borstelde, een wortel of een appel voerde en hele verhalen tegen haar hield.

Jammer dat ze met een paard moet praten, dacht hij. Zou Lettie ook weleens de behoefte voelen om haar geheimen aan een dier toe te vertrouwen?

★

Adah greep de leuning vast en klom langzaam de achtertrap op naar Jakob. Ze had een warm ontbijt klaargemaakt – gepocheerde eieren en vleeskoekjes, toast en appelboter – en het stond allemaal uitgestald op tafel te wachten tot haar echtgenoot zijn plaats aan het hoofd innam. Hij was vanmorgen trager dan anders en omdat Jakobs gehoor slechter werd, had ze besloten hem te gaan zoeken.

De krakende trap deed haar denken aan het merkwaardige gesprek dat ze in de kleine uurtjes had gehoord. Wakker geschrokken had ze beneden iemand aan de zijkant van het huis gehoord… warrig gepraat vermengd met huilen. Ze had rechtop in bed gezeten, ingespannen luisterend. Was het Lettie?

Nieuwsgierig was ze deze trap af geslopen en midden in de nacht had het kraken luider geklonken. Ze was in haar grote keuken in de maneschijn blijven staan, en had langs het nieuwerwetse fornuis heen gekeken. Ze had Judah overgehaald het te installeren en het was er net zo een als in Letties eigen keuken. Voor het voorkamerraam had haar dochter gebukt gestaan alsof ze moest overgeven. Een zwart silhouet tegen de witte schittering van de nacht.

Adah wilde geen aandacht op zich vestigen en was roerloos

blijven staan. Ze durfde haast niet te ademen. Een beproeving van haar wilskracht en van haar spieren. Ze wilde niet riskeren dat de trap weer kraakte. Dus Lettie had geen rust. Maar *ach*, minstens één keer per maand snotterden alle vrouwen toch wel eens?

Dat was vast alles.

'Dat hoop ik tenminste…'

Ze liep hun slaapkamer binnen en tikte Jakob, die in zijn oude, versleten Duitse Bijbel zat te lezen, licht op zijn knie. 'Het ontbijt staat klaar,' zei ze.

Hij keek met twinkelende ogen op. 'Dat laat een hongerig man zich geen twee keer zeggen.' Hij hees zich overeind uit zijn stoel en volgde haar naar de trap.

Toen ze zaten en het stille gebed hadden gebeden, keek ze uit het raam en zag Adam en Joe op huis aan komen. Ze hadden zonder twijfel de door de ooien afgewezen zwakkere lammetjes met de fles gevoed. Aangezien Judah zo vroeg was weggegaan, kwam de zorg voor de nieuwste pasgeborenen voorlopig op de jongens neer.

'Onze kleinzoons zijn best in staat om op te passen,' grinnikte Jakob tegen haar. Hij had haar zien kijken en keek ook een beetje zorgelijk. 'Ze zeggen dat Judahs zoon Adam binnenkort zelf een boerderij zal hebben om voor te zorgen.'

'O, ja?' Dat was nieuws. 'Maar de Stahls hebben toch geen land over?'

Jakob schudde zijn hoofd en smakte met zijn lippen. 'Dat heb ik ook niet gezegd.'

Deed de vader van Priscilla dan de grote boerderij over aan zijn aanstaande schoonzoon? En had Lettie daar enig idee van?

Lettie en Susannah Stahl waren vriendinnen vanaf hun kindertijd, maar de laatste jaren had Adah Lettie niet meer over haar gehoord. Niet meer sinds Naomi's plotselinge dood, toen Lettie zo hopeloos teruggetrokken was geworden, ondanks Adahs inspanningen om haar mee te nemen naar quilt- en inmaakbijeenkomsten.

'Ik heb gehoord dat de boerderij van de Stahls opnieuw verdeeld wordt,' legde Jakob uit terwijl hij peper op zijn eieren strooide. 'Er blijft niet veel van over als ze zo doorgaan, maar mij wordt niks gevraagd.'

'Nou, een mennonitische boer een eind verderop verkoopt een klein stuk van zijn land, zegt Marian Riehl. Twee hectare of zo.'

'Aan zo'n klein lapje heb je niks,' zei Jakob hoofdschuddend. 'Je zou denken dat ze het liever in de familie wilden houden... zoals Rudy Stahl volgens jou gaat doen met onze Adam en zijn aanstaande bruid.'

'Ja, maar *dat* is ruim twaalf hectare of zo. Meer dan genoeg voor een aardige groentekwekerij.'

'Een wonder-*gut* huwelijksgeschenk, vind ik.'

Jakob lachte. 'Wie ooit heeft gedacht dat een vent zijn huwelijksplannen geheim kon houden tot ze afgekondigd werden, heeft nooit een vrouw gehad die over zijn schouder meekeek, hè?'

Ze lachten tot Jakob een blauwe zakdoek uit zijn zak moest halen om zijn blauwgrijze ogen af te vegen.

'Ik neem aan dat Judah er iets van moet weten,' zei Adah.

'Als *wij* het weten, dan moeten Lettie en hij het toch op z'n minst vermoeden?'

'Ik geloof dat Lettie wel iets anders aan haar hoofd heeft dan een bruidsschat.' Adah stond op om meer vleeskoekjes te pakken, die nog in de warme koekenpan lagen. Jakob had zijn eten graag flink warm.

'Jij moet haar gisteravond ook hebben gehoord.' Het was niets voor Jakob om om de hete brij heen te draaien en dat was een van de redenen waarom ze hem vanaf het begin van hun verkeringstijd, meer dan vijftig jaar geleden, graag had gemogen.

Adah streelde de rug van zijn eeltige hand. 'Het is gewoon niets voor haar... niet meer, tenminste.'

Jakob keek haar onderzoekend aan. '*Puh!* Het is toch een vrouw?'

'Och, ga toch weg, Jakob Esh!' Ze trok aan zijn mouw.

'Ik hoop maar dat er niks loos is tussen haar en Judah.' Adahs schouders spanden zich. 'Tja, maar... wie weet?'

'Het zijn onze zaken niet.' Hij zweeg even. 'En vroeger evenmin.'

Ze knikte langzaam. 'Het verleden is gelukkig afgelopen en voorbij.'

Omdat ze niet wist hoe ze haar dochter moest troosten, besloot Adah vers brood te bakken en dat naar Lettie toe te brengen. *Het arme kind.* Een lekkere warme snee beboterde toast met een beetje bruine suiker en kaneel zou haar wel gauw opvrolijken.

★

Toen Grace de ontbijtboel naar het aanrecht droeg, hoorde ze de zijdeur opengaan. Ze keek om en zag Becky Riehl staan, met een brede glimlach op haar blozende gezicht. Haar donkere haar was in een strakke middenscheiding gekamd. 'Hé, hallo. Wat fijn om je te zien!'

Becky keek rond met een vrolijk licht in haar zachte bruine ogen. 'Zijn we alleen?' fluisterde ze.

Lachend zei Grace: 'Daar lijkt het wel op.' Ze zette de stapel borden neer en liep op haar vriendin toe.

'Je gelooft het nooit, Gracie.'

'*Jah?*'

Becky keek rond alsof ze zeker wilde weten dat ze echt alleen waren. Toen zei ze: 'Yonnie Bontrager heeft me gevraagd na de volgende zangavond met hem uit wandelen te gaan!'

Grace was totaal niet verbaasd. 'Dat is wonder-*gut*, Becky.'

'Vind je echt?' Becky zuchtte. 'Vind je dat ik het moet doen? Ik bedoel... dan ben ik, hoeveel... het achtste meisje dat hij heeft gevraagd?'

Grace smoorde een lach. Volgens Yonnies zus Mary Liz had haar broer een soort lijst gemaakt van begerenswaardige meisjes uit hun kerkdistrict, in de hoop hen allemaal te leren kennen voordat hij besloot met wie hij serieuze verkering wilde.

'Ik vind dat je het moet doen,' zei Grace.

'Echt?'

Becky's donkere ogen werden groot toen Grace onthulde wat ze van Mary Liz had gehoord. 'Heeft hij een *lijst* gemaakt?' riep ze uit. 'Dat is heel anders dan we het hier doen, *jah*? Denk je dat hij dat idee heeft meegebracht uit Indiana, waar hij is opgegroeid?'

Grace haalde haar schouders op. 'Op een gegeven moment valt er weinig meer voor hem te kiezen,' zei ze. 'Hoe langer hij erover doet om een besluit te nemen, hoe meer meisjes er door andere jongens voor zijn neus zijn weggekaapt.'

Becky zweeg even, haar ogen stonden treurig. 'Het is wel verwarrend, hoor. Misschien moet ik het maar afzeggen.'

Grace herinnerde zich maar al te goed hoe aantrekkelijk Yonnie was.

'Dus ik zal wel een van de laatsten zijn op die lijst van hem,' zei Becky hoofdschuddend. 'Hoe groot denk je dat de kans is...?'

Het was Grace duidelijk dat Becky ondanks haar aarzeling inderdaad smoorverliefd was. Ze glimlachte naar haar hartsvriendin. 'Jij hebt minstens evenveel kans om zijn hart te stelen als alle andere meisjes, Becky.'

'Nou, ik weet het niet...'

Grace pakte haar hand. 'Jawel, ik weet het zeker.' Ze nam haar mee naar de houten bank. 'Eet een kaneelbroodje met me,' vleide ze. Heimelijk verbaasde het haar dat Yonnie er zo lang over gedaan had om zijn zogenaamde lijst af te werken. Zijzelf was verliefd op Henry Stahl, die zich nauwgezet gehouden had aan hun verkeringsrituelen. Haar Henry was een flinke, hardwerkende jongeman.

Net als pa!

Hoofdstuk 3

Judah was blij dat het geïmproviseerde inschrijfloket van de veiling vroeg geopend was. Hij had maar kort hoeven wachten op zijn identificatienummer, terwijl hij genoot van een kop koffie en een praatje maakte met enkele Amish boeren. Hij had zelfs kennisgemaakt met een boeiende *Englischer* uit een andere staat; een vriendelijke man van voor in de vijftig die in de streek rondneusde naar een herenboerderij om te kopen. Hij had Judah zijn visitekaartje gegeven, maar daar stond alleen zijn naam op gedrukt, *Roan Nelson*, en zijn e-mailadres. De man had zich meteen verontschuldigd en gesteld dat Judah waarschijnlijk niet in een positie was om op die manier contact met hem te zoeken. 'Dat wordt lastig zonder computer,' had Roan geschertst.

Ze hadden gelachen en Judah en Roan hadden een tijdje samen over het terrein geslenterd en gepraat over de aanbiedingen van die ochtend. Judah had met plezier antwoord gegeven toen Roan een heleboel vragen had gesteld over de eigenschappen die je moest zoeken in een goed paard.

Nu stond Judah samengeperst in de drukke menigte om mee te dingen naar de goede merrie op het veilingblok. Hij ving de blik van de veilingmeester en trok een wenkbrauw op; de manier waarop hij het liefste bood. De merrie, een jonge zwarte Morgan genaamd Maddie, had haar stoere draf al gedemonstreerd. Dit was een uitgekookte veilingmeester en Judah moest bij de les blijven. Dat viel niet mee, aangezien zijn gedachten steeds afdwaalden.

Judah trok zijn wenkbrauw op om het bod te verhogen…

De woordenwisseling van vanmorgen met Lettie zat hem dwars. Vanaf het begin van hun huwelijk had hij haar nu en dan slechte humeur meegemaakt, al had ze haar best gedaan om het te verbergen. Maar in de afgelopen weken was ze uitgesproken bedroefd geweest en hij had geen idee wat hij eraan kon doen. Hij had nooit veel van vrouwen begrepen.

De veilingmeester keek naar hem voor een derde bod en hij knikte. Hij bleef meedoen en straks was hij de gelukkige eigenaar van dit paard, als de boer daarginder zich terugtrok. Ook als de andere bieder doorging, was Judah bereid wat hoger te gaan. Niet dat hij ineens zin had om een hoge prijs te betalen voor een paard, maar hij kende de waarde van een goede merrie.

Zijn gedachten keerden terug naar Lettie. In het verleden had hij weleens gedacht dat er iets mis was met haar denken. Nadat Naomi zo onverwacht was gestorven, was ze naar haar zwager Ike toegegaan om te vragen of ze de persoonlijke bezittingen van haar zus mocht doornemen. Om een reden die Judah en zelfs Ike niet kenden, was Lettie in het bijzonder geïnteresseerd geweest in enkele dichtbundels. Ze had gezegd dat ze ze gewoon graag wilde hebben en had een verzameling mee naar huis genomen en in de boekenkist in de slaapkamer gelegd, die Judah als verlovingscadeau voor haar had gemaakt. Hij wist dat de boeken er lagen, maar hij had er nooit naar gekeken. Geen behoefte aan gehad. Zij had per slot van rekening recht op een zekere mate van privacy.

Maar uiteindelijk was Lettie met het verstrijken van de tijd minder verdrietig geworden en had de ontijdige dood van haar zus kennelijk aanvaard. En alles leek weer goed te gaan.

Maar toen kwam de stormachtige maand maart van dit jaar, met in het vroege voorjaar de schuurbouw in het zuiden. Hij had het te druk gehad om erheen te gaan, hij was bezig geweest met het doornemen van de gedetailleerde gegevens van zijn kudde en de plannen voor de fokparen van dit jaar, en had Adam geïnstrueerd over het betrokken papierwerk. Maar achteraf had hij Lettie nooit moeten laten gaan, want zijn echtgenote was niet meer dezelfde toen ze terugkwam.

Weer trok hij een wenkbrauw op naar de veilingmeester. Even bleef het stil terwijl de veilingmeester speurend over de menigte keek, in afwachting van nog een bod.

Eindelijk klonk de klap met de houten hamer. 'Verkocht! Aan nummer drieëntachtig!'

Verheugd knikkend baande Judah zich een weg naar de kassierstafel om zijn nieuwe paard te betalen en in ontvangst te nemen. Aan de rand van de menigte kreeg hij Roan Nelson in het oog. Toen hij hem zag, zwaaide de man en riep: 'Heb je je paard gekregen?'

Judah knikte, verrast dat de *Englischer* zo attent was om dat te vragen.

'Gefeliciteerd!'

'*Denki*,' riep hij over zijn schouder. Terwijl hij betaalde, bedacht hij dat hij via via had gehoord van een stuk land dat te koop was, maar drie kilometer van zijn eigen boerderij. 'Zeg, Roan,' zei hij terwijl hij zich omdraaide, 'als mijn geheugen me niet bedriegt, is er een stukje land beschikbaar op Gibbons Road, niet ver van het kleine Amish schooltje. Het is maar een postzegeltje, maar misschien dient het je doel.'

Roans ogen lichtten op. 'Geweldig... bedankt voor de tip.'

Judah gaf hem aanwijzingen en zei dat ze bijna buren werden als hij het kreeg. 'Maar er staat geen huis op die grond,' voegde hij eraan toe.

'O, dat komt wel.' Roan voerde de aanwijzingen in op een vierkant apparaatje dat leek op een klein rekenmachientje met letters. 'Dit klinkt geweldig... ik ga er vandaag nog achteraan.'

Aardige vent voor een stadsmens, dacht Judah, en hij tikte tegen zijn hoed.

★

'Het blijft de hele week mooi weer,' zei Grace glimlachend tegen haar moeder, die naast haar zat in hun familierijtuig en de teugels voerde. Ze hadden hun vriendelijke draver Willow meegenomen voor de tocht en Grace vond het heerlijk om haar na het aanspannen van het rijtuig een paar suikerklontjes te geven.

'Kijk hier eens!' Mama wees onder het rijden naar de donkerrode bodembedekker naast de brievenbus van de buren. 'Die staan al in volle bloei.'

'Doet me denken aan mijn Engelse lavendel,' zei Grace.

'Jij en je kruidentuin.' Mama lachte zacht en keek haar aan. 'Je weet toch nog wel waar je fascinatie voor kruidengeneesmiddelen vandaan komt, hè?'

Ze had het al vaak gehoord, maar ze luisterde aandachtig, want het was een hele tijd geleden dat haar moeder zo spraakzaam was geweest.

'*Mammi* Adah heeft je alles geleerd over kruiden kweken. Ik denk dat je een jaar of negen was.'

Grace koesterde de herinnering. 'Ik weet nog dat ik op die warme, benauwde zomerdag naast *Mammi* op de schommelbank op de voorveranda zat. Toen de zon bijna onderging, wandelden we hand in hand om haar kruidentuin heen en ze benoemde elke plant... en ze beschreef de medicinale eigenschappen.'

'Dat klopt,' zei mama met een verre blik in haar ogen. 'En je was nog maar tien toen jullie tweeën een speciale thee brouwden voor zere kelen. Weet je nog?'

'*Jah*, er zat kamille in.' Grace glimlachte in zichzelf, de verleiding was groot om dichter naar mama toe te buigen.

Maple Avenue kwam in zicht en weldra sloegen ze af naar het oosten naar de winkel. '*Denki* voor het afzetten.' Grace sprong van het rijtuig, haar schort waaide op.

'Hoe laat denk je thuis te zijn?'

'Op tijd voor een late avondmaaltijd.' Grace hield zich vast aan het rijtuigportier en keek onderzoekend naar het gezicht van haar moeder.

'Goed dan. Ik zal het voor je warm houden.'

Onwillig om een einde te maken aan het aangename intermezzo met mama draaide Grace zich om naar de winkel. Maar ze wilde op tijd zijn en het liefst nog een paar minuten te vroeg.

Omkijkend zag ze mama nog roerloos in het afgesloten rijtuig zitten, alsof ze dagdroomde. Toen Willow ten slotte aantrok en de zwarte spaken van de wielen van het rijtuig begonnen te draaien, richtte mama zich hoger op en de bandjes van haar *Kapp* fladderden in de wind.

Waarom is ze soms zo lief en andere keren zo afstandelijk? Grace schudde haar hoofd. Als ze wist hoe ze het moest oplossen, dan zou ze het niet laten.

★

Toen hij terugreed naar Bird-in-Hand ontving Martin Puckett een oproep op zijn mobiele telefoon. Een Amish gezin van zes moest vervoer hebben naar Paradise. Amish kinderen rijden vond Martin het leukst, met hun vrolijke gebabbel in Pennsylvania Dutch. Wat ze zeiden, bracht vaak een glimlach op zijn gezicht.

'Goed. Op naar de familie Zook voor het warenhuis,' mompelde hij in zichzelf, dankbaar dat zijn klanten van Eenvoud afhankelijk begonnen te worden van zijn vervoersdienst. *Als een taxi zonder meter*, dacht hij, nog vers in zijn geheugen wat hij eerder die ochtend met Judah Byler besproken had. Welke kant het opging met de economie was bij gezinnen in het hele land het gesprek van de dag geworden, en zijn huis was geen uitzondering. Tegenwoordig beperkte zijn vrouw haar ritten tot tweemaal per week. En dat was verbazingwekkend, want vroeger ging ze vaak de hort op met haar getrouwde dochters; ze bezochten regelmatig Root's plattelandsmarkt en bijna elke dinsdagochtend maakten ze de reis naar de boerenmarkt op Penn Square in Lancaster. Voor de benzinecrisis hadden ze de gewoonte om vrijdags naar de Green Dragon te rijden voor Amish gebak of zelfgemaakte lekkernijen.

Martin draaide het parkeerterrein op voor het warenhuis en vond een leeg vak. Naast hem stapte een ernstig kijkende Amish vrouw van middelbare leeftijd uit haar rijtuig en bond het paard aan de daarvoor bestemde paal. Ze kwam hem bekend voor, maar hij wilde niet staren en keek de andere kant op terwijl hij de motor afzette.

Martin leunde achterover tegen de hoofdsteun en draaide met zijn duimen. Half gepensioneerd zijn beviel hem prima, ondanks dat het op doktersvoorschrift was. 'Als je wilt sterven aan een hartaanval moet je doorgaan met waar je mee bezig bent.' Zijn vrouw Janet was er helemaal vóór geweest dat hij van zijn voormalige drukke baan als elektricien overstapte naar een vervoersbedrijf voor de Amish en mennonieten die zelf geen auto reden. Beide groepen van Eenvoud scheidden zich af van de moderne wereld. Wie anders lukte het om omringd door alle moderne pracht en praal te leven en zich te kleden alsof het nog de negentiende eeuw was?

Ineens kwam er nog een Amish vrouw uit de winkel gesneld, die groetend zwaaide naar de vrouw die haar paard vastbond. 'Lettie… *ach*, ben jij dat? Wat is het lang geleden dat je naar quiltbijeenkomsten en zo bent geweest!' De vrouw praatte alsof ze een goede vriendin of familielid was.

Lettie? Natuurlijk, nu herkende hij haar. Hij had Lettie Byler en haar knappe blonde dochters – Gracie, noemden ze de oudste, en de jonge Mandy – verleden jaar enkele tientallen keren gereden. Bij gelegenheid had Martin zelfs het hele gezin naar familie ten zuidoosten van Strasburg in de buurt van Bart gebracht.

Terwijl de twee vrouwen op de veranda van het warenhuis een praatje maakten, besefte hij dat het weken geleden was dat hij een verzoek had gekregen voor vervoer van Lettie Byler en haar dochters.

Maar hij had Lettie *wel* een paar keer te voet op weg gezien. Pas nog had hij haar twee keer in zuidelijke richting over Church Road langs zijn huis zien lopen. Hij zou nooit op zijn geweest op dat uur als hij niet aan slapeloosheid had geleden en zelfs een eindje wandelde – over de volle lengte van de eerste verdieping – terwijl hij wachtte tot zijn slaappil begon te werken.

Nu hij zat te kijken hoe Lettie met een onbewogen gezicht zwijgend naar de andere vrouw stond te luisteren, viel het hem op dat ze lijkbleek was. Haar lege blik deed hem aan zijn eigen zus denken; die had klaarblijkelijk een jaar lang in een waas rondgelopen voordat een arts haar een antidepressiemiddel voorschreef.

Op dat moment kwam de familie Zook de winkel uit. Sadie Zook dreef haar viertal naar zijn busje. Ze had een grote tas in haar handen. 'Hallo!' begroette hij haar en hij opende het portier aan de passagierskant zodat ze konden instappen. 'Gaat de reis vandaag naar Paradise?'

'Nee, nee… Ik ben van gedachten veranderd.' Sadie wuifde zich koelte toe met een handdoek toen ze met de jongste twee plaatsgenomen had op de tweede bank. De tas met boodschappen hield ze op haar schoot. 'Het is mooi geweest. We zijn allemaal doodop.'

'*Un hungerich*,' verklaarde de kleinste jongen, wrijvend over zijn buik.

'Naar huis dan maar. Dan gaan we lekker warm eten,' zei Sadie. Ze keek op en haar adem stokte toen Lettie Byler haastig naar haar rijtuig liep en erin klom. Ze staarde de vrouw met de droevige ogen openlijk aan toen Martin het portier voor haar sloot.

Geschokt en zelfs een beetje opgelaten liep hij om en ging achter het stuur zitten. In zijn achteruitkijkspiegel zag hij hoe Sadie zich uitstrekte om strak naar Lettie te kijken toen hij achteruitreed en draaide om zich in het verkeer te voegen.

Heeft zij Lettie Byler ook 's nachts alleen buiten zien lopen? vroeg hij zich af.

Hoofdstuk 4

Heather Nelson zat op de eenzame stoel aan de andere kant van het bureau van de oncoloog. De kamer draaide om haar heen en ze concentreerde zich op elke ademhaling. Hoeveel keer was ze in de afgelopen zes weken de spreekkamer van deze arts binnengewandeld? Ze was in het geheim gegaan, om haar vader niet te laten schrikken en hem niet te belasten met deze onmogelijke situatie.

Dokter O'Connor was weer aan het woord, maar ze had moeite hem te volgen, zeker na zijn openingszin. 'Het spijt me dat ik je dit moet vertellen…'

En nog meer zorgelijke zinnen werden door zijn medische jargon gevlochten:'Lymfeklieren… stadium IIIA… bestraling…'

De laboratoriumuitslagen waren schrikwekkend somber; een diagnose die snel gevolgd was op een lichamelijk onderzoek nadat ze een paar pijnloze knobbeltjes in haar rechteroksel had ontdekt.

Volkomen verbijsterd haalde ze haar over elkaar geslagen benen van elkaar en boog zich naar voren. Ze keek de arts recht in de ogen toen er een eind kwam aan zijn verhandeling. 'Ik wil uw kennis van zaken niet in twijfel trekken, maar hoe kunt u er zo zeker van zijn, dokter O'Connor? U zegt dat de gezwellen in het lymfekliergebied uitgezaaid zijn, maar ik heb geen symptomen.' Ze dwong zich kalm te spreken. 'Ik bedoel, ik voel me helemaal niet ziek.'

Snapt hij wat ik bedoel?

Dokter O'Connor keek geërgerd, alsof hij zulke protesten wel vaker had gehoord en het niet op prijs stelde dat er aan hem getwijfeld werd. Maar begreep hij dan niet dat ze zich helemaal kapot geschrokken was?

Hij vouwde zijn gemanicuurde handen en boog zich ernstiger dan eerst over zijn bureau. 'Er zijn vier stadia van deze ziekte. En bij elk van de eerste drie stadia hebben veel patiënten weinig tot geen symptomen.' Hij schudde somber zijn hoofd. 'Na alle onderzoeken, Heather, zijn de uitslagen helaas overtuigend.'

Heláás?

Hij vervolgde met iets van 'een nodulaire sclerose variant in het laatste stadium'. Het klonk te klinisch… afstandelijk. *Soortgelijk nieuws zal hij wel aan honderden patiënten hebben verteld.*

Ze wilde extra informatie, die niet zo afgemeten was, zo… koud. Als ze zich concentreerde op het medische jargon – aangenomen dat ze dat kon – kon ze het misschien beter begrijpen. Wat had de PET-scan precies aan het licht gebracht? Was het genoeg dat toegenomen glucoseopname was aangetoond… en dat uit bloedonderzoek een verhoogd niveau van eosinofiele leukocyten was gebleken?

Ze wilde die uitslagen met eigen ogen zien, al stond haar verstand op dit moment op nul. *Had mam zich zo gevoeld?*

'Zou u… het nog eens willen vertellen?' Ze knipperde haar tranen weg.

De arts knikte en glimlachte beleefd. 'Eerst zal ik de aanvankelijke biopsieresultaten nog eens doornemen, en dan de PET-scan.' Hij knipte achter zich een licht aan en dimde het koude licht aan het plafond.

Ze stond op om naar het scherm te kijken en luisterde hoe haar plannen voor een loopbaan, haar droombruiloft, haar toekomst met de enige man van wie ze *echt* hield allemaal werden weggevaagd.

Dit kan toch niet waar zijn?

Ze was te jong en te gezond, vierentwintig pas. Het ontstellende nieuws leek haar veel te pessimistisch. Heather had het leven altijd van de vrolijke kant bekeken, zelfs na de dood van haar geliefde moeder. Haar leven lang was ze steeds opgewekt geweest, ook zonder het voordeel van een serieus afspraakje om naar het schoolbal te gaan of naar feestjes van de vereniging van vrouwelijke studenten. Ze had weliswaar een paar terloopse vriendschappen gehad met een handvol meisjes, maar een echte band met iemand, vooral met jongens, was altijd moeilijk geweest... zo niet onmogelijk. Maar daar was verandering in gekomen toen Devon Powers haar in het laatste semester tijdens het college Engelse literatuur had aangestaard tot ze haar ogen had neergeslagen. Ze had prompt vastgesteld dat hij haar eerste en enige hartsvriend was. Nooit eerder was ze zo gehecht geraakt aan een ander menselijk wezen dan haar moeder.

Ze had zich moeizaam door haar studie met twee hoofdvakken – sociologie en Engels – heen geslagen aan het *College of William and Mary* in de buurt van het historische Williamsburg. De school was ook de alma mater van haar ouders, waar ze elkaar in hun derde jaar hadden leren kennen en verliefd waren geworden, en was niet al te ver van Heathers ouderlijk huis. Maar ze had haar vleugels uitgeslagen en als eerstejaars in een studentenhuis gewoond, waarna ze voor de volgende drie jaar was verhuisd naar het studentenhuis van de vereniging voor vrouwelijke studenten. Ze trok niet graag op met haar elitaire kamergenotes en verlangde naar een plek voor zichzelf. Mam had altijd gezegd dat Heather het gelukkigst was in haar eigen gezelschap.

Hoe gretig ze na het behalen van haar diploma ook was geweest om de wereld in te gaan, na een onderbreking van een jaar had Heather ervoor gekozen om door te studeren. Ze stelde zich ermee tevreden gevangen te blijven zitten in de academische denkrichting en werkte toe naar een doctoraalbul in Amerikaanse studies. Het was haar gelukt intussen parttime te werken – ze had webteksten geredigeerd voor een groot telecombedrijf – omdat ze niet wilde schooien bij haar al te royale vader, die een flinke som geld had ontvangen van mams levensverzekering.

Met een schok was ze weer bij de les. Was dit een wrede speling van het lot? *Eerst mam, nu ik?*

Mijn arme vadertje, dacht ze terwijl dokter O'Connor maar door dreunde. Ze ademde langzaam in en vouwde haar handen, alsof dat haar door deze pijnlijke doolhof heen kon helpen. Ze lette nu goed op: hij zei dat de PET-scan niet loog en nam het resultaat tot in de kleinste details met haar door, alsof hij haar ervan wilde overtuigen dat het echt zo ernstig was als hij eerst had gezegd.

Deze arts kon wel wat bijscholing gebruiken op het gebied van omgang met patiënten. *De man met de zeis...*

Er drong een gedachte door de mist in haar hoofd heen: misschien had hij het mis. Moest ze geen *second opinion* vragen? Of zelfs een derde? Ze kon toch zeker haar dromen niet laten verwoesten door dit nieuws.

Dokter O'Connor had natuurlijk een fout gemaakt. Maar het had geen zin om met hem in discussie te gaan. Hij was duidelijk overtuigd van de juistheid van zijn diagnose.

Toen het licht weer aanging, zag ze hoe bezorgd hij keek. 'Ik wou dat ik beter nieuws voor je had, Heather,' zei hij met strakke mond.

Hoe oud was die vent? Niet veel ouder dan zij.

'Maar... ik heb grote plannen.' Een golf van adrenaline maakte haar loslippig. Volgende maand over een jaar ging ze met haar verloofde trouwen. 'Ik laat me door die ziekte niet uit het veld slaan, hoor!'

De arts knikte en keek oprecht opgelucht. 'Ik ben het hartgrondig met je eens. Je bent een vechter, Heather. En deze ziekte is goed te genezen.' Zwijgend bladerde hij even door de papieren op zijn bureau en wendde zich toen om naar zijn laptop. 'Ik zal een gaatje zien te vinden voor de eerste ronde van je behandeling.'

Behandeling? Haar hart stond stil. Ze was goed bekend met het woord en met wat het inhield: een combinatie van chemotherapie en bestraling. Haar moeder had de gevolgen bewonderenswaardig doorstaan en volgens haar artsen had het haar leven met een paar maanden verlengd. Maar Heather was er getuige van geweest dat de resultaten op z'n best dubieus waren, want de kwaliteit van haar moeders leven was drastisch afgenomen. 'Eh, nee... ik heb geen zin in een atoomaanval in mijn binnenste.'

Zijn verbijsterde blik was ontmoedigend. 'Nou, laten we het eens over overlevingskansen hebben...'

'Ze hadden mijn moeder vier jaar extra beloofd.'

'Je moeder had een heel ander soort kanker dan jij. En ze was twee keer zo oud als jij.' Hij haalde diep adem en hield haar blik vast. 'Zullen we een afspraak maken om er verder over te praten... als je er misschien een nachtje over geslapen hebt?'

Denk je dat ik zal slapen?

'Ik geloof dat u me niet begrijpt, dokter. Ik heb mijn moeder zien sterven, en ik weet niet zeker wat haar dood veroorzaakt heeft, de kanker of de behandelingen.'

Hij schrok terug. 'Heather, ik wil erop aandringen dat je de tijd neemt om hierover na te denken. Zonder behandeling zal de ziekte zeker voortschrijden... en je zult heel ziek worden. Uiteindelijk zal het je dood worden.' Hij zweeg even, zijn ogen waren smalle spleetjes. 'Als je je zorgen maakt over je vruchtbaarheid; de meeste centra bieden bewaarprocedures.'

Ze pakte haar tas en zwaaide hem over haar schouder. Toen ze opstond, leek de grond onder haar weg te glijden en ze bukte om de stoel vast te pakken.

'Gaat het?'

'Best.' Ze glimlachte gedwongen.

Prima.

'Je bent sterk, Heather... en overigens in goede gezondheid,' benadrukte de arts. 'Elke patiënt reageert anders. Er is geen garantie dat je net zo op de bestraling reageert als je moeder.'

Maar er is ook geen garantie dat ik genezen zal.

'Toch bedankt.' *Ik sterf liever niet voordat ik dood ben.*
Ze nam niet de moeite om de deur achter zich dicht te trekken. Laat die man maar lekker opstaan vanachter zijn hooggeleerde bureau om het zelf te doen. *Hoe zou het zijn om voor God te spelen?* Die gedachte bleef in haar hoofd hangen toen ze langs het bureau van de receptioniste liep waar ze haar eigen bijdrage had betaald. *Ze kunnen beter mij betalen!* Ineens kon Heather de brok in haar keel niet meer wegslikken. Overmand door tranen duwde ze de deur open en ze kon er niets aan doen dat ze haar over de wangen stroomden.

★

'Jazeker, we hebben een groot assortiment kruiden op voorraad die helpen bij de spijsvertering,' zei Grace tegen haar klant. Ze nam de vrouw mee naar de afdeling versterkende middelen en theeën. 'Dit is ons aanbod.' Ze reikte naar de Aperino kruidencombinatie. 'Hier zit een goed kruidenmengsel in... het heeft al veel mensen geholpen.'

'Moet je dat drinken?' De vrouw draaide het pakje om en om in haar handen.

'O, *jah*, en het is erg lekker, heb ik gehoord. Je kunt het door alle soorten vruchtensappen mengen.'

De vrouw met de donkere ogen nam even de tijd om de ingrediënten te lezen en het merk Aperino te vergelijken met enkele andere mogelijkheden, waaronder bittere sinaasappelthee. 'Hebt u dat weleens geprobeerd?' vroeg ze. Toen proestte ze: 'Ach, nee, *u* hebt natuurlijk nooit last van uw maag.'

Grace wist niet goed wat ze moest zeggen. Ze was de laatste tijd een paar keer misselijk geweest, maar dat had met indigestie niets te maken. 'Misschien wilt u er gewoon eentje proberen om te zien of het bij u helpt.'

De vrouw fronste onzeker haar wenkbrauwen. 'Het is lastig kiezen.'

'U mag er gerust een proberen en als het niet helpt, brengt u het terug,' bood Grace aan.

'Dat is goed.' De vrouw volgde haar naar de kassa.

'Denk eraan, u kunt gerust alles vragen. Als ik het antwoord niet weet, zoek ik het voor u uit.' Grace telde het wisselgeld uit in de hand van de vrouw. 'Nu u weet waar we zitten, komt u vast nog eens.'

De vrouw glimlachte. 'Dat is erg vriendelijk van u.' Ze keek Grace aan en haar blik dwaalde omhoog naar de hoofdbedekking van wit gaas die ze van de ochtend tot de avond droeg. 'Ik heb me vaak afgevraagd hoe het zou zijn om te leven zoals u,' fluisterde ze.

Grace lachte zacht. 'Ach, we zijn niet zo vreemd als u misschien denkt.'

'Maar jullie rijden toch niet in auto's en jullie hebben geen elektriciteit?'

'Nee, dat klopt.'

'En ook geen telefoon of radio?' Geërgerd over zichzelf zei ze: 'Het is niet mijn bedoeling om nieuwsgierig te zijn. Maar jullie manier van leven is wel fascinerend. Weet u' – ze deed een stapje dichterbij – 'ik heb me altijd aangetrokken gevoeld tot een eenvoudig leven.'

Zelden kwam Grace zo'n openlijke bewondering tegen onder de *Englische* klanten hier, of als ze in de groentekraam stond langs de weg voor hun huis. De meeste *Englischers* waren trots op hun ingewikkelde leven met televisie, computers, auto's, elektriciteit en wat niet al. Ze wist niet wat ze moest zeggen en knikte alleen maar.

'Lieve help, ik hoop dat u niet boos op me bent, juffrouw. Ik zou alleen zo graag meer willen weten over Amish mensen.'

Grace overwoog een boek aan te bevelen, maar ze was beslist niet bereid de vrouw een rondleiding bij haar thuis aan te bieden. 'Wij leven net zoals onze anabaptistische voorouders.' Ineens dacht ze aan de mobiele telefoon die een tante van haar mocht gebruiken voor haar quiltwinkel in Honey Brook. 'Met een paar lichte aanpassingen.'

'O, ja? Zoals wat?'

Grace vond de gretige belangstelling van de vrouw komisch. Even vroeg ze zich af of deze klant met al haar vragen soms familie was van de bemoeizieke Priscilla Stahl. 'Er zijn veel verschillen tussen de kerken in de Gemeenschap van Eenvoud. Wat van district tot district is toegestaan, hangt volkomen af van de stemmende leden.'

'Mogen de leden zelf een inbreng hebben?'

'*Jah*, we stemmen twee keer per jaar over onze *Ordnung*.'

Er stond verbijstering te lezen in de grote, bruine ogen van de vrouw.

'De kerkelijke ordinantie,' voegde Grace eraan toe. 'Onze regels.'

Er kwam een andere bediende iets vragen aan Grace en ze was heimelijk opgelucht. 'Excuseert u mij.' Ze glimlachte en haastte zich naar de andere kant van de winkel.

Wat een nieuwsgierig Aagje!

Ze had meer dan genoeg verhalen gehoord over vrijpostige *Englischers*. Maar deze vrouw was de eerste die Grace ooit had ontmoet die oprechte belangstelling scheen te hebben voor hun manier van leven. Dat wilde natuurlijk niet zeggen dat ze bereid was zich bij hen aan te sluiten. Om sommige buitenstaanders te ontmoedigen hoefde je alleen maar te zeggen dat ze 's morgens om vier uur opstonden om een kudde koeien te melken... vóór een stevig ontbijt. En over de taal van hun voorouders die ze zouden moeten leren, Pennsylvania Dutch.

Grace vond het artikel waarnaar de andere bediende op zoek was geweest en vroeg zich af wat de aanleiding was geweest voor de klant om een voorkeur te hebben voor alles wat eenvoudig was. Ze dacht aan iets wat *Mammi* Adah vaak zei met een veelbetekenende glimlach op haar gerimpelde gezicht: 'Als je krijgt wat je wilt... wil je dan wat je krijgt?' Grace nam aan dat het alleen maar menselijk was om te hunkeren naar verandering in het leven en dat dat niet uniek was voor stadse lui.

★

Adah stond in de middengang en klopte, *joehoe* roepend, aan bij Lettie, met het vers gebakken brood warm in haar hand. Ze had haar best willen doen om de privacy van Judah en Lettie te respecteren, maar ze wist dat ze daar niet altijd in geslaagd was sinds Jakob en zij in hun kant van het ruime huis waren getrokken.

Lettie riep terug dat ze binnen mocht komen. 'U mag gerust binnenkomen zonder vragen, *Mammi*, dat weet u wel.' Lettie zat op haar knieën op de grond met haar handen in een emmer en keek naar haar op.

'Ik heb brood voor je gebakken.' Adah legde het op tafel en liet zich kreunend op een stoel zakken terwijl ze toekeek hoe Lettie met de hand de vloer dweilde. 'Daar hoort Mandy je bij te helpen.'

Lettie dweilde met gebogen hoofd verder. 'Soms is het beter om zelf het werk te doen.'

'Het helpt om je gedachten bezig te houden.'

Lettie knikte traag. 'Soms, *jah*…'

Adah wist niet hoe ze het onderwerp dat aan haar knaagde te berde moest brengen. Ze stond op en liep naar de zijdeur, opende hem en keek naar buiten. Bij *deze* dochter was ze nooit ver gekomen met kletspraatjes. Nee, ze had de zaken altijd in eigen hand moeten nemen… het op haar eigen manier moeten aanpakken. 'Hoorde ik je vannacht door het huis dwalen en in jezelf praten?' vroeg ze, met haar ogen nog op het weiland in het zuiden gericht.

'Waarom vraagt u dat?'

'Nou, je vader en ik hadden het erover en…'

'U weet dat daar niets mee te bereiken valt.'

Adah keek om en zag Lettie rechtop midden op de vloer zitten, haar blote voeten staken uit onder de groene werkjurk die om haar heen was uitgespreid. 'Ik bedoelde er niets verkeerds mee, Lettie.'

'Zeg dan verder niets meer.' Lettie veegde haar voorhoofd af met de rug van haar hand. 'Ik heb op het moment genoeg aan mijn hoofd.'

Zonder dat ik me ermee bemoei, bedoelt ze. 'Goed dan.' Adah keek naar het brood dat ze op tafel had gelegd. 'Ik dacht dat je vanmorgen misschien wel zin had in lekker vers brood. Zal ik een snee voor je afsnijden?'

Lettie schudde haar hoofd. '*Denki*, maar ik ga pas uitrusten als ik klaar ben.'

Adah glimlachte gedwongen en zei dat ze werk te doen had, daarna vertrok ze naar haar eigen keuken. Wat ze ook had gehoopt, de spanning tussen Lettie en haar was ondanks het verstrijken van de jaren nooit verdwenen. Ze kon zich alleen maar afvragen wanneer, en of, haar dochter zich ooit weer voor haar zou openstellen.

Hoofdstuk 5

Vandaag heeft de dokter me verteld dat ik ga sterven. Eens zal hij zichzelf voor gek verklaren dat hij mijn dag verknoeid heeft.

Heather hield op met typen in haar laptopdagboek en liet haar vingers op het toetsenbord rusten terwijl ze naar het scherm staarde. Ze zat hoog op een kruk aan de bar in de keuken, een van haar lievelingsplekjes in het huis waarin ze zoveel jaren met haar ouders had gewoond. Ze klikte haar bestand met afbeeldingen aan en keek glimlachend naar de laatste foto's van haar en Devon, die genomen waren in Busch Gardens. Vóórdat ze aan boord waren gegaan van het Monster van Loch Ness, de heftigste achtbaan aller tijden. Ze bestudeerde zichzelf nauwlettend. Ze zag er precies hetzelfde uit als nu, blakend van gezondheid. Haar schouderlange bruine haar met gouden lokjes glansde in het zonlicht en haar blauwe ogen straalden verwachtingsvol. Natuurlijk, ze was lang en slank, maar dat was niets nieuws voor haar.

'Zie je wel?' zei ze tegen een stel precies dezelfde zwarte Perzen. 'Er is helemaal niks met me aan de hand.'

De katten waren een geschenk geweest dat haar ouders elkaar hadden gegeven toen ze vijfentwintig jaar getrouwd waren. De zilveren bruiloft werd door de meeste echtparen gevierd met een reisje naar Hawaii of Cancun… of met zilveren sieraden en andere opschik.

Maar ondanks hun praktische benadering van hun huwelijk waren haar ouders altijd allesbehalve gewoontjes geweest. Voor deze speciale gedenkdag hadden ze hun spaargeld gebruikt en de zuivere raskatten gekocht.

Als kattenliefhebbers hadden ze sinds hun jawoord al drie prachtige katten bezeten. Tiger en Sasha hadden maar een kort leven gehad… maar de liefste kat van allemaal, Kiki, had zelfs de dierenarts versteld doen staan door zeventien jaar te blijven leven voordat ze bezweek van ouderdom. Mam had te veel verdriet gehad om Kiki meteen te vervangen, dus ze hadden een paar jaar gewacht voordat ze de zwarte broertjes kochten. Heather drukte haar gezicht in Mo's glanzende vacht. Hij scheen altijd haar stemming aan te voelen en als hij alleen met haar was, praatte hij met haar in poezentaal. Ze zuchtte en wendde zich met een frons naar het computerscherm. 'Opnieuw.' Ze klikte aan wat ze net had getypt en wiste het. 'Hypothetisch gesproken, als ik inderdáád zo ziek zou zijn als de dokter schijnt te denken, wat zou ik dan doen?' De vraag bleef in de lucht hangen.

Miauw… miauw.

Ze pakte Mo op en hield hem dicht tegen zich aan. 'Gekke kat.'

Wat zou mam adviseren?

Ze dacht aan haar moeders kalme, verstandige reactie op haar eigen diagnose. Ze had weliswaar de weg van de moderne geneeskunde gevolgd, maar op het laatst had ze gewenst dat er tijd was geweest voor een alternatieve behandelmethode. *Maar tijd was een luxe die mam niet had. En ze had talrijke symptomen,* dacht Heather, terwijl ze de herinneringen eigenlijk wilde onderdrukken.

Met Mo in haar armen bekeek ze haar e-mail. Er waren er een heleboel van vriendinnen. De enige waar ze echt om gaf was die van haar verloofde, die nog steeds boos was omdat hij uitgezonden was naar Irak. Maar vandaag bekeek Devon het van de vrolijke kant en had hij goed nieuws. Zijn detachering was met Thanksgiving afgelopen!

Ze was het nog niet vergeten, die avond zes maanden geleden toen hij met het schokkende nieuws kwam dat hij uitgezonden werd. Tijdens zijn studie had hij het een goed idee gevonden om zich aan te sluiten bij de reservestrijdkrachten en hij was ervan uitgegaan dat hij alleen soms in het weekend weg zou zijn. Maar toen was zijn eenheid opgeroepen en werd hij via Texas naar Irak verscheept. Ze had haar angst voor zichzelf gehouden en hem niet willen laten weten hoe bang ze was.

Nu gaf ze Mo een kus op zijn pluizige kop en besloot Devon niet te vertellen dat ze naar de dokter was geweest. Hoe langer ze erover nadacht, hoe minder ze het aan wie dan ook wilde vertellen. *Zeker niet aan pap.*

Hij worstelde nog met zijn verdriet en haar deprimerende nieuws zou hem stellig terug doen vallen in een zwart gat van wanhoop. Dat moest ze haar vader zo mogelijk besparen.

Ze stond op en ging wat appelsap uit de koelkast voor zichzelf inschenken. Op de deur kleefde een foto van hen drieën in een magneetlijstje, zij met haar ouders ter gelegenheid van haar afstuderen. De grote stenen gebouwen van *William and Mary* vormden een idyllische, studentikoze achtergrond. De op twee na oudste school van het land telde Thomas Jefferson onder zijn beroemde oud-leerlingen.

Ze haalde herinneringen op aan haar eerste jaar. Ze was zo groen geweest en zo onzeker van zichzelf, dat ze soms griezelde als ze erop terugkeek.

'Je weet nooit wat je zult bereiken als je de eerste stap niet zet.' Dat was haar vaders motto en het was goed om daarnaar te leven. Heather was erin geslaagd haar academische droom waar te maken. Wat had ze genoten van de oude campus en de innemende professoren. Zo dat ze er soms zelfs over had gefantaseerd door te studeren en naar haar doctoraat toe te werken.

Maar toen was haar moeder ziek geworden... erg ziek. Heather had haar inschrijving voor het doctoraalprogramma uitgesteld en de huur van haar appartement opgezegd. Ze was weer thuis gaan wonen en had heen en weer gereden naar haar werk in de buurt van Williamsburg. Op basis van de prognose van de oncoloog hadden ze alle drie goede hoop op haar moeders herstel.

Nadenkend over het verleden begon zich in haar hoofd een plan te vormen. Het was eigenlijk best aantrekkelijk. Waarom kon ze zich niet gewoon een poosje terugtrekken uit haar wereld? Wie zou het eigenlijk merken, nu Devon overzee diende?

Tja, pap natuurlijk. Het zou hem kunnen opvallen als ze verdween, al was hij altijd aan het werk nu mam er niet meer was. Heather en hij kwamen elkaar zelden tegen in het huis en dat beviel haar goed.

Eerlijk gezegd was het tijdstip de grootste hindernis om een poosje de hort op te gaan. Ze zat nog maar een week voor het einde van haar laatste semester. Omwille van haar goede naam was het verstandig om eerst haar werk af te maken.

Ik ben gezond, bracht ze zichzelf onder het oog. *Ze hebben gewoon de laboratoriumuitslagen verwisseld.*

Twijfelen aan een uitkomst was haar sterke punt. Stel dat iemand anders per vergissing háár uitslag had gekregen? Ze had vaak gehoord over foute diagnoses om te weten dat ze geen spijkers op laag water zocht, maar...

Ik en mijn oververhitte verbeelding. Hoogstwaarschijnlijk hadden ze haar uitslagen alleen verkeerd geïnterpreteerd... en de andere onderzoeken ook.

Maar stel dat het niet zo was?

Ik heb tijd zat om het uit te zoeken, besloot ze. Bovendien had ze bij haar moeder gezien dat als het nu eenmaal in de sterren geschreven stond dat je vroegtijdig stierf, er niet met het lot viel te twisten. Als je aan de beurt was, dan was je aan de beurt.

Ze zette Mo neer, klapte haar laptop dicht en liep naar buiten naar het dubbele zonneterras. Ze daalde de trap af naar de grote waterpartij die haar moeder met hun tuinarchitect had uitgekozen voordat ze stierf. De miniwatervallen deden Heather denken aan hun vele bezoeken aan Pennsylvania Amish land, waar ze met veel plezier over de achterafwegen hadden gewandeld, inkopen hadden gedaan bij groentekramen langs de weg en hadden genoten van murmelende beekjes. 'Kreken,' had een Amish meisje ze genoemd en mam had Heather met twinkelende ogen en een glimlach op haar knappe gezicht aangekeken. Ze hadden daar met z'n drieën regelmatig vakantie gehouden en de rust op zich laten inwerken van de glooiende, schilderachtige akkers die zich uitstrekten in alle richtingen.

Zoiets heb ik nu weer nodig.

Heather dronk haar sap en slenterde door het gras, langs de borders naar de voorkant van het voorname, oude koloniale huis waarin ze was opgegroeid.

'Ik mis je, mam,' fluisterde ze.

Ze liep om naar de andere kant van het huis, verwijderde op haar gemak droge blaadjes uit het lege vogelbad en wenste dat ze met haar moeder kon praten over de diagnose van dokter O'Connor. Het laatste wat ze wilde, was onredelijk zijn. Misschien kon ze iets anders doen… misschien kon ze in Pennsylvania op zoek gaan naar een of andere alternatieve natuurgeneeswijze. Er was een vrouwelijke specialist ergens in Lancaster waar mam naartoe had gewild; dokter Marshall, meende ze zich te herinneren. Volgens de informatie die mam had opgeschreven en aan de koelkast had gehangen, was ze deskundig op het gebied van stress, slaapstoornissen, kanker, hoofdpijn en emotioneel welzijn. Heather dacht dat het lijstje nog wel ergens moest liggen.

De gedachten buitelden in haar hoofd over elkaar toen ze weer naar binnen ging. Ze liep door de gang naar de studeerkamer van haar vader. Ergens in een laatje lag een handvol brochures te wachten om in een fotomapje te worden gestopt. Mam en zij hadden ze verzameld toen ze voor het laatst samen iets impulsiefs deden. Ze hadden een lastminute-reis willen boeken, omdat ze zin hadden om even weg te zijn uit de drukke wereld van school en werk en huishouden. Ze waren allebei gestrest en hadden die zomer gehunkerd naar een rustig plekje.

Een mooie herinnering aan vroeger, om daarheen te gaan. Heather wist nog dat haar moeder toen nog geen idee had gehad van haar kanker, al was ze een beetje afgevallen en had ze verbazend weinig eetlust. Haar moeder was met niets ernstigers bezig geweest dan haar obsessie voor quilts die familiestukken waren. Hoewel ze zelf nooit had genaaid, vond ze het prachtig om de quilts van dichtbij te bekijken en met deskundige quiltsters te praten. Op de laatste dag van hun uitstapje had haar moeder de knoop doorgehakt en de handgemaakte Amish quilt aangeschaft die nu beneden het logeerbed sierde.

'Denk na. Waar *zijn* die brochures?' mompelde ze. Mo was achter haar aan getrippeld. Van de twee katten was Mo het meest op haar gezelschap gesteld en hij volgde haar van de ene kamer naar de andere alsof hij haar schaduwde. 'Mijn constante metgezel, hè, Mo?'

Ze trok de bovenste lade open van paps op maat gemaakte esdoornhouten inbouwkast. Onder een wegenkaart vond ze de folders, met een elastiek bij elkaar gehouden. 'Bingo!'

Heather nestelde zich in haar vaders leunstoel naast de erker. Mo wachtte tot ze lekker zat en sprong toen op haar schoot. 'Nou, de nood is wel hoog, hè,' grapte ze. Ze bladerde door de folders waarin de *Amish Farm and House* op snelweg 30, *J & B Quilts & Crafts*, een wandeltocht door de historische wijk van Strasburg en het historische woonhuis van president James Buchanan aangeprezen werden. Ze keek naar de woorden *Mennonitisch Informatiecentrum – welkom, wij willen graag dat u zich thuisvoelt* en verbaasde zich over de grote schuur met silo op de voorkant van de brochure.

Er viel een blaadje op haar schoot. Het was een lijst met slaapadressen voor toeristen in Lancaster County. Ze gleed met haar vinger de lijst langs van mensen die in hun eigen huis logies aanboden: Benner, Groff, Rohrer, Wenger… Veel families boden onderdak, sommige suggereerden een 'praktijkgerichte boerenbeleving'.

Ze zuchtte. 'Dat is toch gaaf? Ik kan gewoon bij een Amish familie gaan logeren. Daar zijn we nog nooit aan toe gekomen. Wat zeg jij ervan, Mo?'

De kat mauwde twee keer luid en Heather gaf hem een klopje. 'Tja... ik wou dat ik jou en Igor mee kon nemen, maar ik denk niet dat ze daar katten toelaten.' *Bovendien lopen er waarschijnlijk een heleboel Amish schuurkatten rond.*

Mo hield zijn kopje schuin om zijn ongenoegen te tonen. Hij was er nooit zo op gebrand haar met zijn broer te moeten delen, laat staan met iemand anders.

Met een zucht besloot ze een briefje voor haar vader neer te leggen over haar plan om een rustpauze te nemen voordat ze ernstig met haar doctoraalscriptie aan de slag ging... of zoiets vaags. Het was niet nodig om hem ongerust te maken. En hij zou het toch wel begrijpen; hij had het er laatst zelf ook over gehad om een poosje weg te gaan.

'Prachtig.' Ze keek neer op de lange lijst van accommodaties en vroeg zich af hoeveel telefoonnummers ze zou moeten proberen – die mensen hadden natuurlijk geen websites of e-mail – voordat ze een plek vond waar ze zich kon thuisvoelen. *Een plek om de zwaartekracht te tarten.*

Mo sprong van haar schoot, een zwarte streep over de vloer, en schoot de gang in. Ze had geen idee wat hij ging uitspoken. Misschien op zoek naar Igor, die ongetwijfeld lag te slapen op paps bed in de slaapkamer verderop in de gang. Daar waren katten nu eenmaal raar in, maar deze twee waren beslist gezinsleden voor haar en pap.

Haar oog viel op de elegante foto op paps bureau en ze bukte om ernaar te kijken. *Vorig jaar Kerst.* Ze had het niet erg gevonden om weer thuis te wonen en haar doctoraalstudie uit te stellen. Er moest die laatste maanden iemand bij moeder zijn en daarna moest pap ervan weerhouden worden tijdens de eerste schokgolf van verdriet een volkomen kluizenaar te worden. De emotionele verdoving van het begin was na de begrafenis snel uitgewerkt.

Toen had ze ongeveer een jaar geleden de ruime zolder betrokken boven de garage, die vastzat aan de rest van het huis. Door die woonsituatie kon ze komen en gaan wanneer ze wilde, wat tegemoet kwam aan haar behoefte zich af te zonderen.

Ik ben net als pap. We hebben ruimte nodig. De laatste tijd was haar vader weer een beetje opgeleefd, maar net als je dacht de overwinning te hebben behaald, kwamen de golven van verdriet op geheimzinnige wijze weer naar boven en stapelden zich op tot ze over je heen sloegen als een tsunami. Ze had in die lange maanden ontdekt dat niemand ooit helemaal herstelde van het verlies van een ouder. En hoewel pap zelden over mams overlijden praatte, nam ze aan dat het nog erger was om je man of vrouw te verliezen.

Ze keek weer naar de vele adressen en genoot van de grappige namen van de stadjes: Ronks, Gap, Strasburg, Kinzers. Elk had zijn eigen fantastische persoonlijkheid.

'Welk stadje... en welk gastgezin?' Heather probeerde zich voor te stellen hoe het zou zijn om bij vreemden te wonen, al was het maar een paar maanden.

Amish boeren soms? Misschien kon ze helpen met het werk en korting krijgen op de pensionprijs. Ze lachte toen ze zichzelf al zag zitten met een emmer in de hand op een krukje naast een koe. *Ja, dat zullen we meemaken.*

Ze staarde naar de brochure en trok de woorden na met haar vinger.

Mam zou me hier nooit mee laten wegkomen.

Haar vader wellicht ook niet. Maar ja, hij wist het niet...

Haar adem stokte in haar keel. Flinke praatjes ophangen tegen jezelf of tegen een kat was één ding. Maar als de diagnose nou wel klopte? Stel dat ze inderdáád doodging?

Zo vlak voor het einde van het semester besloot Heather om het netjes af te maken. Ze moest zich nergens door laten tegenhouden. Ziek of niet, ze had te hard gewerkt om er nu mee te kappen. Intussen zou ze volgende week haar examens doen en dan noordwaarts naar Lancaster County vertrekken voor wat rust en ontspanning voor de herfst. Als ze zich ertoe in staat voelde, kon ze daar aan haar scriptie werken. Ineens vervaagde de lijst van namen en adressen. Vanaf haar afspraak van vanmorgen had ze haar emoties bedwongen. Ze had toch wel recht op een flinke huilbui?

De tranen begonnen te stromen en drupten op de bladzijde... ze landden op de namen Andy en Marian Riehl, die in een stadje woonden dat Bird-in-Hand heette. Toen Heather zich eindelijk genoeg had vermand om het nummer te draaien, werd wat ze later hun 'schuurtelefoon' zou noemen, opgenomen door een beleefde vrouwenstem. En Marians hartelijke verzekering dat ze plaats voor haar hadden, leek een goed voorteken.

★

Later die dag huurde Judah een mennonitische boer om de nieuwe merrie naar huis te vervoeren en hij regelde een lift van een andere *Englischer* die zijn kant op ging.

Onderweg wisselden ze verhalen uit over veilingen in het verleden en ze praatten even over een man in de buurt van Gordonville die goede zaken deed met de verkoop van zonnepanelen aan Amish mensen. 'Ik hoor de laatste tijd steeds vaker dat mensen zonne-energie zien als een alternatief voor door gas aangedreven generators,' zei de *Englischer*.

Judah knikte bedachtzaam; hij kende de man ook en stelde zich voor dat de panelen voer voor discussie waren onder de broeders van Bird-in-Hand.

Ze kwamen langs een bord waarop een nieuwbouwproject werd aangeprezen en de *Englischer* vroeg wat Judah vond van de oprukkende woonwijken om zijn akkerland.

'Nou, het bevalt ons geen van allen,' zei Judah. 'En we verliezen te veel van onze jonge mensen aan noordelijk New York en andere streken; Kentucky, Indiana, Virginia en zelfs nog verder naar het zuiden. Ik weet niet hoe het moet eindigen, al dat verhuizen om meer land te kopen.'

'Zullen de Amish uiteindelijk verdrongen worden uit Lancaster County?'

'Dat zou ik niet graag zien gebeuren. Maar de werkelijkheid is dat de outletwinkelcentra en de verzorgingstehuizen de boel overnemen.' Hij hoorde het nu al jaren. Meer projectontwikkelaars dan ooit bouwden rijtjeshuizen en dergelijke.

De chauffeur had het hoogste woord, maar Judah gaf er de voorkeur aan te peinzen over het mislukte gesprek met Lettie aan de ontbijttafel. 'We moesten maar es praten,' had ze gezegd. Ondanks het gedrag van zijn vrouw in de afgelopen maand, besefte hij nu dat er vandaag iets anders was geweest in haar manier van doen. Ze was duidelijker geweest in haar poging om te vertellen wat ze op haar hart had.

Maar hij had zijn hand weggetrokken toen ze hem, kennelijk gretig om eindelijk openheid van zaken te geven, had vastgepakt. *Waarom nu?* vroeg hij zich af. Hij herinnerde zich hoe hij haar beneden in de voorkamer huiverend op de sjofele bank had gevonden, gewikkeld in quilts uit haar uitzetkist. Andere keren had hij haar op onmogelijke tijdstippen buiten door het maïsveld zien lopen. Wat zat erachter?

Hij werd uit zijn gepeins gehaald toen zijn chauffeur vroeg: 'Heb je toevallig die vent gezien die keurig gekleed in een sportjasje en met das op de veiling rondliep?'

'*Jah*, ik heb hier zijn kaartje. Roan Nelson is de naam.'

'Dat klopt,' zei de chauffeur. 'Het schijnt dat hij op zoek is naar een kleine hobbyboerderij ergens hier in de streek.'

Judah knikte. 'Ja, dat is zo.'

'Hij heeft zeker nog nooit gehoord van het landtekort hier... dat zelfs sommige Amish boeren langs de deuren gaan om te vragen of er soms binnenkort land beschikbaar komt.'

'Sommige mensen informeren of de eigenaar overleden is,' zei Judah.

De chauffeur wierp hem een begrijpende blik toe. 'Dat is

mijn oom en tante overkomen. Er kwam een jonge Amish boer aankloppen, die zei dat hij had gehoord dat de heer des huizes erg ziek was.'

Judah schudde zijn hoofd, maar zei niets over het beschikbare stuk grond, om de *Englischer* niet op ideeën te brengen. Om de een of andere reden wilde hij niet dat Roan Nelson het misliep. 'De man is een beetje overijverig, volgens mij. Als hij nu een *bed-and-breakfast* wilde kopen, of een huis zonder grond erbij, daar staan er meer dan genoeg van te koop.'

'In overvloed, zou ik zeggen.'

Ze bespraken de huisvestingssituatie en hoe vreselijk het voor mensen was dat de vroeger zo bloeiende markt instortte. 'Bijzonder pijnlijk als je hoopte snel winst te maken,' zei Judah.

'Dat kun je wel zeggen. Vroeger konden de mensen een huis kopen en het bijna meteen weer wegdoen.'

Ze reden een tijdje in stilte en toen begon de chauffeur weer: 'Ik weet niet wat jij ervan vindt, maar ik vond die Nelson een rare vent.'

'Hoezo dat?' Judah keek hem aan.

'Ik zie gewoon niet in hoe hij hier in de buurt zou moeten vinden wat hij zoekt. Er zal een wonder voor nodig zijn zoals het er nu voor staat.'

Judah wist dat de chauffeur zonder enige twijfel gelijk had. Toen dacht hij weer aan zijn vrouw en hij vroeg zich af of er soms ook een wonder voor nodig was om Lettie weer echt van hem te doen houden.

Hoofdstuk 6

Donderdagochtend parkeerde Martin op de oprijlaan van de Bylers en wachtte op Grace. Ze had gisteravond opgebeld om bijna verontschuldigend te zeggen dat ze naar Belmont Stoffen in Paradise wilde gaan om een lap te kopen voor een jurk, en wilde hij haar vriendin Becky misschien ook ophalen? Net als haar moeder plande ze altijd meerdere haltes om meer boodschappen te doen op één bepaalde dag.

Hij vond dat de Amish vrouwen zich merkwaardig uitdrukten en vroeg zich af of ze thuis ook de neiging hadden om zo veel toelichting te geven.

'Goedemorgen,' begroette hij Grace toen ze aan de rechterkant van het busje verscheen.

'Hallo.' Terwijl ze instapte, legde ze licht haar hand op haar witte hoofdbedekking. Hij wachtte tot ze haar tas had neergezet en zich in de stoel geïnstalleerd had. 'U vergeet toch niet om Becky op te halen?' vroeg ze hem met een glimlach.

'Dat is onze volgende halte,' zei hij terwijl hij het portier dichttrok.

Tijdens de korte rit naar de melkveehouderij van de familie Riehl zag hij dat Grace een soort lijstje maakte op een stuk papier. Hij vroeg zich af of het soms een boodschappenlijstje was; hij had meegemaakt dat Amish vrouwen naar die grote stoffenwinkel gingen en de hele bagageruimte van het busje volstopten met naaimateriaal. Aangezien er nu maar twee gingen winkelen, zou dat vandaag niet het geval zijn.

Toen hij de oprijlaan van de Riehls indraaide, zag hij dat Becky aan het pad achter het huis stond te wachten. Ze droeg precies zo'n zelfde blauwe jurk en schort als Grace. Hadden ze het soms afgesproken?

'*Ach*, het ziet ernaar uit dat Becky heel wat van plan is,' zei Grace, waarschijnlijk vanwege de grote, zelfgemaakte tas die haar vriendin over haar schouder had geslingerd. 'Of haar moeder misschien.' Ze lachte zacht. 'We zullen binnenkort wel een grote naaibijeenkomst hebben.'

'Voor het inmaakseizoen?' Hij keek om naar Grace, die knikte voordat hij uitstapte om te helpen met het openschuiven van de zware deur.

Toen Becky haar gordel om had, begonnen de meisjes te fluisteren, voornamelijk in hun moedertaal. Becky begon over een relatieve nieuwkomer uit Indiana en algauw werd de naam van ene Yonnie Bontrager vergezeld door onderdrukt gegiechel en zacht gelach.

Maar de merkwaardigste opmerking tijdens de rit was dat deze Yonnie zo slim heette te zijn dat hij 'kruiswoordpuzzels in zijn hoofd kon doen'. Volgens Becky hoefde de jongeman nooit lege vakjes in te vullen. Het meisje scheen ingenomen te zijn met zijn intelligentie en speelse persoonlijkheid.

Martin glimlachte en keek in de achteruitkijkspiegel naar de giebelende meisjes, die nu en dan hun hoofden bij elkaar brachten en van het onderwerp Yonnie overstapten naar Grace' verjaardag volgende week.

Heerlijk om jong te zijn, dacht hij met een stille glimlach.

★

Op de dag voor haar verjaardag ging Grace haastig naar beneden om te helpen met het ontbijt. Mama was aardappels aan het koken in een grote ketel. Een grote berg aardappelsalade was een verjaardagstraditie. Haar moeder was zeker in de war dat ze dacht dat het verjaardagsmaal vanavond was in plaats van morgen.

'Maakt u soms gekookte aardappels voor het middagmaal?' vroeg ze, eieren brekend in een kom om roerei te maken.

Haar moeder keek haar even verbaasd aan. Toen lachte ze

57

vol verwondering om zichzelf. 'Nou ja! Ik loop een hele dag voor.'

Grace fronste haar voorhoofd. Het was niets voor mama om zo vergeetachtig te zijn.

Haar moeder haalde haar schouders op en vervolgde: '*Ach, ik heb andere dingen aan mijn hoofd.*' Even keek ze Grace aan met een starende blik, alsof haar iets op de lippen brandde, iets wat ze moest zeggen. Maar wanneer had mama ooit iemand in vertrouwen genomen? Afgezien van tante Naomi dan. Het gerucht ging dat mama een paar weken voordat tante Naomi stierf, haar hart bij haar had uitgestort. Becky's moeder Marian had hen aangetroffen voor het koelhuis; mama en tante Naomi waren allebei in tranen geweest en ze hadden elkaars hand vastgehouden.

Grace wilde beslist niet nieuwsgierig zijn, maar ze voelde dat ze een poging moest doen. Zacht vroeg ze: 'Mama, zou u het heel erg vinden als ik vroeg...'

Mama schudde haar hoofd, haar ogen stonden vaag. 'Wat?'

Grace verzamelde moed en keek even op naar de klok hoog op de plank. 'Ik hoor u soms rondlopen in de gang,' zei ze zacht. 'En ook de trap af... 's avonds laat.'

Haar moeder zuchtte diep. 'Grace toch, is dat nou iets om met je moeder over te praten?'

'Nee, mama.' Het verscheurde haar hart dat haar ouders met elkaar overhoop lagen. Waarom zou mama anders uit haar doen zijn? En van pa kreeg je toch niets te horen. Hij had vorige week ook geen duimbreed toegegeven op Adams vraag in de schuur, en ze betwijfelde of hij er sindsdien nog een woord over had gezegd.

Mama keek naar het raam, alsof ze bang was dat iemand hen kon storen. 'Na je verjaardag hebben we het erover, goed?' Ze zweeg even en maakte een lichte beweging in de richting van Grace, alsof ze haar wilde omhelzen. Toen deed ze een stap opzij. 'Is dat niet snel genoeg?'

Grace knikte met wat meer hoop. 'Goed dan.' Ze concentreerde zich op de maaltijd die voor morgen op het programma stond. Als de bijeenkomst hetzelfde verliep als die van vorig jaar, zou het wel een feest lijken. Becky Riehl had twee gequilte pannenlappen gegeven voor Grace' uitzetkist en als verrassing waren hun *Englische* buren van de westkant gekomen; Jessica en Brittany Spangler, de speelkameraadjes uit haar kindertijd. De meisjes hadden gele rozen meegebracht van een bloemist uit de buurt en in een mooie blauwe vaas gezet. 'Nee maar, snijbloemen!' had mama gezegd, tot schrik van Grace. Haar moeder liet bloemen het liefst in de grond staan, waar God ze bedoeld had, maar het had geen zin om de gevoelens van hun buren daarmee te kwetsen. Om de boel glad te strijken had Grace de meisjes herhaaldelijk bedankt en de mooie bloemen bewonderd. Ze had zich afgevraagd wat haar moeder had bezield om zoiets te zeggen.

Nu mama zo overstuur is, wie weet wat de dag van morgen brengt? dacht Grace nu ze het gas opendraaide en de koekenpan zocht om de roereieren te bakken. Ze schonk het mengsel van eieren en melk in de pan en ging haastig de tafel dekken.

★

Adah zette een vol glas water op het tafeltje naast Jakobs stoel en glimlachte naar hem, al keek hij niet op van de Bijbel waarin hij zat te lezen. Ze pakte haar frivolitéwerk, blij na het eten hier in hun knusse voorkamer te kunnen rusten. De dagen begonnen nu snel te lengen en over twee maanden hadden ze alweer de langste dag van het jaar. Maar eind juni was niet het enige waarop ze zich verheugde in deze mooie tijd van vernieuwing. Morgen was Gracie jarig.

Ze duwde zich een beetje omhoog om uit het raam te kijken en zag Lettie op de veranda staan. *Des gut…*

'Gracies vriendin Becky was hier vanmiddag om naar haar te vragen,' zei ze zacht, met haar ogen nog op het raam gericht.

'Wat wilde ze?' Jakob werd in beslag genomen door het Bijbellezen.

'Ze hadden een telefoontje gehad van een jonge vrouw uit Virginia, zei Becky. Ze komt warempel hierheen om de hele zomer te blijven.'

'Dat krijg je als je je huis openstelt voor vreemden,' zei Jakob, die even kort naar haar opkeek voordat hij zijn ogen weer op de Bijbel richtte.

'Het lijkt inderdaad wel of ze voortdurend volk hebben... soms zelfs van ver weg.' De Riehls waren hun pension een paar jaar geleden begonnen om extra inkomsten binnen te krijgen. 'Vooral tijdens de zomermaanden zitten ze behoorlijk vol.'

'Maar er komt iemand die de hele zomer wil blijven?'

'Dat heb ik gehoord,' zei Adah.

'Wanneer wordt die vrouw verwacht?'

'Ergens in de volgende week.' Adah pakte haar frivolitéhaak op om het roze randje af te maken aan het mooie zakdoekje voor Grace. 'De jonge vrouw is naar een plant genoemd, zei Becky.'

'Iris soms?' Jakob hield zijn hoofd naar beneden en keek haar aan over de rand van zijn leesbril. 'Suzanne met de mooie ogen?'

'Och, lieve help, Jakob... ze heet Heather: heide!' Ze moest lachen en vroeg zich af wanneer hij zou zeggen dat ze nu stil moest zijn zodat hij haar kon voorlezen, zoals hij 's avonds altijd deed.

'Dat is een aardige naam.' Hij hield zijn vinger nu tussen de bladzijden van zijn Duitse Bijbel en keek haar recht aan. 'Ben je klaar om een poosje te luisteren, lief?'

Wat kende ze hem goed. Ze knikte glimlachend terwijl hij de Bijbel opensloeg waar hij zijn vinger had gehouden en begon te lezen. Adah ging zo snel als ze kon door met haar frivolitérandje en genoot van het geluid van Jakobs dierbare stem en van de manier waarop hij de woorden van God uitsprak.

★

Grace leverde gretig haar urenbriefje in en liep naar de deur op weg naar haar collega Ruthie Weaver, een aardig, pasgetrouwd, mennonitisch meisje dat haar een lift naar huis had aangeboden. Ze voelde de warme avondzon op haar rug toen ze naar de wachtende auto snelde. Ruthie zat achter het stuur en had haar raampje helemaal opengedraaid. 'Dit was tot nu toe de mooiste dag van de lente,' zei ze glimlachend. 'En dan te bedenken dat we de hele dag binnen hebben gezeten.'

Grace hoorde de roodgevleugelde koevogels die zich verzamelden bij de molenkreek. De lucht was zo fris, geurig bijna, en leek de zomer in te luiden.

Ruthie bood Grace een paar ongebrande noten aan uit een klein plastic zakje toen ze voorin kwam zitten. 'Als je van gezouten hapjes houdt, zul je hier misschien niet veel aan vinden.' Ruthie zette de auto in de versnelling en reed het parkeervak uit.

'Ze zijn met of zonder zout lekker. *Denki.*' Grace nam er drie. 'Maar mijn moeder is dol op zout.'

'O, lieve help, mijn man ook.' Ruthie giechelde en bloosde. 'Je kunt hem gewoonweg niet vertrouwen met een zoutvat.'

'Misschien heeft hij een tekort aan jodium.' Grace had gelezen dat dit soms verklaarde waarom mensen naar zout hunkerden.

'Het zou me niets verbazen.' Ruthie zette de autoradio aan en er klonk een heldere sopraan door de luidsprekers. 'Ach, die vrouw heb ik al meer gehoord… ik wou dat ik wist hoe ze heette. Sommige mensen zeggen dat ze een bijzondere gave heeft.'

Grace luisterde aandachtig en liet de ontroerende melodie en de betekenisvolle teksten op zich inwerken. 'Ik snap wat je bedoelt. Het is wonder-*gut.*'

Ze liet zich achterover zakken en genoot van het weelderige landschap. Ze kwamen langs pas geploegde akkers en de brede molenkreek. Wilgen bogen sierlijk over de oevers en in het weiland stonden koeien verspreid in alle richtingen. Met de auto was het een korte rit naar huis, maar ze was blij dat ze vandaag niet hoefde te lopen. Haar voeten deden pijn, maar ze durfde niet te klagen.

'Je hebt extra lang overgewerkt, hè?' zei Ruthie, met haar hand in het zakje noten.

'Dan kan ik morgen een beetje eerder weg... dan ben ik jarig.'

'Nou... bijna hartelijk gefeliciteerd!' Ruthie glimlachte. 'En laat me raden...'

Lachend wuifde Grace met haar hand. 'Nee, ik heb het niet gezegd om in de belangstelling te staan.'

Ruthie keek weer haar kant op. 'Nou, ik zou zeggen dat je geen dag ouder bent dan negentien... als ik een poging moest wagen.'

'Je zit in de buurt.'

'En, komt er familie?'

'Alleen een paar voor het avondeten.' Mama zou Becky wel weer hebben uitgenodigd, en de zussen Spangler van verderop langs de weg. *Zouden Jessica en Brittany dit jaar een plant meebrengen?*

'Ik hoop dat het heel gezellig wordt.'

Tot haar opluchting zag Grace haar huis in zicht komen. Verjaardag of niet, ze vond het erg ongemakkelijk om over zichzelf te praten.

'We zijn er. Wil je morgen ook meerijden?'

'Alleen als je me laat meebetalen aan de benzine.' Ze haalde een paar biljetten uit haar portemonnee.

'Bedankt, maar eigenlijk kom ik er toch langs op weg naar huis, Grace.'

'Laat je me alsjeblieft dit keer?'

'Stop dat geld weg.' Ruthie duwde haar lange, kastanjebruine haar over haar schouder. 'Tot in alle vroegte.'

Grace deed de deur open, bedankte haar nog een keer en zei: 'Tot kijk dan.'

Toen ze zich omdraaide, zag ze haar moeder op de voorveranda staan, naast de brievenbus op de balustrade. Grace hoopte op een lachje of een opgestoken hand, maar mama stond roerloos, alsof ze aan de veranda was vastgeplakt.

'Hallo, mama!'

Langzaam draaide haar moeder zich om. 'Gracie? Ben je niet ontzettend laat?'

'Ik heb overgewerkt om het goed te maken voor morgen... Weet u nog?' Ze klom het trapje op naar de veranda en deed de voordeur open. 'Kom... laten we naar binnen gaan.'

'Nee... nee, ga jij maar vast.'

Grace deed de deur dicht en legde een hand op haar arm. 'Gaat het?'

'Ik blijf hier nog maar even zitten.' Ze glimlachte flauwtjes en nam plaats op de oude houten schommelbank. Grace zag haar kin beven. 'Er is nog wat eten over...'

Grace kwam naast haar zitten. 'Wat is er?'

Mama legde de post in haar schoot en schudde haar hoofd. 'Je kunt niets voor me doen. Helemaal niets.'

'Nou, nee... Niet als u niet met me praat.' Ze voelde een steekje van schuld omdat ze het zo plompverloren zei. Zo had ze nog nooit tegen iemand gepraat, laat staan tegen een van haar ouders.

'Ga nu maar en warm je eten op.'

'Maar, mama...'

'Het gaat wel.' Haar moeder voegde eraan toe: 'Ik moet gewoon even alleen zijn.'

Verscheurd tussen gehoorzaamheid en onrust stond Grace op en bleef even staan neerkijken op haar moeder, die daar zo zielig volkomen roerloos op de schommelbank zat. Ze wist nog hoe ze samen geschommeld hadden, heen en weer, vrij van alle zorgen, zo veel zomers geleden, toen Grace nog klein was. Mama zag er nu net zo troosteloos uit als op de dag dat haar zus was gestorven.

Grace had niet gemerkt dat ze haar adem inhield. Haar moeder keek langs haar heen naar iets ver voorbij de veranda. Grace voelde de aandrang om zich om te draaien en ook te kijken, maar ze zag alleen de eerste irisstengels in de zijtuin bij het koelhuis en verder weg pa's kudde schapen. De nieuwe lammeren volgden de ooien op de voet.

Ze keek weer naar haar moeder en zag de tranen over haar gezicht stromen. '*Ach*, mama, wilt u niet zeggen waarom u zo moet huilen?'

Even deed haar moeder haar mond een beetje open en Grace dacht dat ze antwoord ging geven. Maar ze zei alleen maar: 'Ga nu maar, Gracie.'

'Goed dan. Ik zal u met rust laten.' Wanhopig opende ze de hordeur en glipte naar binnen.

Hoofdstuk 7

Lettie keek haar dochter na en haar hart brak. Ze drukte haar blote voeten tegen de houten latten van de veranda, die elk jaar wit geschilderd werden door haar lieve Mandy, die werk in overvloed had sinds Grace bij Eli's was gaan werken. De schommel kraakte vertrouwd en gaf haar een eenzaam gevoel dat haar gedachten weer terugvoerde naar gelukkiger tijden.

We waren gelukkig...

Ze had op deze zelfde schommelbank gezeten om kleine Gracie te wiegen toen ze pas geboren was. O, die eerste zomer na haar geboorte was een mengelmoes van lachen en huilen... en van kostbare momenten waarin ze haar dochter dicht tegen zich aan hield en voedde naar behoefte. Wat was ze gelukkig dat ze weer een schattige baby in haar armen hield. Adam was al een vlasblonde peuter van achttien maanden, die vaak aan kwam kruipen en naast haar kwam zitten met zijn bezwete hoofdje tegen haar arm, waar zijn huid soms haast aan bleef kleven, zo dichtbij. Met z'n drieën schommelden ze op de veranda en wachtten op een zuchtje wind.

Soms kwamen de buren met zoete, rijpe watermeloen. Attente Marian Riehl had gehoord dat Lettie depressief was na de bevalling. Marian en haar man Andy sneden royale plakken van het koele fruit en zaten op de verandatrap of op de balustrade en aten tot op de schil. Soms deden Judah en Andy wie de pitten het verst weg kon spugen.

Glimlachend herinnerde ze zich de pret die ze samen hadden gehad, omringd door vrolijk gelach en verhalen. Marians kleine Becky was toen nog niet eens geboren.

Becky, dacht ze nu. *Niet Rebekah, zoals iedereen had gedacht.*

Marian was haar mening over de naam komen vragen toen het kindje nog maar drie dagen oud was. Het scheen dat Marian en haar man een meningsverschil hadden over een naam, en Marian wilde Letties mening ook horen, wat ze destijds behoorlijk komisch had gevonden. Minder komisch echter was Andy Riehl, die maar al te vaak een gelegenheid zocht om zijn hakken in het zand te zetten, tot Marians grote verdriet. Lettie vond de man weinig aardigs hebben. *Ze hebben een moeilijk huwelijk*, dacht ze.

Terwijl ze de herinnering van zich af schudde, hoorde ze Grace' stem, vermengd met de stemmen van haar ouders. En met haar grote teen zette ze zich af tegen de veranda om harder te schommelen. Tsjirpten de krekels vanavond maar op volle kracht. Hun refrein zou de gesprekken binnen tussen *Mammi*, haar vader en Grace stellig overstemmen. Gauw, heel gauw, zou het insectenkoor terugkeren... als het zomer werd.

Lettie ademde de koele avondlucht in. Wat had ze het nodig om alleen te zijn, ze snakte er nog meer naar nu Grace morgen jarig was en een mijlpaal bereikte.

Waar zijn de jaren heen gevlogen?

O, maar ze wist het wel. Ze waren verdwenen in de seizoenen, jaar na jaar... ze waren de weg gegaan van alle goede en mooie dingen.

Zoals liefde...

Ze kon zich de laatste keer niet herinneren dat Judah en zij elkaar hun genegenheid hadden getoond; nog geen kus op de wang. Niet dat het hun bedoeling was geweest dat hun huwelijk op dit punt zou aankomen; ze hielden waarschijnlijk gewoon niet meer van elkaar.

Ze sloeg haar handen voor haar gezicht, wetend wat er zou gebeuren als ze stoutmoedig genoeg was – en onverstandig genoeg – om haar hart voor Grace te openen. Maar nee, haar dochter zou het in de verste verte niet begrijpen. En Judah? Ongetwijfeld zou haar echtgenoot haar onthulling slechts beschouwen als een reden te meer om zich dieper in zichzelf terug te trekken.

Judahs eigen wereld...

Dus hoewel ze er serieus over gepiekerd had sinds de schuurbouw van vorige maand, stond het voor haar buiten kijf dat ze met iedereen op slechte voet kwam te staan als haar goed bewaarde geheim werd onthuld.

Nee, dat risico mocht ze niet nemen.

Jakob was nog geen tien minuten aan het Bijbellezen toen Gracie in de deuropening naar de gang verscheen en langzaam op hen toekwam.

'Wacht even, Jakob.' Adah boog zich naar voren in haar stoel en liet haar frivolitéwerk achter zich glijden. 'Gracie? Heb je honger, kind?'

'Mama zegt dat er nog eten over is...'

Lieve help, het leek wel of het kind ging huilen.

'*Ach*, neem maar wat van ons.' Adah pakte het dichtstbijzijnde kussen en stopte het achter zich om het verjaardagszakdoekje beter te verstoppen. Ze stond op en wenkte Grace mee naar de keuken. 'Je *Dawdi* was net uit de Schrift aan het lezen, maar misschien komt hij wel bij ons zitten, dan kun jij het ook horen.' Dit zei ze harder dan anders, in de hoop dat Jakob de hint begreep.

Toen hij dat inderdaad deed, klaarde Grace' gezicht op en ze trok een stoel voor hem bij. Ze ging zitten en steunde op haar handen toen Jakob zijn grote leren Bijbel op tafel legde. 'Ik heb jullie de laatste tijd niet veel gezien,' zei Grace, naar hem opkijkend.

'Je hebt het ook zo druk... met al dat werken bij Eli's.' Jakob ging zitten en lachte haar van opzij toe. 'Wat heb je vandaag voor me meegebracht?'

'O, ga toch weg,' zei Adah. 'Ze brengt niet elke dag gratis monsters mee.'

Grace lachte vrolijk, wat Adah plezier deed. 'Ik betwijfel of u het monster van vandaag had willen hebben, *Dawdi*.'

Hij keek haar ondeugend aan. 'Goed, ik zal happen... Wat was het?'

'Pikant gedroogd rundvlees, het heetste wat u ooit hebt geproefd.'

Jakob legde zijn hoofd in zijn nek en schaterde. 'Nou ja, je weet het nooit voordat je iets geprobeerd hebt, hè?'

Grace schudde haar hoofd. 'Ik heb u gespaard, *Dawdi*. Ik kan u verzekeren dat u er vreselijk buikpijn van had gekregen.'

'Dan moet ik je zeker maar bedanken, *jah*?' Hij pakte Grace' hand en gaf een vlug kneepje, toen liet hij haar met een stralend gezicht los.

Adah warmde de ovenschotel van macaroni met tonijn op en de overgebleven erwtjes met boter in een kleinere steelpan. Vanwaar ze stond bij het gasfornuis kon ze Lettie niet meer buiten op de schommelbank zien zitten, maar als ze al binnen was gekomen, had ze haar gehoord.

Roerend in de macaroni vroeg Adah zich af wat ervoor nodig was om de rust te herstellen. Terwijl ze vol genegenheid keek naar haar kleindochter en haar man, die omringd door de gouden cirkel van licht van de gaslamp boven hun hoofd zo gezellig bij elkaar zaten, kreeg ze een brok in haar keel. Jakobs haar was doorspikkeld met grijs en tegenwoordig moest hij eerst een paar tellen voorzichtig blijven staan voordat hij begon te lopen, omdat zijn benen een beetje wiebelig waren als hij was opgestaan uit zijn stoel. En hun lieve Grace, zo vol jeugdige energie, zou binnen niet al te lange tijd gaan trouwen.

Ze zal haar broer ongetwijfeld in zijn voetsporen volgen.

Op dit moment spreidde de warmte van familie zijn vleugels over haar... over hen drieën. En Adah wilde dat voor geen goud bederven.

'Jullie komen morgenavond toch eten, *jah*?' vroeg Grace, daarmee de stilte verbrekend.

'Zie maar eens dat je me tegenhoudt,' zei Jakob, met een blik op Adah.

'Ik zal je lievelingstoetje bakken, Gracie,' zei Adah. 'Worteltaart met boterglazuur.'

'Mama houdt er niet van om te veel drukte te maken van een verjaardag, weet u,' zei Grace onverwacht.

'Als je de dag naar je eigen keuze mocht invullen, wat zou je dan doen?' vroeg Adah.

Grace staarde naar de tafel. 'Laat eens kijken. Jullie zouden met z'n allen het verjaardagslied moeten zingen natuurlijk.' Langzaam hief ze haar hoofd op. 'Ik vind het zo prachtig om mama's mooie stem boven alle andere uit te horen.'

Die blije kant van Lettie krijgen we zelden meer te zien, dacht Adah.

'En zonder al te veel na te denken, ik zou waarschijnlijk een groot deel van de dag met Becky willen doorbrengen.' Grace kneep haar ogen half dicht, alsof ze een weerwoord verwachtte. 'En met Adam.'

'Met andere woorden, je beste vrienden,' zei Adah.

'*Jah.*' Grace glimlachte hartelijk naar beiden. 'Maar begrijp me niet verkeerd, ik zou jullie ook meenemen als het kon.'

'Waarheen?' Jakob boog zich weer naar voren.

'Naar de oceaan. Op een keer wil ik hem graag met eigen ogen zien... niet alleen in een boek.' Grace keek naar het raam. 'Het moet heel bijzonder zijn om het geraas te horen.'

'En te zien hoe groot hij is,' voegde Adah eraan toe.

'Te bedenken dat je altijd maar verder kunt kijken... over de rand van de wereld heen, bij wijze van spreken.' Grace ging op in een dagdroom, wat Adah nog nooit eerder had meegemaakt. *Gelukkig is ze niet zo'n droomster als haar moeder altijd was!*

Jakob wuifde met zijn hand. 'Nou, misschien kan die chauffeur je meenemen om die horizon te zien die je bedoelt. Hoe heet hij?'

'Martin Puckett?' zei Grace. 'Een heel aardige vent, moet ik zeggen.'

'*Jah,* die bedoel ik. Misschien kan Martin je een dezer dagen met Becky en Adam naar de oceaan brengen.'

Dat bracht een brede glimlach op Grace' gezicht, maar het duurde niet lang, want precies op dat moment hoorde Adah de hordeur aan de voorkant met een klap dichtslaan. Grace werd bleek en haar blik vond die van Adah en hield hem geruime tijd gegeneerd vast.

Hoofdstuk 8

Grace' verjaardag begon als alle andere dagen behalve één ding: ze werd wakker gemaakt door Mandy, die haar kamer binnen glipte en een kus op haar wang drukte. 'Fijne verjaardag… nog vele jaren, zus!' kondigde Mandy aan met een glimlach van oor tot oor.

Grace keek haar met half dichtgeknepen ogen aan, rekte zich uit en geeuwde. '*Ach*, je bent nog eerder op dan ik.'

Mandy kwam op de rand van het bed zitten, haar lange, roodblonde haar golfde over haar ronde schouders helemaal tot haar mollige middel. 'Ik wilde je als eerste feliciteren, Gracie.' Ze probeerde een geeuw in te slikken, maar het lukte niet. Zacht lachend zei ze: 'We hebben iets bijzonders bedacht.'

'Eerlijk waar?'

Mandy knikte stralend. Toen legde ze haar vinger tegen haar lippen en fluisterde: 'Meer zeg ik niet.'

Grace hield van haar speelse zusje, dat altijd iets interessants of geheimzinnigs in haar schild voerde. 'Nou, de dag zal vast en zeker vlug voorbijgaan.' Ze ging rechtop zitten en keek naar de wekker op het kastje naast haar bed. 'Ik moet me maar eens gaan klaarmaken voor mijn werk.'

Mandy stond op, ze had haar lange, witte katoenen nachtpon nog aan. 'En moet je morgen ook werken?'

'Nee, niet dat ik weet.'

'Nou, *gut*, dan… dan kunnen we samen iets gaan doen, *jah*?' Mandy's slaperige ogen twinkelden.

'Wat had je gedacht?'

Mandy liep naar de deur, waar ze zich met een stralend gezicht omdraaide. 'Wat zou je ervan zeggen als we Willow meenemen naar het weiland en op haar gaan rijden? Dat lijkt

71

me zo leuk!' Hun paarden waren bedoeld om rijtuigen en marktwagens te trekken, niet om op te rijden, zoals Mandy heel goed wist. Sommige bisschoppen waren er zwaar op tegen. 'Wat zou pa daarvan zeggen?' vroeg Grace.

Mandy grinnikte ondeugend. 'Tja… als je het beslist wilt weten, ik heb het er al met mama over gehad.'

'*Jah?* En?'

'Ze gelooft niet dat het gevaarlijk is, als we maar niet de weg op gaan… je weet wel, om ons uit te sloven.'

'Goed, dan… als mama zegt dat we niet mogen pronken, dan doen we het niet.'

Mandy wuifde met haar vingers en ging de kamer uit.

Grace sprong uit bed en deed de deur dicht. Ze pakte haar borstel op en begon slagen tellend haar haar te borstelen. *Wat zal er vandaag gaan gebeuren?*

Eén ding wist ze wel: ze voelde zich geen spat ouder dan gisteren, al zei de kalender iets anders. Ze trok haar badjas aan en trok het groene rolgordijn helemaal omhoog. Toen ging ze bij het raam zitten om uit de Psalmen te lezen. Toen ze klaar was, vroeg ze om een zegen voor de dag en voor iedereen die ze zou tegenkomen, verzamelde haar schone kleren en ging naar beneden voor een warm bad voordat de rest van de familie wakker werd. Haar vader had een hoop tijd en geld gestoken in de aanleg van twee moderne badkamers in huis. Een aan hun kant en een bij *Dawdi* en *Mammi.* Soms wenste ze dat er boven ook een badkamer was… verderop in de gang, een paar stappen van de slaapkamers van Mandy en haar. Maar pa zei dat ze het moesten doen met wat ze hadden. *Mammi* Adah was dolgelukkig met haar luxueuze, inpandige badkamer. Ze genoot van het gemak van een mooie, grote badkuip en moderne voorzieningen, zeker in de wintermaanden.

Grace reikte naar de shampoo en wreef het zorgzaam tot schuim in haar haar, dat ze vandaag graag stralend en schoon wilde hebben.

Wat zal Henry doen voor mijn verjaardag?

Ze schoot vlug op en betrapte zich er steeds op dat ze begon te neuriën. Eerlijk gezegd vroeg ze zich af of Henry's verlegenheid, zijn onbeholpenheid zelfs, hem zou verhinderen om feest te vieren.

Vandaag wilde ze een goed begin maken met het ontbijt, hoewel mama vast en zeker al iets in gedachten had. Maar toch wilde Grace de dag op de juiste manier beginnen door te zorgen dat alles was zoals het moest zijn.

Andere jaren had haar moeder haar op bijzondere verjaardagen, zoals zestien – het begin van de verkeringsleeftijd – verrast met zelfgemaakte wafels en een bijzondere soufflé of, wat Grace het allerlekkerst vond, kaneelbroodjes en chocoladesiroop in haar koffie.

Zulke blije herinneringen aan samen om de tafel zitten voor een verrukkelijk verjaardagsontbijt. Ze stond zichzelf toe te neuriën. *Een paar minuten kunnen geen kwaad*, stelde ze vast met een blik op haar horloge.

Ze dacht weer aan Henry, die de knapste was van alle jongens die ze had gekend. Zo knap dat ze zich soms in haar arm moest knijpen. *Waarom heeft hij mij uitgekozen?*

Ze had van verscheidene jongemannen te horen gekregen dat ze knap was. 'Heel aantrekkelijk zelfs,' had Yonnie een keer recht in haar gezicht gezegd tijdens de drie korte avonden dat hij vorig jaar met Grace uit wandelen was geweest, voordat Henry haar mee uit rijden had gevraagd. Zulke complimenten waren vreemd aan de Eenvoud… ze zetten slechts aan tot ijdelheid.

Met een glimlach dacht ze aan Yonnies merkwaardige manier van doen. Toen al had hij nooit de moeite genomen om een paard of open rijtuigje mee te nemen naar een zangavond of andere jeugdbijeenkomsten; ze waren overal lopend heen gegaan. Nooit in haar leven had ze meer beweging gehad. Grace had wel eens gedacht dat als de bisschoppen in Lancaster er lucht van kregen, ze die ongewone manier van het hof maken zouden willen aanmoedigen; misschien maakte het de jonge mensen meer bewust van de jeugd in hun eigen kerk-district.

Er gingen meer dan genoeg verhalen rond over jongemannen die verliefd waren op een paar meisjes tegelijk, dus het kwam haar niet ongewoon voor dat Yonnie de tijd nam om te kiezen. En door wat ze weleens van *Mammi* Adah had begrepen over haar moeders eigen jonge jaren, vroeg Grace zich af of Yonnie en haar eigen moeder soms iets gemeen hadden.

Lieve mama…

Grace stapte uit de badkuip en kleedde zich aan. Ze wikkelde haar haar in een handdoek. Ze deed de deur open en botste bijna tegen Adam op, die vlak voor de deur stond. '*Ach,* je laat me schrikken…!'

Hij grinnikte en keek haar slaperig aan.

'Tijd om vrolijk op te staan.' Ze ging opzij.

'Opgestaan ben ik al… vrolijk nog niet. Het is een zware nacht geweest in de schapenschuur.' Hij ging de badkamer in en deed de deur dicht. Ze hoorde het water lopen voor zijn scheerbeurt. Toen ging haast even vlug de deur weer open en hij stak zijn hoofd naar buiten. 'Er is iemand een jaar ouder geworden en ik ben het niet!' Met een slaperig gegrinnik deed hij de deur weer dicht.

Grace voelde zich verwarmd door de grappige opmerking van haar broer en snelde door de keuken en de zitkamer naar de gang en de trap. Ze vloog naar haar kamer en wreef haar haar droog met een handdoek voordat ze het in een knot bond. Toen het tot ver voorbij haar middel naar beneden hing, was ze blij dat het niet zo dik en warrig was als Becky's haar, of zelfs als dat van Mandy, dat de mooiste kleur had die ze ooit had gezien; als door de zon gekuste aardbeien en geoogste tarwe door elkaar. Haar zusje viel beslist op in een menigte. Jaren geleden, toen Mandy nog maar veertien was, had mama geklaagd over de vele keren dat Mandy stiekem naar zangavonden was gegaan, in de hoop voor ouder te kunnen doorgaan. 'Het was maar een onschuldig grapje,' had Mandy hun verzekerd toen ze betrapt werd. Maar mama en pa hadden haar allebei de mantel uitgeveegd.

Hoewel er nu verschillende aardige jongens belangstelling voor Mandy hadden, was Grace er niet helemaal zeker van of haar zus om een van hen gaf, of vice versa. Ze wist alleen wat ze had waargenomen op zangavonden, waar de jongens Mandy opzochten. De populariteit van haar zus was geen geheim, maar ondanks haar vrolijke verjaardagsbegroeting toonden Mandy's treurige bruine ogen haar onrust. Dat had Grace de laatste tijd vaker gezien.

Zelf had ze ook met onrust te stellen. Het leven was zo onvoorspelbaar. *Vooral met pa en mama.* Hoe graag ze ook wilde dat ze tevredener met elkaar zouden zijn, ze had soortgelijke tekenen van afstandelijkheid bij Becky's ouders gezien. Ze begon zich zorgen te maken dat veel getrouwde stellen dezelfde koelheid vertoonden.

Dat zal mij niet overkomen... als ik ooit trouw.

Toen ze mama beneden in de keuken bezig hoorde, snelde Grace weer naar beneden. Op de overloop rook ze de aanlokkelijke geur van chocolade. *Zou het?* Ze liep door de zitkamer naar de keuken.

Toen ze haar zag, probeerde mama vlug het pakje ongezoete chocolade te verbergen.

'*Gut* morgen,' zei Grace, die probeerde niet al te breed te grijnzen.

'Je mocht me niet besluipen,' zei mama met twinkelende ogen. Verdwenen was de droefheid van voorgaande dagen.

'Ik vind uw chocoladewafels heerlijk.'

Mama knikte, met haar blik nog op Grace gericht. 'Ik heb perziktaart gemaakt om mee te nemen naar je werk, voor je lunch vandaag.'

Grace was opgelucht dat haar moeder weer praatte en zich gedroeg als haar oude zelf.

'Wat lekker. *Denki,* mama.'

Dus Mandy had gelijk – verrassingen in overvloed!

Het was halverwege de ochtend toen Grace opkeek van de blikken die ze op de planken zette en de bovenkant van een mannenhoofd zag. Ze verhief zich op haar tenen en zag tot haar schrik dat Henry Stahl met zijn lichtbruine haar keurig gekamd de winkel betrad.

Ze keek neer op haar handen en vroeg zich af wat ze met de blikjes thee moest doen. En waarom beefde ze nou zo? Vlug zette ze de blikjes door elkaar op de plank om ervan af te zijn, en liep naar het einde van het gangpad in de buurt van een uitstalling van vitamines. Haar hart begon te bonzen toen ze hem door de winkel heen zag lopen.

Hij is nota bene hierheen gekomen om mij te zien!

'O, Grace… daar ben je.' Hij keek rond, zijn ogen schoten nerveus heen en weer. Ze moest zich wel afvragen waarom hij voor dit onverwachte bezoek zijn zondagse zwarte broek en vest had aangetrokken. Het enige wat ontbrak aan zijn gewone zondagse kerkoutfit was zijn smalle zwarte vlinderdasje.

'Wat een aardige verrassing,' zei ze zacht.

Hij ademde diep in en richtte zich op tot zijn volle lengte, rechtte zijn schouders; een lange man van één meter negentig. 'Ik ben gekomen om je hartelijk te feliciteren.' Hij boog zich dichter naar haar toe en zei met gedempte stem: 'Er ligt iets op je te wachten… in het rijtuig.' Hij knikte naar de deur. 'Goed?'

O, dit ging haar verwachtingen te boven!

Ze keek naar de toonbank en zag dat de bedrijfsleider haar snel toeknikte. 'Als het niet te lang duurt.'

Henry's grijns maakte haar blos nog dieper.

Buiten nam hij haar mee naar de andere kant van het rijtuig, waar ze konden ontsnappen aan de nieuwsgierige ogen van het andere winkelpersoneel. Ze was er zeker van dat Ruthie en de anderen voor het raam stonden te kijken. 'Ik heb een cadeau voor je.' Hij tilde de schootdeken op en daaronder lag een niet-ingepakte doos met het woord *klok* erop.

'Lieve help, Henry!' Ze kon haar ogen niet geloven. Een dergelijk geschenk gaf een jongeman niet aan zijn meisje tenzij hij op het punt stond haar ten huwelijk te vragen.

Grace' hart bonsde in haar keel en even had ze moeite haar gedachten bij elkaar te houden.

'Ik maak hem graag voor je open.' Hij pakte de doos en draaide hem om om haar het plaatje te laten zien van een prachtige gouden klok met een bewegend speelwerk achter glas.

'Nee... laten we hem maar veilig ingepakt laten.' Ze schudde haar hoofd terwijl ze keek naar het plaatje van de mooie klok en toen weer omhoog naar hem. 'Hij is prachtig. Ik weet gewoon niet wat ik moet...'

Hij pakte haar hand, voor de allereerste keer. Het gevoel van zijn warme, eeltige vingers maakte dat ze naar hem lachte.

Ze was zich ineens te bewust van het daglicht. Waren ze tijdens hun avondlijke ritten ooit zo dicht bij elkaar geweest? Ze wist haast zeker van niet. Maar ze vond het heerlijk dat hun vingers zo in elkaar gevlochten waren en dat ze in zijn lieve, bruine ogen kon kijken. Nou ja, omhoog in, want hij was minstens twintig centimeter langer.

'*Denki*... Ik vind het echt een heel mooie klok, Henry,' zei ze, met een opgelaten gevoel dat iemand hun uiting van genegenheid had kunnen zien.

Zijn ogen dwaalden over haar heen. 'Heb je er plaats voor?'

Ze zweeg even. Wat was het meest gepast om te zeggen? 'Nou ja, hij zal waarschijnlijk wel in mijn kamer komen.'

Tot later...

Hij zweeg en stond ernstig op haar neer te kijken.

'Dan hoop ik hem te zien... op een keer.' Zijn gezicht lichtte op.

Ze huiverde bij zijn woorden. Dus hij was inderdaad van plan om met zijn zaklantaarn op haar raam te schijnen en op bezoek te komen. Als hij kwam, zouden ze niet langer dan een paar minuten alleen in haar kamer blijven, want mama had er altijd bij Mandy en haar op aangedrongen dat ze serieuze *beaus* in de keuken ontvingen, bij de warme kachel. Andere gezinnen lieten paartjes die verkering hadden urenlang in de kamer van het meisje zitten praten. Maar terwijl sommige kerkdistricten dat aanmoedigden, werd het in andere afgekeurd. Die verschillen in de *Ordnung* van kerk tot kerk konden erg verwarrend zijn. Grace was blij dat ze in dit speciale district was opgegroeid, waar aangedrongen werd op behoedzaamheid in de verkering en waar de mensen openlijk over God spraken en soms zelfs hardop baden.

Ze meende de reden te weten dat er in hun huiskerk, die om de andere zondag bij elkaar kwam, nadruk werd gelegd op zuivere motieven en een heilig leven. Maar ze wilde niet langer nadenken aan die geruchten over andere jongeren. Niet op deze bijzondere dag.

'Henry... ik ben er dolblij mee. Echt waar.' Ze wist haast niet wat ze moest zeggen om zijn hart nog wijder te openen, als dat kon.

Hij knikte en glimlachte warm.

Ze wierp een blik op de winkel en zei dat de klok doortikte. Toen moest ze lachen: dat was er heel anders uitgekomen dan ze het bedoeld had! '*Ach*, ik hoop dat je begrijpt wat ik wil zeggen.'

Weer knikte hij. Zijn ogen straalden vrolijk, maar hij zei niets. *Ach*, wat zou ze hem graag eens hartelijk horen lachen.

Onhandig klom Henry in zijn zwarte, open rijtuigje en pakte de teugels op. 'Prettige dag, Grace.'

Blozend wuifde ze hem na en keerde terug naar de winkel. De andere meisjes probeerden niet te giechelen, maar het mislukte jammerlijk. Ruthie was het ergst van allemaal, ze was te vrolijk en deed te hard haar best om een lach te onderdrukken. Ze wisten natuurlijk allemaal dat het haar binnenkort aanstaande was, haar knappe Henry, die net op bezoek was geweest.

Hoofdstuk 9

Grace telde de uren totdat ze naar huis kon, nog steeds verrukt door Henry's bezoek en zijn royale geschenk. Ze had geen idee wanneer hij de klok bij haar thuis zou afgeven. Het was niets voor hem om er een vertoning van te maken, dus het zou wel niet bij daglicht zijn.

Om haar opwinding te bedwingen hield ze zich druk bezig met de winkelvoorraadlijst. Ze documenteerde elk artikel onder alle soorten voedingssupplementen en schikte ze op alfabetische volgorde. Nu was ze bij de *G* gekomen, waaronder ginseng, een favoriet van *Mammi* Adah.

Mama zei vaak: 'Je bent wat je eet.' Grace dacht aan het gefrituurde voedsel en de frisdrank waar de meisjes Spangler gek op waren, maar die hadden toch een volmaakte teint. Bewees dat mama's ongelijk?

Grace was niet overmatig streng met haar dieet, zoals sommige mensen die tegenwoordig aanbevolen alleen groenten, granen en peulvruchten te eten. 'Konijnenvoer,' had Adam gegrapt toen ze hem vertelde over de gezondheidstrend van tegenwoordig.

Over groenten gesproken, Grace miste het helpen in de tuin net zo erg als altijd. De geur van vers geploegde aarde was verkwikkend... en dan het nemen van een besluit waar de verschillende groenten geplant moesten worden. Ze vond het heerlijk om 's morgens vroeg een flinke verscheidenheid aan groentesoorten te wieden en te oogsten om op te eten, te verkopen of in te maken voor de winter. Sinds ze bij Eli's werkte, had ze het wieden en verzorgen van haar kruidentuin aan Mandy moeten overlaten, maar soms kwam Becky helpen op Grace' vrije dagen.

Er werd altijd veel gelachen tijdens de hete, vochtige uren van schoffelen en water geven van de rijen sla, sperziebonen, radijsjes, tomaten en pompoen. Maar mama lachte de laatste tijd niet meer. Grace kon wel zien dat ze haar best deed om te genieten en mee te doen met de pret, maar als puntje bij paaltje kwam, hield mama zich in.

Grace ging verder met de volgende plank en begon de vele soorten kruiden op alfabet te zetten, te beginnen met alfalfa, aloë en anijs. Ze weigerde na te denken over akelige dingen, zeker op zo'n mooie dag. Piekeren over vroegere gebeurtenissen had geen enkele zin. Bovendien zei *Mammi* Adah dat stilstaan bij het verleden een obsessie kon worden, destructief zelfs.

Maar vandaag was Grace ontwaakt met vogelgezang en een stralende blauwe lucht; een vrolijk begin van de dag. De vogels waren meteen naar de voerbakjes gekomen die Mandy en zij op strategische plaatsen in de achter- en zijtuinen hadden gezet. Als gretige vogelliefhebbers genoot de hele familie van de roodborstjes, vinken, Vlaamse gaaien en mezen die dicht bij hun huis een wijkplaats vonden, maar mama hield er het meest van naar ze te kijken, vooral vanaf de achterveranda. Haar favoriet was de grijsbruine treurduif, die elk seizoen diverse nesten had. Mama had haar kinderen geleerd te luisteren naar het fladderende gefluit dat zijn vleugels maakten als hij opsteeg. 'Maar alleen de mannetjes maken het treurig klinkende geluid,' had haar moeder gezegd.

Het had de laatste tijd flink geregend en roodborstjes waren op zoek naar wormen, waarvan ze nog overvloediger gingen zingen. Dat dacht Grace tenminste graag. In aanmerking genomen hoe de regen het grasland voor pa's schapen fris en groen had gemaakt, was ze dubbel dankbaar voor de grote hoeveelheid vocht.

Grace had zich nooit afgevraagd waarom haar vader hoorde bij het handjevol Amish in de streek dat geen melkveehouder was. Haar vader was uitzonderlijk teruggetrokken en de manier waarop hij van de vroege ochtend tot de late avond bezig was met schapen fokken, oogstte bewondering bij de andere boeren. Grace vond het leuk om te zien hoe hij met andere mannen omging, want daardoor kreeg ze meer inzicht in wat haar eigen vader bezighield dan wanneer hij aan de gesprekken in het gezin meedeed. Zijn tong werd losser, en Grace luisterde met verbazing.

Ze glimlachte toen ze bij zink kwam, een essentieel mineraal om een sterk immuunsysteem op te bouwen. Het hielp ook tegen acne, volgens Ruthie, die last had van puistjes. 'Te veel chocolade,' had ze bekend, maar nadat ze drie maanden zink had genomen was haar huid even zuiver als die van Grace.

Grace zette het potje helemaal achter in de rij en hoopte dat vanavond alles goed zou gaan. Heimelijk dacht ze nog eens aan Henry's bezoek. *Hij is nota bene hierheen gekomen!*

★

Toen het tijd was om naar huis te gaan, zag Grace haar jongere broer Joe die in pa's rijtuig op het parkeerterrein stond te wachten. Joe zwaaide naar haar, hij zat aan de rechterkant van het familierijtuig en er bungelde een strootje uit zijn mond. Hij kwam haar vaak ophalen omdat hij genoot van de vrijheid van het uit rijden gaan, alsof hij ongeduldig wachtte tot hij zijn eigen open rijtuigje kreeg als hij volgend jaar zestien werd.

Het was een milde middag geweest, met maar een zuchtje wind. Door de statige bomen ving ze een glimp op van samenpakkende wolken in het westen. Ze gooide haar tas op de zitting en zag toen ze in het rijtuig sprong dat haar lievelingspaard ervoor gespannen was. 'Leuk dat je Willow hebt meegebracht,' zei ze glimlachend.

'Ik kon kiezen tussen haar en Sassy, want pa is met de nieuwe merrie naar de smid. En Adam wilde met alle geweld *zijn* paard gebruiken.'

'Waarom?'

'Hij zei dat hij op het laatste nippertje een boodschap moest doen.' Joe hield zijn gezicht in de plooi en keek naar de weg. 'Het zal toch niet iets met vanavond te maken hebben?' Joe vertrok geen spier. 'Hoezo, wat is er aan de hand?' '*Ach*, jij... weet je het niet?' Met zijn ogen nog op de weg gericht, zei hij: 'Je spreekt in raadsels, Gracie.'

Ze smoorde een lach en keek naar het landschap. Ze was er zeker van dat Joe en Mandy en Adam allemaal in het complot zaten.

Plotseling rommelde het in de verte en ze boog zich naar voren om de onheilspellende lucht te zien. 'Het ziet ernaar uit dat er een bui aan komt.'

'Een lekkere plensbui zou *gut* zijn, zeker nu we net maïs hebben geplant.' Joe verdraaide zijn hals om de muur van wolken te overzien.

Ik hoop dat het voor het eten droog wordt. Grace dacht aan de extra mensen die vanavond bij hen aan tafel zouden zitten. Ze verheugde zich erop Becky en de zusjes Spangler weer te zien.

Joe klakte met zijn tong. 'Het lijkt wel of Willow vandaag niet in haar doen is.'

'Alleen vandaag?' Ze trok een gezicht. 'Ze is toch altijd langzaam?'

'Tja, daar heeft ze het volste recht toe, op haar leeftijd.'

Ze glimlachte en zag hoe Willows hoofd bij elke draafpas rees en daalde, haar lange, dikke manen wuifden in de wind. 'Ze is het beste tuigpaard aller tijden.' Grace wist nog hoe pa haar met een brede grijns op zijn verweerde gezicht voor het eerst mee naar huis had gebracht. Ze waren op Hemelvaartsdag aan het picknicken en daar kwam pa pronken met de prachtige jonge merrie aan het halster. 'Kijk eens wat ik heb,' had hij gezegd. 'Zo'n braaf paard zie je niet vaak.' Binnen een paar dagen had de kastanjebruine merrie zich bij de hele familie geliefd gemaakt.

'Waarom hebben jullie haar vroeger Willow genoemd?' Joe gooide het strootje op de weg.

'Omdat ze altijd zo sierlijk was, of ze nu draafde of haar voer at. Als wilgentakken die bewegen in de wind.'

Hij trok aan de teugels en maakte de scherpe bocht Church Road op. '*Jah*, dat snap ik wel.'

'Willow leek gewoon de volmaakte naam…'

'Voor een volmaakt paard,' maakte Joe de zin af. Ze lachten naar elkaar, omdat dit onder de vier broers en zussen te vaak gebeurde om niet op te vallen. Ze waren als broers en zussen zo nauw met elkaar verbonden.

Ze had zich vaak afgevraagd hoe Becky's relatie met haar broers en zussen was. Hadden andere gezinnen in de Gemeenschap van Eenvoud ook zo'n hechte band met elkaar?

Toen Joe het paard en rijtuig de oprijlaan in stuurde, leek alles klaar voor de visite. Het gazon was zorgvuldig gemaaid en verzorgd, en het weidehek was dankzij Mandy en Joe fris wit geschilderd.

Aan de voorkant keek mama op vanaf de veranda en zwaaide. Het gaf Grace moed dat alles er zo piekfijn uitzag en dat mama op hen wachtte.

'Mama wacht op de post die ze bijna elke dag krijgt,' zei Joe zacht terwijl ze naar de paardenstal reden.

'Hoe weet je dat?'

'Nou, ik ben niet blind, hè?' Hij sprong van het rijtuig en begon Willow uit te spannen. Terwijl hij bezig was met het paard zei Joe met een grom, zoals pa ook had kunnen doen: 'Gefeliciteerd trouwens.'

Grace lachte hardop. Wat een onvoorspelbare broer!

Lettie keek naar de schommelbank op de veranda en wenste dat ze tijd had om een poosje te zitten. *Voordat het huis straks vol is.* Zuchtend liep ze naar de schommel en bedacht dat ze zich misschien beter zou voelen als ze even kon rusten. *Ik ben zo moe.*

Ze wilde dolgraag de laatste brief nog eens lezen van haar nicht Hallie Troyer uit Indiana, die een zorgeloos leventje had. Zo leek het tenminste als je haar regelmatige correspondentie las. Lettie staarde naar de afzender: *Nappanee, Indiana.*

Ze was blij dat Adam vlug een verjaardagskaart was gaan kopen die ze met z'n allen konden tekenen. Ze had hem ook gevraagd wat aardig schrijfpapier aan te schaffen en twee mooie pennen als cadeau voor Grace.

Het lieve kind.

Van de overkant van de brede gang waren aanwijzingen gekomen dat *Mammi* ook een cadeautje had gemaakt voor de jarige. *Waarom moet mijn moeder haar zo verwennen?* vroeg Lettie zich af. Grace was veel te oud om veel geschenken te krijgen. Maar hoe ouderwets *Mammi* ook was opgevoed, het was ook net iets voor haar om de grenzen op te zoeken, tot het soms bijna was alsof ze zich als stadse lui gedroegen.

'Ik moet haar nooit meer de overhand laten krijgen,' mopperde Lettie terwijl ze de brief van nicht Hallie dieper in haar zak stopte. Kon ze maar gewoon blijven zitten en Hallie meteen een briefje terug schrijven. Maar andere dingen hadden voorrang.

Ze stond op. Daar was Joe met Grace, en ze zouden zich wel afvragen waarom de tafel nog niet eens gedekt was. Ongetwijfeld was Grace al zelf in de keuken aan het scharrelen, als ze niet boven was om haar haar te borstelen en opnieuw op te steken. Niet dat Grace ijdel was of zich aanstelde; verre van dat. Ze was een van de liefste meisjes uit de buurt en deed haar naam eer aan.

Met een nieuwe verlangende blik naar de schommelbank wist Lettie dat ze snel een telefoongesprek moest voeren. Had ze nog tijd om zich langs de weg naar de gemeenschappelijke telefooncel te haasten? Hopelijk hield de donkere lucht de regen nog een paar minuten vast.

Ach, ik had eerder moeten bellen, dacht ze, terwijl ze heel goed wist waarom ze het zo lang had uitgesteld.

Ze fluisterde een gebed om kracht… voor het verjaardagsfeest en voor wat daarna kwam.

Voor ons allemaal.

Hoofdstuk 10

In de gang zette Judah zijn strohoed af en liet hem neerploffen op zijn eigen houten haak, een haak die hij al meer dan twintig jaar gebruikte. Hij rook het gebraden vlees en hij dacht: hoe had Lettie het ooit gered voordat de bisschop het goedvond dat ze een gasfornuis en oven gebruikten? Het was moeilijk om zich de dagen te herinneren van voor die tijd, hoewel hij er haast zeker van was dat zijn vrouw het nog maar al te goed wist. En Adam, want het was zijn werk geweest om elke dag hout voor het fornuis naar binnen te zeulen.

Hij liep om naar de keuken en zag tot zijn blijdschap dat Mandy bezig was. *Waar is Lettie?* dacht hij, zonder de moeite te nemen om het te vragen aan Mandy of Adam, die precies op dat moment binnenkwam. Adams weerbarstige pony was voor de verandering glad naar beneden gekamd. Judah zag de badkamerdeur openstaan, ging naar binnen en deed de deur achter zich dicht.

Hij zette zijn bril af en vulde de wasbak met warm water, dankbaar voor het hete water rechtstreeks uit de kraan. Lang geleden was de tijd van water halen uit het koelhuis boven de bron en wachten tot zijn ouders het verwarmd hadden voor een bad en wat niet al.

Hij plensde water in zijn gezicht en maakte schuim met de zelfgemaakte zeep die Lettie kocht van Sally, de vrouw van prediker Josiah Smucker. De vlijtige vrouw had een winkeltje aan huis, naast de bijkeuken. Omdat ze met een van de broeders getrouwd was, had ze van de bisschop in eigen persoon toestemming om het zaakje te runnen. De man van God had begrip voor hun benarde situatie.

De benarde situatie van veel Amish... Nu landbouwgrond

schaars was en verdeeld werd onder huwende zoons, was het geen wonder dat de mensen vanuit Lancaster County naar andere provincies en staten verhuisden; sommigen zelfs het land uit naar Canada. Heel veel zelfs, door de jaren heen.

Hij verdacht een paar gezinnen in de kerk ervan dat ze in plaatsen als Kentucky en Virginia op zoek waren naar landbouwgrond, plaatsen waar al Amish gevestigd waren in kleine gemeenschappen. Sommigen hadden vertrouwelijk gesproken over de opzet van een nieuw kerkdistrict helemaal in Georgia, en niet alleen in Macon County. Het leek wel of Amish en Beachy Amish zich tegenwoordig naar alle kanten toe uitbreidden.

Maar voor Judah was Lancaster County precies goed. Hij zou nergens liever willen zijn. En nu hij bovendien van de oude Rudy Stahl had gehoord dat Adam een groot deel van Rudy's land zou krijgen, hoefde Judah zich alleen nog druk te maken over de toekomstmogelijkheden van de jonge Joe.

Binnen niet al te lange tijd zal ik mijn zakken binnenstebuiten keren voor alweer een zoon die de verkeringsleeftijd bereikt, peinsde hij. Hij had er geen enkel bezwaar tegen zijn nageslacht te zien opgroeien en in de toekomst een eigen gezin te zien stichten. En heel misschien konden Lettie en hij weer tot elkaar komen als ze eenmaal een leeg nest hadden.

Hij droogde zijn gezicht af, zette zijn bril weer op en keek in de vierkante spiegel boven de wasbak. 'Tjonge, wat word je oud,' mopperde hij.

'Hoor ik daar iemand praten?' riep Adam door de deur.

'Mag een mens zich even in vrede wassen?'

Adam lachte. 'Neem de tijd, pa. Ik vroeg me alleen af... wanneer gaan we eten?'

Judah keek op zijn horloge. 'Nu, dacht ik eigenlijk.' Hij deed de deur open. 'Maar je kunt het beter aan je moeder vragen.'

Adam schudde zijn hoofd. 'Joe zei dat hij haar daarstraks op de voorveranda had zien zitten, maar daar is ze nu niet meer.'

Het was niets voor Lettie om gasten uit te nodigen en dan

te teuten met tafel dekken en alles klaarmaken. 'Misschien is ze *Dawdi* Jakob aan het ophalen voor het eten,' opperde hij terwijl ze de keuken binnenstapten.

Adam knikte bedachtzaam en liet hem een verjaardagskaart zien. 'Wilt u die nu ondertekenen, voordat Gracie hem ziet?' Met een blik over zijn schouder gaf Adam aan dat hij moest opschieten.

Judah zag een pen achter Adams oor zitten en pakte hem. *Gefeliciteerd met je verjaardag, Grace, van pa*, ondertekende hij eenvoudig.

Adam nam kaart en pen weer aan toen Judah klaar was. Hij schoot de keuken uit en liet Judah achter bij Mandy, die druk bezig was met gebraden vlees en gebakken aardappels, worteltjes en uien. Het water liep je in de mond van die heerlijke geuren, maar waar was Lettie?

Hij liep naar de zijdeur en keek naar buiten. Daar kwamen de *Englische* buurmeisjes aan, elk met een cadeau in de hand en een paraplu in de aanslag. Ook Becky Riehl kwam de oprijlaan in. Had Lettie nog meer mensen uitgenodigd behalve deze drie?

Hij wendde zich af van de deur en wenste dat zijn vrouw er was om de jonge vrouwen te ontvangen. Hij voelde zich onbeholpen en was blij dat Adam terugkwam en Jakob van de andere kant van het huis door de zitkamer aan kwam hobbelen. 'Hallo, pa,' groette hij hem.

Adah en Lettie liepen vlak achter hem, evenals Joe, die de geur opsnoof en duidelijk zin had om zich op het verrukkelijke feestmaal te storten. 'Zo te zien zijn we er allemaal,' zei Adam, die tevergeefs probeerde Grace' verjaardagskaart onder haar bord te schuiven zonder dat ze het merkte. Mandy zette grote, afkeurende ogen op, maar Grace lachte.

'O, kijk! Daar is Becky... en de meisjes Spangler ook!' Grace snelde naar de deur en rende de trap af om hen te begroeten.

Judah keek naar Lettie, die zijn blik ving en hem een klein

lachje gaf, alsof ze wilde zeggen:'Het is de verjaardag van onze dochter... laten we vrolijk zijn.'

Hij lachte terug, en zag een merkwaardig nieuw licht in haar ogen.

Algauw werden hun gasten verwelkomd door Lettie zelf, die gemakkelijk in haar rol van gastvrouw stapte. Mandy en zij brachten het eten ter ere van Grace naar de tafel. Ze hadden de normale tafelschikking voor vanavond aanmerkelijk veranderd; aan de ene kant van Grace zat Becky, en aan de andere kant Brittany Spangler, de donkerharige van de twee zusjes. Lettie zat zoals gewoonlijk rechts van Judah.

'We zullen om een zegen vragen.' Hij boog zijn hoofd en bleef langer zo zitten dan anders, want hij voegde er een speciaal stil gebed bij om goede gezondheid voor Grace, en of ze een hardwerkende echtgenoot mocht krijgen. Toen kuchte hij zacht en hief zijn hoofd op, zoals hij altijd deed om aan te geven dat het gebed afgelopen was.

Lettie stak onmiddellijk haar hand uit naar de grote schaal en sneed eerst voor hem een royale hoeveelheid vlees. Toen vroeg ze Grace om haar bord bij te houden en diende haar een kleinere portie op. De twee *Englische* meisjes keken elkaar aan en Becky betrok hen in een terloops gesprekje terwijl Lettie ieders bord van een ruime hoeveelheid voorzag.

Nu hij haar zo zag opgaan in haar rol van gastvrouw, vroeg Judah zich onwillekeurig af hoelang het nog zou duren voordat ze het beu werd om 's nachts rond te dwalen. Hoelang, voordat Lettie zich als een goede echtgenote ging gedragen?

Hij pakte zijn vork op en sneed er het vlees mee, zo mals was het. Hij concentreerde zich op het genoegen van het verrukkelijke feestmaal en zette zijn zorgelijke gedachten van zich af.

Algauw ging Grace op in het tafelgesprek. Becky had niet lang afgewacht en was begonnen met de beschrijving van enkele nieuwe quilts die ze met haar moeder in het frame had gezet.

Geen van beiden vonden ze het leuk om quilts af te maken, en soms lieten ze er een paar staan voordat ze eindelijk het boordlint aanbrachten – 'en dan allemaal tegelijk, om het maar gehad te hebben'.

'Och, ik heb geen hekel aan boorden,' zei Mandy.

'Nou, het stukwerk is leuker,' zei Grace, blij dat Becky er was.

'Het is hard werken, hoor,' antwoordde Becky. 'Maar ik vind het fijn om de kleuren te kiezen.'

'Ik ook.' Mandy boog zich over de tafel. Haar pogingen om deel te nemen aan het gesprek maakten duidelijk dat ze liever dichter bij hen had gezeten.

Na een korte stilte kondigde Jessica Spangler aan dat ze plannen had om in de kerstvakantie met haar studievriendje te gaan trouwen. 'Een feestelijke tijd voor een bruiloft, vinden jullie niet?' Daarop knikten alle vrouwen aan tafel, ook mama en Mandy. Adam, Joe en pa aten door alsof ze toeschouwers waren en alleen lichamelijk aanwezig.

Toen verraste *Mammi* Adah Grace door over Grace' kindertijd te beginnen en over de fratsen die ze toen uithaalde. Grace kromp een beetje ineen en hoopte dat *Mammi* niet te ver zou gaan. 'De eerste keer dat Grace naar school ging, stonden haar mama en ik als twee beschermende kloeken op de veranda, we slopen het trapje af en liepen uiteindelijk naar de laan... om onze Grace met haar grote broer naar de weg te zien lopen. Ze leek ontzettend klein voor een eersteklasser.'

'Te klein, eigenlijk,' voegde mama eraan toe.

'Kinderen lijken allemaal zo klein als ze voor het eerst naar school gaan,' zei Joe.

'Had je een broodtrommeltje mee naar school genomen?' vroeg Becky nieuwsgierig.

Brittany lachte. 'Natuurlijk; Grace heeft dat hele jaar mijn oude trommeltje gebruikt.' Ze sloeg haar hand voor haar mond om haar lach te smoren. 'Weet je nog, Grace?'

'Hoe kan ik het vergeten?'

'Het was zo'n ouderwets trommeltje van California rozijntjes en Grace kon er niet van scheiden toen ze bij ons thuis kwam spelen.' Brittany boog zich naar haar zus toe, die ook knikte. 'Dus ik heb het haar laten houden.'

Jessica vervolgde: 'Er stond een rozijn op die in een microfoon zong, en drie meisjesrozijnen als achtergrondkoortje. Het was zo snoezig.'

De helft van de mensen om de tafel zat te schateren en Grace moest zelf ook lachen. Toen ze naar de stille kant van de tafel keek, zag ze een klein lachje op mama's gezicht, maar pa keek strak. Zijn aandacht was volkomen geconcentreerd op het uitgestalde eten; het enige wat belangrijk was.

Grace had twee verjaardagswensen: ze wenste dat de avond nog tot lang na het eten zou voortduren. En ze wenste dat mama zo gelukkig mocht blijven als ze op dit moment leek.

★

De wolken hingen laag boven de bomen langs de zijtuin en het weiland waar Judahs schapen de hele dag graasden. Nu het niet meer regende, liep er een donkerblauw lint langs de horizon in het oosten.

Lettie dwong haar blik van het raam af en hielp Mandy de tafel afruimen. Grace' vriendinnen waren naar huis gegaan en Lettie wilde haar jarige Jet de tijd geven om te doen wat ze wilde.

Mammi en haar vader hadden Lettie verbaasd door langer te blijven dan anders na zo'n drukke bijeenkomst. Lettie vond het prettig en ergerlijk tegelijk. Prettig omdat haar moeder handig de aandacht van Lettie kon afleiden, en ergerlijk omdat ze meer dan een uur geleden gehoopt had nog een brief te kunnen schrijven.

Ze nam aan dat Grace' feestmaal naar haar dochters zin was geweest. Grace was zo hartelijk geweest, ze had het frivolité-zakdoekje van haar grootmoeder met een innemende glimlach aangenomen en later *ooh* en *aah* geroepen toen de zusjes Spangler hun geschenken gaven: een boek met lege bladzijden en een bloemenomslag, en een lange, dunne doos met kleurpotloden. Dat laatste was iets waarvan Lettie zich niet kon voorstellen dat Grace het zou gebruiken, of zelfs maar wilde hebben.

Becky had vastgehouden aan de traditie en Grace een eenvoudige, zelfgemaakte kaart gegeven, net als Judah en de jongens en Mandy – alleen was hun kaart in de winkel gekocht. Helaas had Lettie hem niet ondertekend, te wijten aan dat ene telefoontje. Ze hoopte maar dat Grace het niet had gemerkt... maar ja, Grace merkte bijna alles. Dat was precies waarom Lettie zich zo onrustig voelde nu ze de keuken inspecteerde en naar de kamer ernaast ging om een schrijfblok te pakken, een van de drie die ze in de lade van de hoekbuffetkast bewaarde. Daar had ze altijd schrijfpapier liggen, en een paar mooie pennen.

De lijntjes op het fris gele papier hielpen haar recht te schrijven. Eerlijk gezegd had ze heel wat goed te maken bij Grace. *Bij allemaal eigenlijk.*

Grace en Mandy zaten gezellig op de grond in de voorkamer een spelletje te dammen. Judah en de jongens hadden natuurlijk grote haast gehad om weer naar de schuur te gaan, nu er nog meer lammetjes onderweg waren. Het was een zeldzaamheid om de keukentafel voor haarzelf te hebben.

Zuchtend dacht Lettie weer aan nicht Hallie en de aantrekkelijke manier waarop ze in haar wekelijkse brieven haar liefdevolle huwelijk beschreef. Was het echt mogelijk dat iemand zo gelukkig kon zijn?

★

Heather nam haar laptop mee naar het zonneterras en nestelde zich in haar moeders gemakkelijke stoel. Ze smachtte ernaar dicht bij de natuur te zijn en verheugde zich op de komende

91

reis naar Pennsylvania. Ze klapte haar laptop open en begon te schrijven.

Er zijn zeven dagen voorbijgegaan sinds mijn diagnose, en ik voel me nog steeds prima in orde. Het wit van mijn ogen is niet geel geworden, ik heb nog geen koorts en totaal geen pijn. Moeilijk te geloven dat ik stervende zou zijn. Nou ja, eigenlijk zijn we toch allemáál stervende, vanaf het moment van onze geboorte. Maar slechts sommigen kunnen alles uit het leven halen wat erin zit...

Ze keek op en zag een vogel in vlucht. Zijn vleugels schenen zo teer. Maar het zwakke diertje slaagde erin te vliegen door gebruik te maken van de luchtstroom en zijn eigen kracht.

'Doorzetten... net als ik,' fluisterde ze, hoewel dat in de verste verte niet waar was.

Die ochtend was de waas van verbijstering en ontkenning eindelijk opgetrokken en Heather wilde weten waar ze mee geconfronteerd zou worden. Wat voor symptomen had de arts ook alweer gezegd dat zich konden ontwikkelen als ze het begin van de behandeling uitstelde?

Ze zocht op internet een betrouwbare website op en ontdekte spoedig dat gewichtsverlies tot haar symptomen kon behoren – tot wel tien procent van haar totale lichaamsgewicht – zwaar nachtelijk zweten, koorts zonder duidelijke oorzaak, jeuk en hoesten of kortademigheid.

Het verbaasde haar dat ze geen van deze symptomen had, hoewel de oncoloog haar had verteld dat ze in stadium IIIA was. Dat betekende dat de ziekte zich had verspreid naar drie lymfegebieden in haar lichaam, al bleven de klieren klein en pijnloos.

Het een leidde tot het ander en algauw zat Heather websites te lezen over holistische alternatieve behandelcentra in het land, en zelfs een in Salzburg, Oostenrijk. Er was er ook eentje op een privé-eiland in het Caraïbisch gebied. *Als je daar bent, voel je je natuurlijk meteen beter.* Ze surfte wel een uur lang naar sites voor vastenweekends, kuuroorden, speciale reinigingen en alternatieve behandelingen van ontgiften tot therapeutische massages en thermale watergenezing.

Er is nogal wat op dat gebied, dacht ze, van haar stuk gebracht. In een filmpje op YouTube was zelfs een man te zien die plechtig beloofde dat zijn waterdieet iedereen van alles kon genezen.

Heather schudde zuchtend haar hoofd. Sommige methoden waren bijna belachelijk. Maar mensen deden impulsieve dingen als hun leven in gevaar was. Hoe was het mogelijk zwendel te onderscheiden van serieuze therapie, vooral als zoveel instellingen een rib uit je lijf kostten? *Ze worden vast en zeker niet vergoed door de verzekering.*

Ze sloot de laptop en staarde naar de lucht. Ondanks haar aanvankelijke ontkenning was ze er nu klaar voor om op basis van haar diagnose een paar keuzes te maken. Ze deed haar ogen dicht en genoot van de geluiden en geuren van de lente. Was ze het zichzelf en haar familie niet verschuldigd om natuurmethodes een kans te geven, in elk geval gedurende de zomer?

Ja, ze wilde beslist experimenteren met een natuurlijke aanpak voordat ze later een *second opinion* van een reguliere arts vroeg. Weer dacht ze aan de natuurgenezer in Lancaster en ze besloot dokter Marshall te bellen voor een afspraak.

Misschien had ze mam kunnen helpen, als het niet te laat was geweest...

★

Terwijl Grace wachtte tot Mandy de volgende zet op het dambord had vastgesteld, bewonderde ze opnieuw de schattige kaart van Becky. Een kolibrie die zich voedde aan een enkele roze bloem, op de achtergrond een heldere zee van bloemkelken die zich openden naar de zon. Als jong meisje

93

had ze in een legende gehoord dat de vlucht van een kolibrie niet gebonden was aan ruimte en tijd... en al je hoop meedroeg op blijvende liefde, grote blijdschap en vrolijkheid. Grace dacht er even over na en keek vertederd naar het kunstig geportretteerde evenbeeld.

Becky heeft zo veel talent...

Het was duidelijk dat haar vriendin vele uren in het plaatje had gestoken. Grace voelde zich haast schuldig dat zij al die kleurpotloden in die mooie doos van Jessica had gekregen. Becky zou er stellig meer van plezier van hebben.

'Jouw beurt.' Mandy keek met ondeugende ogen op.

Grace lachte. 'Leuk geprobeerd. Ik zie dat je me dubbel gaat slaan!'

'Als je niet oppast.'

Ze glimlachte naar haar zus en deed haar zet.

'Je bent dol op bordspelletjes, hè?'

'Wanneer je maar wilt, ik doe altijd mee.' Grace genoot ook van kruissteekjes borduren en frivolité, net als *Mammi* Adah. En bij gelegenheid vond ze het leuk om wol te spinnen op een oud spinnewiel dat Brittany en haar moeder op een vlooienmarkt hadden gekocht; een heel unieke hobby.

'Gaan we morgen nog op Willow rijden?' vroeg Mandy.

'Ik vind het best.' Ze wachtte tot haar zus een damsteen verschoof.

Mandy sloeg haar armen over elkaar en grinnikte omdat ze de perfecte opzet had gemaakt om Grace te blokkeren. 'Zo... wat zeg je me daarvan?'

Niet bereid zich te laten beetnemen, boog Grace zich dichter over het bord heen en bestudeerde haar opties. 'Denk je dat onze grootouders het vanavond naar hun zin hebben gehad?' vroeg ze.

'*Jah*, hoezo?'

Grace haalde haar schouders op en reikte over het bord om haar dam naar achteren te schuiven. Eerlijk gezegd was ze bang dat al het dwaze gegiechel aan tafel haar ouders en grootouders niet was ontgaan. Maar elk jaar hoorden ze het geduldig aan. Volgend jaar zou alles echter anders zijn, als Jessica Spangler getrouwd was en ergens anders woonde. En wie weet wat Becky ging doen? En Mandy trouwens.

Grace rekende zichzelf niet tot de groep potentiële bruiden, maar ze vroeg zich wel af of ze op haar tweeëntwintigste verjaardag nog in haar ouderlijk huis zou wonen. Zou Henry eindelijk besluiten haar tot zijn vrouw te maken?

Mevrouw Grace Stahl... Ze dacht aan Henry's achternaam. Er woonden meer dan genoeg Stahls in de buurt, maar die waren niet Amish, behalve Henry's familie. Zijn grootvader was in Bird-in-Hand komen wonen vanuit het zuiden van Somerset County, waar Stahl een gewone Amish naam was. Grace zuchtte en terwijl Mandy nadacht over waar ze haar enige dam heen zou schuiven, viel Grace' oog op de kaart die Adam voor het eten onder haar bord had geschoven. Een plaatje van een kalme oceaan met een eenzame zeevogel die langs de kustlijn liep. Hij wist dat ze ernaar verlangde om op een dag met eigen ogen de oceaan te zien. Tot nu toe had ze niet goed gelet op de binnenkant van de kaart. Ze glimlachte om Adams aantekening: *Als je steeds maar jarig wordt, heb je me binnenkort ingehaald. Je oudste broer Adam.*

Joe had een kronkelig, glimlachend figuurtje naast zijn naam getekend en Mandy had geschreven: *Voor mijn beste zus, liefs Mandy.*

'Wat gek,' zei ze terwijl ze Mandy liet zien wat ze had geschreven. 'Je *hebt* maar één zus, voor het geval je het vergeten was.'

Mandy trok een gezicht, waardoor Grace nog harder moest lachen. Ze keek naar de namen van haar grootouders en was verrukt door *Mammi* Adahs bibberige handschrift. *Maar de* HEERE *zal des daags Zijn goedertierenheid gebieden, en des nachts zal Zijn lied bij mij zijn; het gebed tot den God mijns levens.*

'Mijn lievelingstekst... ze heeft eraan gedacht,' zei Grace en ze liet het Mandy zien. 'Psalm 42 vers 9.'

'*Mammi* Adah schrijft altijd Bijbelteksten in haar kaarten,' zei Mandy breed lachend. 'Wat heeft mama geschreven?'

Grace keek naar de kaart, keek… en keek. 'Zeg, dat is raar.' Mandy pakte de kaart. 'Laat eens zien.'

'Ze is het zeker vergeten,' zei Grace verbijsterd.

Mammi Adah had tijdens de walnootpluktijd van afgelopen september – hun handen waren bruin gevlekt van de noten – tegen haar gezegd dat het in het leven niet ging om wat je van plan was, maar om wat je echt deed. 'Ik weet zeker dat mama van plan was iets te schrijven,' zei ze.

'Dat is niet *gut* genoeg.' Mandy stond op en zwaaide met de kaart.

'Wat ga je doen?'

Mandy marcheerde recht naar de keuken. 'Mama?'

'*Ach*, nee…' Grace' stem stierf weg tot een fluistering, de moed zonk haar in de schoenen. Mama had daarstraks zo tevreden geleken. Ze wilde niet iets doen waardoor deze dag verknoeid werd.

Hoofdstuk 11

Grace had zich net in haar tweezitsbankje genesteld om in haar nieuwe, lege boek te schrijven, toen haar moeder aan de op een kier staande deur klopte.

'Kom binnen, mama.'

Met een aarzelend gezicht bleef haar moeder in de deuropening staan. Toen liep ze langzaam naar de ladekast, waar de verjaardagskaarten op een rijtje stonden, en zette de kaart terug die Grace van haar familie had gekregen. Daarna liep ze naar het bed en ging behoedzaam zitten. Ze zuchtte. 'Ik was van plan om voor het eten iets in je kaart te schrijven,' zei ze zachtjes, met een hapering in haar stem. 'Echt waar.'

Ineens kreeg Grace medelijden met haar. 'U had veel aan uw hoofd.'

'Het schijnt dat ik de tijd vergeten ben.' Haar moeder keek nu even verlegen als Grace daarstraks was geweest toen Mandy de kaart onder mama's aandacht bracht.

'Het eten was wonder-*gut*,' zei Grace, om over iets anders te beginnen. '*Denki*, mama.'

'Je scheen het wel naar je zin te hebben.'

Grace glimlachte. '*Mammi* Adah vertelde mooie verhalen over me, *jah*?'

'We hebben allemaal verhalen...' Mama zweeg en fronste haar voorhoofd. 'Grace, ik heb je steeds iets willen vragen.'

Grace hield haar adem in. Nooit had mama zo ernstig gekeken. Zou ze eindelijk haar hart uitstorten?

Mama richtte zich op en vouwde haar handen. 'Ik wil niet nieuwsgierig lijken, kind. Maar ik vermoed dat Henry Stahl je het hof heeft gemaakt.'

Grace vond het niet prettig om los te laten dat het vermoeden klopte, maar ze was benieuwd wat haar moeder verder te zeggen had.

'Ik weet dat het een aardige jongen is… zijn ouders zijn hardwerkend en godvrezend en zo, maar…'

'Maar wat, mama?'

Haar moeder keek even neer op haar handen. 'Het is alleen dat… tja, heb je er wel aan gedacht hoe het zou zijn om te trouwen met iemand die zo terughoudend is?' Mama streek verdrietig met haar hand langs haar gezicht. 'Ik heb gemerkt dat hij heel stil is – onbeholpen zelfs – bij mensen in de buurt. Is hij bij jou ook zo, Grace?'

'*Ach*, mama…'

De toon van haar moeder was welhaast verontschuldigend toen ze vervolgde: 'Ik weet dat het erg vrijpostig van me is. Let wel, het is niet mijn bedoeling om kritiek te hebben op Henry. Ik denk alleen aan jou… ik wil graag dat je er goed over nadenkt.'

Ze zou blij moeten zijn met dit gesprek tussen moeder en dochter, maar Grace was eerder van de wijs gebracht dan blij; mama leek zoveel meer op haar hart te hebben dan alleen Henry. Haar blauwe ogen stonden al te ernstig.

'Een gereserveerd man kan lastig zijn om mee te leven,' zei mama zacht. 'Als vrouw weet je nooit waar hij staat.'

Grace zuchtte bedroefd en las tussen de regels door. Ze was bang geweest dat mama's zwaarmoedigheid en haar nachtelijke wandelingen iets te maken hadden met pa en de staat van hun huwelijk.

'Tussen u en mij gezegd, mama, ik geef om Henry,' fluisterde ze. De afgelopen acht maanden samen waren aangenaam geweest en het was langer dan de meeste stelletjes verkering hadden.

Mama knipperde met haar ogen en stond op. 'Denk er alsjeblieft over na, wil je?' Daarop gaf ze Grace een kus op het voorhoofd en klopte tegen haar wang. 'Welterusten, lieverd.'

Haar moeder ging de kamer uit en Grace hoorde de vertrouwde voetstappen in de gang. Uit nieuwsgierigheid stond ze op om de kaart te bekijken die nu naast Becky's kolibrie op de ladekast stond. Toen ze hem opensloeg, zag ze met verbazing wat mama had geschreven: *Je kwam precies op tijd in mijn leven, Grace. Ik zal altijd van je houden. Je moeder.*

De tranen sprongen haar in de ogen. 'O, mama…' Slikkend zette ze de kaart weer in het midden van de verjaarswensen.

Ik zal ook altijd van u houden.

Langzaam begon ze haar haarspelden los te halen, één tegelijk. Toen ze klaar was, schudde ze haar lange lokken uit, die als een dikke mantel om haar heen vielen. Ze pakte haar borstel en begon de slagen te tellen. Straks zou ze haar nachtpon aantrekken, maar vanavond wilde ze de olielamp wat langer laten branden.

Het is per slot van rekening mijn verjaardag.

Ze hield op met borstelen en keek de gang in. De slaapkamerdeur van haar ouders was dicht.

Hoelang nog voordat mama vanavond uit wandelen gaat?

Grace borstelde tot haar hoofdhuid tintelde. Toen ging ze weer op de bank zitten om te schrijven, piekerend over de verbazingwekkende dingen die mama had gezegd.

★

Judah zat in zijn pyjama in zijn stoel bij het slaapkamerraam, met de oude Duitse *Biewel* opengeslagen op zijn schoot. Hij keek naar buiten naar de maanverlichte hemel en hoorde Lettie de deur openen en achter zich dichtdoen.

Zonder iets te zeggen las hij door in de Bijbel. Zacht kwam ze tegenover hem zitten. 'Judah… ik wil je niet storen onder het lezen, maar…'

Hij keek op en zag de donkere kringen onder haar betraande ogen. Wat zag ze er afgetobd uit. Er ging een ogenblik voorbij waarin Lettie zich klaarblijkelijk probeerde te vermannen.

Judah voelde de oude, bekende spanning in zijn ingewanden. Hoelang leken hun gesprekken al op de geboorte van een doodgeboren lam? Zonder na te denken zei hij: 'Wat er ook aan de hand is… het is vreselijk moeilijk voor de kinderen, Lettie.'

Ze fronste haar wenkbrauwen, haar handen gevouwen in haar schoot. 'Wat?'

'De afgelopen maand.'

Ze zette haar stekels op. 'Nou, ik heb geprobeerd het uit te leggen, Judah. Echt geprobeerd.'

'Je hebt het geprobeerd, *jah*. Misschien moet je eens proberen met iemand anders dan met mij te praten.'

Meteen had hij spijt van zijn woorden. Hij wilde niet hardvochtig zijn, haar gepijnigde gezicht was als een dolk in zijn hart. Ze verschrompelde voor zijn ogen en hij voelde zich opnieuw schuldig. Schuldig aan elk gesprek dat helemaal verkeerd was gelopen. En toch, had hij niet tevergeefs gewacht tot ze zich uitsprak, alleen om haar steeds weer terug te zien schrikken? Als jonge echtgenoot had hij geleerd dat zijn bruid diep vanbinnen iets koesterde, iets wat ze kennelijk niet kon delen.

Nu wachtte hij zwijgend, op zoek naar de juiste woorden om het haar makkelijker te maken. Maar de sfeer bleef gespannen. Hij boog zich naar voren. 'Wat is er, Lettie? Wat zit je dwars?'

Ze keek hem strak aan en sprak langzaam en weloverwogen. 'Ik wil dat je dit van mij hoort, Judah…' Ze zweeg weer en Judah voelde het bloed uit zijn gezicht wegtrekken. Na al die weken 's nachts ronddwalen stond ze eindelijk op het punt om te zeggen wat haar zorgen baarde?

Ineens werd er beneden luid op de deur gebonsd. Hij draaide met een ruk zijn hoofd.

'Judah…' fluisterde Lettie, haar mooie ogen stonden vol tranen.

Adam riep hard: 'Pa, *kumm schnell!*'

Judah keek zijn vrouw weer aan. '*Ach*, de ooien!'

'Pa! Bent u wakker?' Adams stem klonk nu dichterbij, zijn voetstappen klonken in de gang.

'Laat Adam het een paar minuten opknappen,' smeekte ze.

'Wil je me niet laten uitpraten, Judah?'

Hij stond op, voortgedreven door zijn eigen ongevoelige behoefte om te gaan. 'Ik moet even gaan kijken.'

'Alsjeblieft?' Haar stem was slechts een fluistering.

Vlug trok hij zijn werkbroek over zijn pyjama aan. 'Ik ben zo terug,' zei hij, en vloog de deur uit.

Beneden huiverde hij om zijn laffe reactie, maar hij verhardde zijn hart en snelde naar buiten. Wat Lettie op haar hart had, kon wachten tot morgen.

Morgen, beloofde hij zichzelf. *Dan komen we er wel aan toe.*

Lettie lag in bed en deed haar ogen dicht. Ze had naar buiten moeten gaan om haar man te helpen. Ontelbare keren had ze geholpen met drachtige ooien die worstelden in barensnood. Maar nu was alle energie uit haar weggestroomd en ze was te uitgeput om door de kamer heen te lopen, laat staan naar de schuur.

'Het is vreselijk moeilijk voor de kinderen,' had Judah over de afgelopen weken gezegd.

'*Ach*, zulke zorgen in mijn hoofd,' fluisterde ze.

De herinnering aan Judahs vurige ogen stond haar voor de geest, maar haar eigen emoties werden verscheurd tussen de herinneringen aan hun vroegere liefde en de werkelijkheid van vandaag. Ze wist dat hij vroeger van haar gehouden had. Maar nu?

Nog steeds helemaal aangekleed lag Lettie te wachten tot haar man terugkwam.

★

Om een uur of tien, toen ze verscheidene bladzijden in haar nieuwe dagboek had geschreven, schrok Grace op van een fel

101

licht dat langzaam omhoog kroop langs het raam en toen als een razende heen en weer zwom. Toen het licht in cirkels begon te bewegen, drong het tot haar door wat het was. Ze liep naar het raam en schoof het ver genoeg open om haar hoofd naar buiten te steken.

Ze keek naar beneden en zag Henry staan, die zijn gezicht bescheen met de zaklantaarn.

'Ik heb de klok gebracht,' fluisterde hij met zijn handen als een kommetje om zijn mond. Toen voegde hij eraan toe: 'Hallo, Gracie.'

'Henry?' Ze wist niets anders te zeggen. Hij stond vlak onder haar raam. Afgezien van de klok kon dat maar één ding betekenen.

Lieve help! Is dit de avond dat het gaat gebeuren?

'Komt het nu uit… een bezoekje, bedoel ik?'

Tjonge, hij kon de woorden nauwelijks uitbrengen. Was hij zo zenuwachtig?

'Ik zie je bij de zijdeur,' zei ze en deed langzaam het raam dicht.

Met het hart in haar keel en trillende handen bond Grace vlug haar haar weer in een knot. Haar gedachten raasden terwijl ze het haar aan de zijkanten opnam en vlug vaststak, waarna ze eerbiedig haar witte *Kapp* vastmaakte. Hoe opgewonden ze op dit moment ook was, ze was bang dat Henry te vroeg was gekomen, voordat iedereen diep in slaap was. Vooral mama.

Ze keek oplettend rond in haar kamer, blij dat ze nog geen nachtkleding had aangetrokken of haar bed in de war gemaakt. O, dat Henry hier op bezoek was gekomen!

Nauwelijks in staat het te geloven, liep ze zachtjes de trap af. Beneden vloog ze door de zitkamer naar de keuken.

Ze opende de zijdeur en bleef staan wachten terwijl hij de klok naar de verandatrap droeg. 'Kom alsjeblieft binnen,' zei ze onzeker.

'Ik kan het beste eerst de klok uit de doos halen,' zei hij en ze vroeg zich af of hij bang was dat het speelwerk kabaal zou maken. Zoals de eeuwenoude gewoonte was, mochten ze beslist niet de aandacht op zich vestigen. Allemaal een voorspel voor het meest wonder-*gute* van alles.

Gauw… heel gauw!

★

Heather was klaar met studeren voor het examen van morgen en besloot een paar extra ideeën te verwerken in haar doctoraalscriptie, die de titel droeg: *Patriarchaat in de Geschriften van Koloniaal Williamsburg.* Haar vingers typten haar gedachten uit en snelden over het toetsenbord. Algauw had ze weer een paar bladzijden toegevoegd. Binnenkort moest ze beginnen met het vervelende werkje van het controleren van de voetnoten.

Ze rekte zich uit en keek naar het digitale klokje van de magnetron. *Pap kan elk ogenblik thuis zijn.* Ze had niet verwacht dat hij zou bellen; dat deed hij zelden. Ze nam aan dat hij iets te eten had gehaald of besteld voor op kantoor. 'Het is onderweg eten of honger lijden,' had hij eens gezegd over zijn veeleisende agenda.

Ze bladerde twee onderzoeksboeken door – een boek over het patriarchale ideaal en de werkelijkheid, en het andere over de functie van de koloniale familie – en controleerde of ze alles correct gedocumenteerd had. Hoge cijfers halen was altijd een prioriteit van haar geweest en dat was niet veranderd, ook niet nu de woorden van dokter O'Connor nog in haar hoofd nagalmden. *Zelfs nu,* dacht ze, de gedachte aan de vreselijke diagnose van zich afschuddend, *heb ik geen tijd voor ondergang en verderf.*

Voorlopig was ze vastbesloten om haar laatste semester met de allerbeste resultaten af te sluiten. Daarna ging ze op weg naar Amish land voor de grote ontsnapping. Aanstaande dinsdag vertrok ze, over zes dagen. Ze hoopte in het rustige huis van de familie Riehl door te kunnen werken aan haar scriptie en mondelinge presentatie.

Toen ze de eerste twintig pagina's voor de zoveelste keer had opgeslagen, was Heather tevreden... voorlopig. Morgen zou ze printen wat ze had en gedreven als altijd de uitgedraaide versie bijwerken. Wat je 's avonds laat had geschreven, zag er op klaarlichte dag tenslotte vaak teleurstellend uit.

De verleiding was groot om er een einde aan te maken en naar bed te gaan, maar iets drong haar om haar e-mail op te halen... om te kijken of Devon had geschreven. Het was haar nog steeds niet helemaal duidelijk wat het tijdverschil was tussen Virginia en Irak. Ze was er zeker van dat hij in Bagdad zat, maar zijn compagnie was voortdurend onderweg en om veiligheidsredenen mocht hij zijn verblijfplaats niet bekendmaken.

Haar hart bonsde toen ze zag wie er had geschreven: Devons wapenbroeder, zoals hij hem noemde. *Als me iets overkomt, zul je het 't eerst van Don Hirsch horen*, had hij kort na zijn uitzending geschreven. Het had zo onheilspellend geklonken.

En nu was Dons e-mailadres als een bom in haar mailbox verschenen. Ze kon haast niet ademhalen terwijl ze het las. *Hoi Heather, niet schrikken... Devon is ziek, maar hij wordt beter.*

Ze knipperde haar tranen weg om meer te lezen. *Er waart een raar virus rond*, legde Don uit.

'Ach, arme jongen...' kermde ze.

Ze houden hem een paar dagen in de gaten in het militaire ziekenhuis, dus hij zal een poosje niet online zijn. Hij zegt dat je niet ongerust moet zijn en doet de groeten aan 'zijn lieve schat', zoals hij zei.

'Enne, hoe moet ik niet ongerust zijn?' sputterde ze en Mo mauwde hard. Ze bukte om haar lievelingskat op te pakken. 'Devon is erg ziek,' fluisterde ze. 'Kan hij wel gauw beter worden zonder ons, hè?'

Mo begon te spinnen en rolde op zijn rug op haar schoot. Ze wreef zijn buikje en dacht onafgebroken aan haar verloofde, die er zo slecht aan toe was dat hij naar een ziekenhuis moest. *Waar?* Het gaf een machteloos gevoel dat ze het niet wist... dat ze het niet voor zich kon zien. Ze had zin om zo in een vliegtuig te springen en erheen te vliegen.

Wat? Hij had zich ingeschreven voor wachtdienst en nu *dit*? Ze kon er nog steeds niet over uit waarom hij zich om te beginnen had ingeschreven.

Hoi Don, begon ze te typen. Ze bedankte hem voor zijn e-mail, hoe schokkend het ook was geweest om hem te krijgen. *Zeg tegen Devon dat ik van hem hou en dat ik het heel akelig vind dat hij ziek is. Hou me alsjeblieft op de hoogte. Bedankt!*

Ze hield op met typen, gefrustreerd door de immense afstand tussen hen. *Mijn superknul... zo ziek!*

Ze drukte op verzenden en wenste dat ze dit hele jaar over kon doen, vanaf de dag dat Devon haar op het vliegveld in zijn armen had gehouden. Ze had een gatepas gekregen zodat ze met hem mee kon gaan door de beveiliging naar zijn vertrekhal. Achteraf was het misschien makkelijker geweest als ze in de terminal afscheid hadden genomen en honderd keer *ik hou van je* hadden gezegd. Maar nee, ze moest hem helemaal wegbrengen.

'Ik spuug werkelijk van deze oorlog,' mompelde Heather. Ze sloot de laptop en slofte naar haar kamer. *Het zal me verbazen als ik vannacht een oog dichtdoe.*

★

Henry droeg de klok de trap op zonder dat het speelwerk ook maar één keer geluid gaf. Verlegen ging Grace hem voor naar haar kamer en liet de deur een klein stukje openstaan, zoals mama zou verwachten.

Fluisterend haalde ze de verjaardagskaarten van de ladekast. 'Hij kan voorlopig hier staan.'

Henry zette de glanzende klok in het midden, voor de spiegel op haar lange, gehaakte lopertje. Hij bleef stijfjes midden in de kamer staan.

Zij voelde zich net zo slecht op haar gemak, zo erg zelfs dat ze vergat hoe het verder moest. Gelukkig wees Henry naar de uitzetkist aan het voeteneind van haar bed. 'O… *jah*,' zei ze, bezorgd dat hun gepraat de familie zou storen. 'Wil je zien wat ik heb gemaakt?'

Hij liep naar het gestoffeerde bankje en ging zwijgend zitten.

'Ik heb deze kussenslopen geborduurd,' begon ze. Verwachtte hij dat ze alle voorwerpen beschreef? Ze had dit nooit eerder bij de hand gehad. Hij natuurlijk ook niet, bedacht ze glimlachend.

Daarna kwam de wollen sjaal die ze een paar jaar geleden had gemaakt, toen ze pas had leren wol spinnen van Jessica. En de wollen schootdeken voor koude dagen.

Henry bekeek elk voorwerp met klaarblijkelijke belangstelling en Grace haastte zich hem de vier zware quilts te laten zien die ze samen met mama had gemaakt, en nog een die *Mammi* Adah had gemaakt. Ook waren er gequilte pannenlappen en placemats, en tientallen stuks linnengoed – waaronder veel gekoesterde familie-erfstukken – handdoeken, beddenspreien en zelfs een wiegendekentje in prachtige pastelkleuren. Ze vertelde hem over haar naaigerei en keukenspullen, die voorlopig allemaal verpakt in dozen op zolder stonden.

Toen ze alles had getoond, stopte ze de spullen voorzichtig weer in de kist en sloot het deksel. Ze ging met bonzend hart op de kist zitten. Henry glimlachte traag en stak zijn hand uit. Ze stond op en kwam naar hem toe.

'Kom hier zitten… bij mij.' Hij liet haar hand los. '*Denki* dat je me al die mooie dingen hebt laten zien.'

Ze knikte, maar ze voelde zich opgelaten en verlegen. 'Graag gedaan.'

Hij keek haar met zijn donkere ogen ernstig aan. 'Je moet weten dat ik dol op je ben, Grace.'

Ze keek glimlachend naar hem op en dronk zijn aandacht in. 'Ik hou ook van jou,' zei ze fluisterend.

'Dat is heel *gut*.' Hij bracht haar hand naar zijn lippen en hield hem daar, zijn ogen strak op haar gericht. Toen kuste hij haar hand. 'Wil je mijn bruid worden?'

Mijn bruid…

Ze had moeite om niet in lachen uit te barsten… nee, in tranen. Dit was het mooiste ogenblik van haar leven. 'Het zal me een eer zijn om met je te trouwen, Henry. *Jah!*'

Met haar hand nog in de zijne knikte hij blij en ze koesterde het gevoel van haar kleine hand in zijn grote, door het werk verruwde hand. 'Deze herfst gaan we trouwen.'

Ze schonk hem haar liefste glimlach. 'Goed.'

Hij keek haar onderzoekend in de ogen en hij hield zijn hoofd een ogenblik schuin, alsof hij nog iets wilde zeggen. Maar toen er iets ongemakkelijks in zijn blik kwam, sloeg ze onzeker haar ogen neer. Ze wilde hem niet op een gevoelloze manier opjagen, maar er moest een einde komen aan de tijd dat ze samen waren.

'God zij met je, Henry,' zei ze vriendelijk, in de hoop dat hij de hint zou begrijpen.

En hij begreep het. Hij stond op en liep naar de deur, waar hij zich nog even omdraaide om naar de klok te kijken. 'Hij staat daar heel mooi,' zei hij.

Ze beaamde het en volgde hem naar beneden, allebei op hun tenen.

Eenmaal buiten zag ze dat hij zijn rijtuig niet op de oprijlaan had geparkeerd. 'Het was heel fijn om je twee keer op één dag te zien,' waagde ze, in de hoop dat het niet al te voortvarend klonk.

Hij boog zich naar haar toe en gaf haar een kus op haar wang. 'Welterusten, Grace.'

'Welterusten.' Er brak een glimlach door op haar gezicht en ze voelde zijn kus nog. Wuivend keek ze hem na terwijl hij naar de weg toe snelde.

Dag, mijn lief…

Onwillig draaide ze zich om en wandelde naar het donkere huis.

Hoofdstuk 12

Nadat ze een tijdje wakker had gelegen om de laatste uren van deze wonder-*gute* dag nog eens opnieuw te beleven, viel Grace in slaap. Later droomde ze dat ze met Henry over een pad wandelde dat bestrooid was met felgele rozenblaadjes. Ze kon echter niet horen wat hij zei, hoe ze zich ook inspande. Uiteindelijk zweefde de droom weg in het niets en sliep ze dieper in. Maar in haar wazigheid voelde ze dat iemand haar op de wang kuste.

Het was nog donker buiten toen ze wakker werd. Ze had haar moeders voetstappen die nacht niet gehoord en Grace verwonderde zich erover dat ze zo diep geslapen had.

Toen ze zich omdraaide, zag ze op haar ladekast een onge-opende envelop tegen haar spiegel geleund staan, links van de klok. Ze werkte zich overeind en wreef de slaap uit haar ogen. Het was nog stil in huis; het was vast nog geen tijd om op te staan.

Ze ging weer liggen en zag op het wekkertje op haar nachtkastje dat het nog maar tien voor vijf was. Ze keek weer naar haar ladekast en vroeg zich af waar de envelop vandaan was gekomen. Had iemand hem daar neergezet terwijl ze sliep?

Haar nieuwsgierigheid werd haar de baas en ze ging kijken. Ze nam de brief mee naar het raam en trok het rolgordijn een stukje omhoog om het tanende maanlicht binnen te laten. In haar moeders handschrift stond *Voor Grace* op de envelop ge-schreven.

Vlug trok ze het papier uit de envelop.

Mijn lieve Grace,

Je zag er vanavond zo gelukkig uit op je verjaardag. Ik weet dat je genoten hebt van het feestmaal en de gezelligheid met onze familie en de buurmeisjes.

Ik heb beloofd je te vertellen wat me dwarszit, maar nu kan ik eerlijk gezegd de woorden niet vinden. Ik zag aan je gezicht hoe bezorgd je was sinds we vorige maand hielpen bij de bouw van de schuur, en ik heb je voorzichtige vragen opgemerkt. Je liefdevolle hart is zo'n dierbaar onderdeel van wie je bent.

Het is al heel laat en jullie slapen allemaal terwijl ik dit schrijf. Ik vertrouw erop dat je deze brief laat lezen aan je broers en Mandy, en aan je vader. Als ik jullie mijn plannen persoonlijk had verteld, had ik de moed niet gehad om weg te gaan.

'Wat heeft dit te betekenen?' fluisterde Grace. Haar adem kwam in korte, paniekerige stootjes terwijl ze doorlas.

Ik ben bang dat het weinig duidelijk zal zijn wat ik schrijf en dat het de vrolijkheid van je verjaardag in droefheid zal veranderen. Dat spijt me heel erg, Grace.

Zie je, er zit hier een heel andere kant aan en er gaat zo veel pijn mee gepaard. Maar ik kan het nu niet voor je uitspellen. Mettertijd zul je het begrijpen, dat beloof ik. Misschien zullen jullie het allemaal begrijpen. Maar mijn vertrek zal schande brengen over mijn familie... en ook verdriet.

Ik hoop dat jullie me niet zullen verachten om dit moeilijke wat ik moet doen. Mijn hart breekt. Maar toch moet ik gaan. Ik houd van jullie.

Als altijd
Mama

'Gaat ze weg?' Met de brief tegen zich aan geklemd, vluchtte Grace de kamer uit en gluurde eerst naar binnen door de openstaande deur van de slaapkamer van haar ouders. Pa lag diep in slaap schuin over het bed. Ze snelde naar beneden en zocht overal naar haar moeder, ook in de koude kelder, toen helemaal in de schuur, naast de stal van Willow.

Toen ze haar moeder niet vond, liep ze helemaal om het huis heen naar de voorveranda, almaar piekerend over de vreemde brief... die zo geheimzinnig was. Ze keek uit over het veld, waar mama vaak wandelde. Hoe vaak had ze haar daar niet zien lopen in het maanlicht, haar armen strak om haar middel, alsof ze zichzelf bij elkaar moest houden?

Ademloos keerde Grace naar haar kamer terug, waar Henry haar nog maar een paar uur geleden ten huwelijk had gevraagd. *Weet pa hiervan?* Ze las de brief nog een keer, langzamer nu en begon te huilen.

Verbijsterd en in de war stond ze weer op om naar de gang te lopen. Nu ging ze de kamer van Mandy binnen, die met haar arm boven haar hoofd diep lag te slapen.

Arm zusje, wat zal zij ervan vinden?

En pa? Kennelijk had mama alleen een brief aan háár geschreven... maar waarom?

Ze liep naar de dakkapel en gluurde naar buiten, waar ze tot haar afgrijzen zag wat ze daarstraks niet had gezien; een donkere gestalte in de verte die kordaat wegliep van het huis, in westelijke richting naar snelweg 340. *Zou zij het zijn?* Ze boog zich turend naar voren.

Grace vloog terug naar haar kamer en gooide de brief op het nachtkastje, boven op de envelop. Ze rukte haar badjas van de houten haak en trok hem aan zonder de moeite te nemen de ceintuur vast te binden. Ze rende naar buiten en schoot langs de verzorgde gazons en het hek van het weiland bij de weg.

Grace struikelde, krabbelde weer op en bond rennend een knoop in haar ceintuur. Ze begon terrein te winnen en kwam dichterbij, radeloos hopend dat de zwarte gedaante in de verte *niet* haar moeder was. Dat dit hele geval maar een afschuwelijke vergissing was. Haar moeder zou toch zeker niet zomaar weggaan terwijl iedereen lag te slapen. Toch?

Door een waas van tranen zag ze een auto hun kant op komen, die vaart minderde en stopte.

Er zit een heel andere kant aan, had mama geschreven. Grace kon zich niet met geen mogelijkheid indenken wat dat betekende.

De maan kwam achter een wolk vandaan en ze kon nu beter zien. De gestalte was beslist een vrouw. Ineens was het onmiskenbaar. Mama rende praktisch naar de auto toe, haar hoofd bedekt met een zware zwarte buitenmuts, die opzij een beetje uitpuilde.

Het portier ging open. Grace snakte naar adem toen het tot haar doordrong wat haar moeder in haar hand had. Hun oude, bruine koffer!

'Mama!' riep ze hijgend. 'Kom terug! Kom alsjeblieft terug!'

Haar moeder glipte in de auto en keek niet eens om. *Hoort ze me niet?*

Het portier werd dichtgeslagen en de echo bereikte Grace met een beslissende bons. *Nee, dit kan niet waar zijn!* Verbijsterd minderde ze vaart, greep met haar handen naar haar zij en hijgde… toen stond ze helemaal stil, ze kon niet verder.

Ik hoop dat jullie me niet zullen verachten om dit moeilijke wat ik moet doen, had mama geschreven.

'Nee, mama…' huilde Grace terwijl de auto hard wegreed. 'Waarom moet u weggaan?'

Judah werd met een schok wakker. Hij dacht dat hij iemand rond hoorde lopen. Gealarmeerd hees hij zich uit bed om naar de gang te strompelen en bij de kinderen te kijken.

Vreemd, dacht hij. *Ik zie ze nog steeds als kinderen. Vooral de meisjes.*

Hij gluurde door de openstaande deur naar Mandy, die zachtjes snurkte, en bedacht dat Lettie altijd degene was geweest die bij de kinderen ging kijken. Hij werd soms wakker als ze weer naar bed kwam.

Voordat ze op de raarste uren begon rond te dwalen, dacht hij, zich nog steeds schuldig voelend om zijn eigen lafheid van gisteravond. Langzaam liep hij de smalle trap op die naar de kamers van de jongens op de tweede verdieping voerde. Alles was in orde.

Terug op de eerste verdieping zag hij Grace' deur op een kier staan en toen hij naar binnen keek, zag hij dat haar beddengoed opengeslagen was. 'Vreemd,' zei hij, maar meteen daarop vroeg hij zich af of ze soms naar buiten was gegaan om haar *beau* te ontmoeten.

Hij wilde net naar de begane grond gaan om naar buiten te kijken, toen hij op de rand van Grace' nachtkastje een brief zag liggen, alsof hij daarheen gegooid was. Hij was niet geneigd andermans post te lezen en aarzelde. Maar toen bedacht hij dat de brief open en bloot lag, en toen hij beter keek, herkende hij onmiddellijk het handschrift van Lettie. Hij deinsde achteruit en wilde het erbij laten... het laten rusten.

Maar binnen in hem roerde zich iets en hij stak zijn hand uit naar de brief. Hij nam hem mee naar zijn kamer en las onderweg de eerste regel. Met een diepe zucht deed Judah de deur achter zich dicht en ging zitten om te lezen wat Lettie als afscheid aan hen allemaal had geschreven.

Grace sjokte wanhopig voort. Door haar tranen heen kon ze de weg haast niet zien terwijl ze naar huis liep. En ze merkte dat ze haar armen om haar middel had geslagen, net zoals ze mama had zien doen.

Midden in haar verdriet kwam haar lievelingspsalm in haar gedachten, de Psalm die *Mammi* Adah op Grace' verjaardagskaart had gekrabbeld. *Des nachts zal Zijn lied bij mij zijn...* De woorden maalden rond en rond in haar hoofd terwijl ze naar huis ploeterde.

Wat zal pa zeggen? dacht ze. Ze had geen idee hoe ze het hem moest vertellen.

Niemand van de familie zou het geloven. Zelfs *Mammi* Adah

zou haar achterdochtig aankijken als Grace de moed had om bekend te maken waarvan ze zojuist getuige was geweest.

Waren die andere nachten een oefening geweest voor mama's snelle ontsnapping? Was ze bezig geweest moed te verzamelen om weg te lopen... te ontsnappen aan haar gezin? *Ontsnappen?* Het was uitgesproken merkwaardig om aan dat woord te denken. 'Ontsnappen aan wat?' zei ze hardop in de koude nachtlucht.

Echtgenotes en moeders van Eenvoud verlieten hun gezin niet. Ook niet als er moeilijkheden waren in het huwelijk; echtscheiding was ongehoord in de Gemeenschap. Slechts bij zeldzame gelegenheden werden alleen maar gefluisterde opmerkingen gemaakt over een wettige scheiding. Nee, getrouwde mensen deden het ermee, of ze vonden een weg ondanks hun moeilijkheden.

Mama is vast en zeker bij iemand op bezoek gegaan. Vast en zeker...

Maar de woorden van haar moeders eigen hartverscheurende brief logenstraften Grace' hoop, en ze beefde.

★

Martin Puckett was een beetje verbaasd geweest toen Lettie Byler hem gisteren vroeg in de avond had opgebeld. Met een verdrietige stem had ze hem gevraagd haar op een afgesproken tijd en plaats op te halen.

'Morgen vlak voordat het licht wordt...'

Met moeite had hij zijn vrouw ervan overtuigd dat het niet ongewoon was om in het donker het huis uit te gaan om een Amish vrouw op te halen. 'Ze moet de trein halen,' had hij uitgelegd.

Dus nu zat hij achter het stuur van zijn auto en Lettie zat naast hem, waar ze nooit had gezeten als ze met Judah of een ander familielid bij hem in de auto zat. Ze was met een vaartje ingestapt, alsof ze haast had om op haar bestemming te komen.

Hij hoorde haar mompelen in het *Deitsch* terwijl hij naar Lancaster reed, iets over bang zijn of ze Judah wel recht deed. 'Ik heb geprobeerd het hem te vertellen,' zei ze in haar moedertaal. Ook sprak ze bezorgd over haar kinderen.

'Gaat het, Lettie?' Hij keek haar aan.

Ze wuifde met haar hand. '*Ach*, let maar niet op mij.'

Hij had nooit getwijfeld over het vervoeren van Amish, zeker niet op een uur dat het gevaarlijk zou zijn om met paard en rijtuig te reizen. 'Je zult wel erg vroeg op het station zijn,' merkte hij op.

'Ik heb nog geen kaartje.'

Hij hoopte dat het goed ging met alleen reizen; ze keek zo mistroostig. Maar het was niet aan hem om nieuwsgierig te zijn. *Tenzij ze gevaar loopt…*

Toen hij arriveerde bij het spoorwegstation in Lancaster, stapte hij uit om haar koffer te pakken. Ze bleef naast het portier staan wachten. 'Ik zou graag willen dat je dit stilhield, als je het niet erg vindt,' zei ze.

Nooit had hij haar, noch een andere Amish vrouw, zo scherp tegen een man horen praten. En niet met zo veel vastberadenheid.

'Wil je zeggen dat Judah niet weet dat je op reis gaat?' vroeg hij ineens bezorgd.

Ze liet haar hoofd hangen. 'Dat kan ik beter niet zeggen.'

'Lettie,' drong hij aan, 'weet er wel *iemand* van je reisplannen af?'

Haar radeloze blik toen hij de koffer neerzette vertelde hem alles wat hij weten moest. 'Heb je er goed over nagedacht?'

'Daar heeft niemand iets mee te maken. Houd het alsjeblieft voor je.'

Volkomen verlegen met de zaak deed Martin een stap naar achteren. 'Je weet dat ik dat niet kan doen,' zei hij tegen haar. 'Ik zou je het liefst meteen terugbrengen en…'

'Nee… alsjeblieft.' Ze schudde haar hoofd. 'Iemand haalt me af… waar ik heen ga. Geen zorgen.'

Familie? vroeg hij zich af. Maar dat hoorde hij niet te vragen.

'Zoals ik al zei, zwijg er alsjeblieft over, Martin.'

'Nou, je man is een vriend van me. Als hij me vraagt of ik je hierheen heb gebracht, ga ik niet liegen.'

Haar gezicht vertrok van zorgen en ze stak hem het geld voor de rit toe in opgerolde biljetten. Hij deed een stap naar haar toe om het aan te nemen en trok zich toen weer snel terug. 'Ik wens je een veilige reis... waar je ook heen gaat.'

'Dat is aardig van je.'

Hij bood aan haar koffer naar binnen te dragen, maar Lettie sloeg het af: 'Hoeft niet, maar toch bedankt.' Toen nam ze snel afscheid.

De trieste klank van haar stem deed hem huiveren. Ze klemde haar koffer in haar hand en wandelde resoluut het station binnen.

Hoofdstuk 13

Hoezeer ze ook in paniek was na het vertrek van haar moeder, Grace raakte nog meer van streek toen ze bij terugkeer mama's brief niet in haar kamer vond. Ze ging in gedachten haar gangen na: ze had uit het raam van de dakkapel gekeken en haar moeders donkere gestalte gezien... Had ze hem toen niet in haar slaapkamer gegooid?

Maar toen ze in de kamer keek – en in de gang – was de brief nergens te zien.

Ze liep naar beneden en keek in de voorkamer, zocht zelfs in de porseleinkast waarin mama haar mooiste kop en schotels en borden uitstalde. Ademloos haastte ze zich naar de keuken om op tafel en op het aanrecht te zoeken; alle denkbare plaatsen waar ze hem onoplettend had kunnen laten liggen voordat ze de deur uit rende.

Kan hij gestolen zijn? Maar wie zou zoiets doen?

En trouwens, iedereen sliep.

Ze kroop in bed, nog steeds in haar badjas, en rilde van de zenuwen. Ze had haar moeder zien weggaan, met een koffer in haar hand... ze had haar zelfs in een auto zien stappen terwijl Grace haar had gesmeekt om te blijven. Kon ze dat beeld ooit nog kwijtraken?

Grace betwijfelde of ze nog in slaap zou vallen en bad. Alleen God wist wat ze Mandy en de jongens aan de ontbijttafel moest vertellen, als ze ontdekten dat mama weg was. En pa? Wat kon ze in vredesnaam tegen hem zeggen?

Ze draaide zich om en trok de quilt over haar hoofd. *Waarom zou mama zoiets doen?* Het was niet te bevatten en nu kon ze niet eens de brief opnieuw lezen... tenzij hij onder het bed was gevallen.

Ze gooide het dek van zich af, stapte uit bed en gluurde eronder. Daar lag de brief ook niet en ze opende met bonzend hart de smalle lade van het ronde kastje naast haar bed. Ze liet haar hand naar binnen glijden, maar vond niets.

Onder het nachtkastje vond ze alleen een laag stof; ze moest eraan denken straks de zwabber eronderdoor te halen. Zachtjes huilend kroop Grace weer in bed en krulde haar lichaam terwijl ze dacht aan mama's ondertekening: *Mijn hart breekt... Ik houd van jullie.*

O, mama, riep ze in gedachten uit, *maar nu breekt* mijn *hart.*

★

Met trillende hand hield Judah de brief vast. Hij had hem niet neer kunnen leggen.

'Lettie,' fluisterde hij. Zijn hoofd bonsde. 'Waarom?'

Hij staarde naar de kale, houten haken aan de muur van hun slaapkamer, waar haar jurken en zwarte schorten hadden gehangen, en dacht aan hun pijnlijke gesprek van gisteravond. Iets drong hem om de laden van haar kast te openen, al gaf het hem een vreemd gevoel van inbreuk maken. Alle laden waren leeg.

Daarstraks had hij het huis en de omgeving doorzocht, en zijn lantaarn over het weiland laten schijnen. Ook was hij langs de weg gelopen, naar het noorden, met de gedachte dat ze toch stellig niet lopend naar de hoofdweg zou gaan. Snelweg 340 was veel te gevaarlijk.

Hij had dringend haar naam willen roepen, maar dat had geen zin. Bovendien wilde hij de buren niet wakker maken. Ze zouden het allemaal gauw genoeg weten als het licht werd.

Slecht nieuws doet altijd eerder de ronde dan goed nieuws.

Maar voorlopig was hij de enige die van haar plannen afwist. En Grace, als ze de brief van haar moeder tenminste al gelezen had. Hoogstwaarschijnlijk was ze uit geweest met haar *beau.* En dan wist Grace niets van Letties vertrek... noch van de brief.

Aangenomen dat zijn redenering klopte, was het beter om de brief voorlopig verborgen te houden. Dan werd het Grace bespaard hem te lezen, hoewel Letties woorden aan haar dochter tederder waren dan hij ooit over haar lippen had horen komen.

'Ze is nijdig op me,' zei hij. Misschien was ze gewoon gaan wandelen in de kleine uurtjes en zou ze terugkomen als ze bereid was om hem te vergeven. Natuurlijk, hij had haar gekwetst.

Als het licht is, dacht hij, *ga ik haar zoeken… dan breng ik haar thuis.* In zijn verbijstering las hij de brief opnieuw, op zoek naar een aanwijzing, hoe klein ook.

Maar toen hij de verwarrende woorden opnieuw gelezen had, leek het of zelfs Lettie niet zeker was van haar bestemming. Haar wanhopige smeekbede van gisteravond weergalmde in zijn oren. 'Wil je me niet laten uitpraten, Judah?'

Nee, deze brief was niet maar een poging om zijn aandacht te trekken.

★

Martin Puckett had nog geen drie kilometer gereden toen hij iets zag liggen wat Lettie Byler in de auto had laten vallen. Bij het volgende stoplicht bukte hij om het te pakken en zag verscheidene telefoonnummers staan, allemaal buiten het kengetal van de streek. Hij wist niet goed uit welk deel van het land ze afkomstig waren. Maar ze waren ongetwijfeld belangrijk voor Lettie, dus hij draaide om en reed terug naar het station van Lancaster.

Onder andere omstandigheden zou hij ervan genoten hebben het historische station weer te zien. Nu hij nog piekerde over Letties zorgwekkende verzoek, betrad hij haast terneergeslagen de paleisachtige stationshal. Het station werd kennelijk gerestaureerd. Hij wist nog dat hij daar iets over gelezen had op internet, evenals in de *Lancaster New Era.*

Het plafond verhief zich tot een glazen inzetstuk hoog boven de hoofden en in de muur boven een zuilengang waren de woorden *Naar de treinen* gegraveerd. Zelfs op dit uur zaten reizigers verspreid in de wachtruimte en in de achterste hoek zag hij Lettie zitten, alleen op een houten bank met een hoge rug. Ze haakte een sjaal. Even bleef hij naar het eenzame figuurtje staan kijken en zag voor het eerst de strepen grijs in haar blonde haar. Toen haalde hij het stuk papier uit zijn zak en liep langzaam op haar toe. 'Neem me niet kwalijk, Lettie.' Hij legde het papier op haar schoot.

Ze schrok en keek verbaasd op.

'Dit vond ik in mijn auto. Is het van jou?'

Haar droevige ogen lichtten op. '*Ach*, wat zou ik zonder moeten.' Ze glimlachte breed. 'Wat *gut* van je om het te komen brengen.'

'Ik dacht dat het van pas kon komen,' zei hij.

Ze knikte blij. 'O, je hebt geen idee…'

'Nou, ik ben blij dat ik je van dienst kon zijn.' Ze had hem niet gevraagd te komen zitten, maar hij deed het toch. 'Lettie… ik…' Hij zweeg even en woog zijn woorden zorgvuldig. 'Ik ben bezorgd om je.'

Ze keek neer op haar handen, de haaknaald klaar om de volgende lus te maken. 'Dat hoeft echt niet.'

Hij zag het zakje brood en het boek dat ze had meegebracht. 'Ik wil me nergens mee bemoeien.' Hij nam aan dat Judah en Lettie Byler thuis even vriendelijk met elkaar omgingen als in het openbaar. Maar waarom was ze hier dan in het geheim?

Ze glimlachte flauwtjes en begon weer te haken. Instinctief voelde hij dat hun gesprek beëindigd was.

Zonder na te denken legde hij zijn hand op haar arm. 'Als je ooit hulp nodig hebt – van mijn vrouw of van mij – aarzel dan niet ons te bellen.'

Langzaam, alsof het pijn deed, knikte ze en keek hem in de ogen. Hij zag tranen op haar wangen en haalde zijn zakdoek tevoorschijn en gaf hem haar. 'Dat is heel vriendelijk van je,' zei ze, terwijl ze hem aannam en haar gezicht bette. 'Heel vriendelijk.'

'Ik meen het... waar je ook heen gaat,' benadrukte hij. Toen ze zijn zakdoek had teruggegeven, zweeg hij, niet in staat nog een keer afscheid te nemen.

Uiteindelijk rees hij overeind en wandelde weg over de marmeren vloer. Op dat moment zag hij de neef van Sadie Zook tussen de wachtende mensen zitten. Pete Bernhardt reisde elke week naar New York City voor zaken en zat aan de overkant met zijn aktetas aan zijn voeten.

Omdat hij Pete al jaren kende, stond Martin op het punt om even naar hem toe te gaan, maar Pete keek steels op en wendde vlug zijn blik af. Verbaasd bleef Martin staan aarzelen. *Waarom zo afstandelijk?*

Toen viel het hem in. Was Pete getuige geweest van zijn gesprek met Lettie Byler?

Martin zwaaide, nogal opgelaten door wat Pete ervan kon denken. Hij liep de deur uit naar het parkeerterrein en dacht met afgrijzen aan de volkomen onschuldige vrijheid die hij zich bij Judahs aantrekkelijke vrouw had veroorloofd, hoe hij naast haar had gezeten en haar zijn zakdoek had aangeboden.

Martin opende het portier van zijn auto en stapte in. Janet zou op zijn en bezig met het klaarmaken van het ontbijt voordat ze de laatste hand legde aan het inpakken. Ze wilden vandaag graag vroeg vertrekken, want ze gingen een paar dagen de stad uit. Hij moest zijn steentje bijdragen door te tanken en te zorgen dat de auto schoon was, daarom was hij met de auto gegaan in plaats van zoals anders met zijn busje.

Terwijl hij de sleutel in het contact stak, fluisterde hij een gebed voor Lettie, een kwetsbare Amish vrouw die in haar eentje op reis ging.

Hoofdstuk 14

Grace was weer in slaap gevallen en schrok wakker. Ze had haar badjas nog aan onder het dek en was zich vaag bewust van het tikken van de regen op het dak. Ze rekte zich uit, maar werd overvallen door een hevig gevoel van droefheid en vermoeienis. Langzaam doken de stukjes en beetjes van de vroege ochtenduren weer op in haar geheugen. *Ze had een brief van mama gevonden... had langs de weg gerend... en hulpeloos toegekeken toen mama in een vreemde auto stapte.*

Grace schoot met bonzend hart rechtop in bed. Was het maar een nachtmerrie geweest?

Ze had even tijd nodig om alles op een rijtje te krijgen. Maar nee, het was waar. Ze had het zich helemaal niet ingebeeld.

Grace gluurde met één oog naar haar prachtige klok. Zeven uur. *Ach, ik heb me verslapen.*

Ze sprong uit bed, struikelde haast over haar badjas en kon haar slippers niet vinden. *Ik zet alles op de verkeerde plaats.* Weer dacht ze aan mama's brief terwijl ze naar het raam liep en naar buiten keek in de schemerige, mistige ochtend. De rand van het erf was niet eens te zien, laat staan de weg. Ze drukte haar vingers tegen de ruit en voelde de kou erdoorheen.

Ze dacht aan Henry's bezoek. Wat was ze dolgelukkig geweest. Nu was ze zo overmand door verdriet. De laatste gebeurtenissen van haar leven – Henry's aanzoek en het vertrek van haar moeder – vermengden zich als het ingewikkelde weefsel van een bont geschakeerd lappenkleed.

Grace was verschrikkelijk van slag. Mama moest het spoor wel heel erg bijster zijn om een koffer te pakken en te vertrekken.

Nadat ze zich automatisch had aangekleed, snelde ze de

trap af om met het ontbijt te beginnen. Het was al zo laat en Mandy sliep nog. Een blik om de hoek in de gang maakte haar duidelijk dat de werklaarzen van haar vader en broers weg waren. De mannen waren al bij de kleine lammetjes gaan kijken. Om de paar dagen werden er nu nieuwe geboren, precies zoals pa het had gepland. De drachtige ooien moesten vierentwintig uur per dag gecontroleerd worden, en hij en de jongens waren vaak 's nachts in de weer.

Hebben ze zich er niet over verbaasd dat mama nog niet met het ontbijt bezig was? Ze vond het eigenaardig dat ze haar niet eens hadden geroepen om ermee te beginnen. Wat dachten ze ervan dat mama weg was? Of namen ze soms aan dat ook zij zich had verslapen?

Ze hoorde geluiden uit de keuken aan de andere kant van het huis en vermoedde dat *Mammi* Adah eieren aan het bakken was voor *Dawdi* Jakob. Haar adem stokte als ze eraan dacht hoe bedroefd ook zij zouden zijn door mama's verdwijning.

Als het bekend wordt.

Grace draaide de kraan open en vulde de ketel. Op zo'n trieste en regenachtige dag zouden de mannen wel koffie willen. Het was halverwege de lente, maar wat temperatuur en vochtigheid betreft leek het wel herfst.

Blij dat Mandy gisteren de eieren had geraapt, zette ze de schaal vol verse eieren op het aanrecht. Ze draaide een gaspit aan, zette de koekenpan op het fornuis en liet een klontje boter in het midden vallen. Pa's maag zou wel rammelen, en Adam en Joe zouden ook flink trek hebben. Ze hielden van roereieren met stukjes spek en kaas, maar daar nam ze vandaag de tijd niet voor. *Gebakken eieren zijn sneller klaar.*

Grace kon het nog steeds niet geloven en knarsetandend wenste ze dat ze wist wat ze moest zeggen als ze binnenkwamen. Ineens besefte ze dat ze zonder er zelfs maar over na te denken in mama's rol was gestapt.

Ze draaide de gasvlam lager en sloeg de eieren kapot tegen de rand van de pan voordat ze ze erin liet vallen. Ze legde een deksel op de pan en draaide zich naar het raam om naar buiten te staren. Toen ze Mandy nog steeds niet hoorde, liep ze naar de trap. 'Wakker worden!' riep ze, en ze wachtte tot ze de voeten van haar zusje op de vloer hoorde bonzen voordat ze naar haar eieren terugkeerde.

Een paar minuten later kwam Mandy met slepende tred naar beneden, op blote voeten en in haar badjas. 'Waarom heb je me zo lang laten slapen?' vroeg ze bijna beschuldigend.

'Ik heb me ook verslapen.'

Mandy zakte neer op de bank aan de keukentafel en liet haar hoofd in haar handen rusten. 'Ik ben zo moe... ik kan maar niet wakker worden.'

'*Jah*, het is triest weer.'

Mandy keek uit het raam. 'Het plenst.'

'Tja, we hebben regen nodig.' Zich schrap zettend voor de vraag die zeker zou komen, draaide Grace zich om naar het fornuis en strooide peper en zout op de dooiers, die bijna gaar waren. Pa hield van een zachte dooier, maar de anderen hadden hem liever stevig.

'Wil je gauw even wat brood roosteren?' vroeg ze Mandy. 'Maar eerst handen wassen.'

'*Ach*, je lijkt mama wel.' Mandy slenterde naar de gootsteen en draaide de kraan open. 'Waarom ben jij trouwens ontbijt aan het maken?'

'Waarom niet?'

Op dat moment kwamen Adam en Joe binnen door de zijdeur, hoewel pa er altijd op aandrong dat ze de voordeur gebruikten die uitkwam op de gang, waar werklaarzen en buitenkleding hoorden.

'Is pa bij jullie?' vroeg Grace met een blik naar de deur.

'Hij is daarstraks weggegaan met Sassy en het rijtuig... Heeft niet gezegd waar hij heen ging,' zei Adam.

'Hij had flink haast. Moet een belangrijke boodschap zijn,' zei Joe terwijl hij naar de gootsteen kloste waar Mandy haar handen stond af te drogen.

'Zo vroeg al?' zei Mandy. 'Wat is er open om deze tijd van de dag?'

Grace onderbrak haar: 'Doe liever jullie laarzen uit en laat ze buiten staan.'

'Dan worden ze nat,' zei Joe, die zijn laarzen uittrok en op het ovale tapijt bij de deur liet staan. Hij keek op. 'Waar is mama?'

Grace keek naar Adam, die kennelijk van niets wist. 'Nou, hier is ze niet,' zei ze hulpeloos.

Ze heeft ons verlaten...

'Dus *jij* maakt het ontbijt?' zei Joe. 'Zorg maar dat het *gut* is.'

Ze pakte de bakspaan, tilde de eieren uit de pan en legde ze op borden. 'Hoeveel eieren willen jullie?' vroeg ze aan Adam en Joe.

Ze wilden er net als anders ieder drie, en de twee stukken beboterde toast waar Mandy voor had gezorgd.

'Misschien is pa mama gaan ophalen,' zei Mandy ineens toen ze allemaal zaten.

Grace keek verrast. Wat bedoelde haar zusje?

'Ze is niet in de schuur,' zei Adam. 'Heeft *iemand* haar eigenlijk gezien?'

'Vanmorgen niet,' zei Mandy.

'Misschien heeft pa haar voor een bezoek naar een van haar zussen gebracht,' opperde Joe.

Onder de tafel klemde Grace haar handen strak ineen en ze keek Adam aan voor het tafelgebed, omdat hij de oudste mannelijke aanwezige was. Ze boog haar hoofd toen hij dat ook deed en bad het stille formuliergebed dat ze als kind had geleerd.

'Waarom zei je dat... wat je daarstraks zei?' vroeg Joe aan Mandy toen ze begonnen te eten. 'Dat pa mama is gaan ophalen?'

'Daarom,' antwoordde Mandy. 'Weet je niet dat ze 's nachts uit...'

'Mandy, eet nu maar,' onderbrak Grace haar.

Haar zus trok boze rimpels in haar voorhoofd. 'Laten we allemáál nu maar gaan eten,' stelde Grace voor terwijl haar maag omdraaide.

★

Judah reed voor de derde keer over de weg en trok nieuwsgierige blikken van de buren. Hij was zelfs helemaal naar Monterey Road en terug geweest, in de buurt van Eli's Natuurvoeding, op zoek naar een spoor van Lettie. Hij was langs de huizen van verscheidene nichten van haar gereden, en langs al haar broers en zussen, zonder te stoppen om naar haar te vragen… Hij wilde niemand nodeloos ongerust maken. Maar als Lettie gewoon op bezoek was gegaan, dan was er toch wel iemand naar buiten gekomen om hem aan te houden.

Hij voelde zich zwak en wist dat hij naar huis moest. Maar hij zag op tegen de vragen van Adam en de andere kinderen, en die zouden zeker komen.

Judah zwaaide naar de buurman langs de weg en tikte aan zijn hoed toen hij begroet werd met *Guder Mariye* en een brede armzwaai.

Als Lettie weg is, zijn mijn kinderen niet de enigen die vragen zullen stellen. En ik heb niets om hun nieuwsgierigheid te stillen.

Hij klakte met zijn tong om Sassy aan te sporen en zag in de verte zijn mooie schapen grazen.

Hij zwaaide naar de volgende buur, Marian Riehl, die buiten haar lappenkleedjes aan het kloppen was. Hij had van iemand gehoord, hij wist niet meer van wie, dat de Riehls voor langere tijd een betalende gast kregen. Dat vond hij zowel merkwaardig als praktisch. Andy en Marian hadden, zoals veel mensen, grote moeite om de eindjes aan elkaar te knopen. Mensen van Eenvoud dachten tegenwoordig wel twee keer na voordat ze op gas draaiende apparatuur aanschaften. Sommigen wensten dat ze terug konden naar hun houtgestookte fornuizen.

Hij vroeg zich af hoe zijn schoonmoeder *nu* dacht over haar hardnekkige verlangen naar moderne keukenapparatuur. Hoofdschuddend bedacht hij ook wat Adah Esh ervan zou vinden als ze een brief zou krijgen zoals Lettie aan Grace had geschreven. Misschien had Lettie haar plan inderdaad nog aan iemand anders dan Grace verteld.

Als Naomi nog leefde, zou die *het ongetwijfeld weten.*

Terwijl Judah het regenachtige landschap overzag, kon hij lapjes grond zien waar vorig jaar gevleugelde dopvruchten waren gevallen, die nu wortel begonnen te schieten. Hij snakte naar de zonnige dagen van mei, die over een week begonnen.

Lettie zal haar geliefde treurduiven niet zien als ze te lang wegblijft. Hij wist nog hoe ze vorig voorjaar gefascineerd had toegekeken hoe de mannetjes hun partners begeleidden naar mogelijke nestlocaties, en hoe de mannetjesvogels twijgjes en ander materiaal hadden verzameld voor het vrouwtje, dat het nest bouwde. Op een dag had Lettie vlak na het aanbreken van de dag bijna een halfuur voor het keukenraam staan kijken. Judah had aangeboden een voederschaal op de grond voor ze te maken, omdat het geen springers waren zoals sommige andere vogels, en Lettie was zo blij geweest dat ze hem een zeldzame glimlach had geschonken.

Zal ze de late bloei van de christusdoorn missen? vroeg hij zich af. *Ze zal toch wel terug zijn voor de oogst van vlierbessen en perziken. Ja toch…*

Hij wreef over zijn nek en schouders; onderaan zijn nek zat een schroeiende pijnplek. Het gevreesde ontbijttafereel viel niet langer uit te stellen. Het was hoog tijd om naar huis te gaan. Alles wees erop dat zijn vrouw ertussenuit geknepen was. Voor hoelang wist Judah niet.

★

Pa nam de tijd om Sassy uit te spannen van het familierijtuig, waarna hij de oprijlaan en de zijtuin overstak om naar huis te gaan. Grace zag dat hij zijn winterhoed op had in plaats van zijn strohoed, en dat hij helemaal in het zwart gekleed was. *Als voor een kerkdienst*, dacht ze terwijl ze zich met bonzend hart afwendde van het raam.

Met een asgrauw gezicht kwam hij de keuken binnen. Grace had de tafel afgeruimd en de vaat gedaan, omdat ze niet wist wanneer hij terug zou komen. Mandy was boven haar bed aan het opmaken en haar kamer aan het opruimen. De jongens waren weer naar de schuur gegaan om naar de nieuwe lammetjes te kijken en het was onbehaaglijk stil in huis. Het was zo vreemd om te weten wat ze wist over mama... en ze vroeg zich af wat haar vader wist.

Ze liep zwijgend naar de kast en haalde de koekenpan weer tevoorschijn om ontbijt te maken voor pa als hij wilde. Het zou niet lang duren voordat Mandy naar beneden kwam, en je zou zien dat Mandy weer over mama's afwezigheid begon.

Pa overtrad zijn eigen regel over de zijdeur. Hij kwam op zijn sokken binnen, zijn werklaarzen had hij uitgetrokken en buiten laten staan nu het opgehouden was met regenen. 'Ben ik te laat voor eieren en toast?' vroeg hij met een vertrokken gezicht.

'Helemaal niet.' Ze zette het gas halfhoog. Ze snakte ernaar om de vreselijke leegte, het pijnlijke vacuüm tussen hen op te vullen, maar ze was wel wijzer dan te vragen waar mama was. Dat zou bedriegen zijn. Maar omdat hij er geen woord over zei dat zij het koken had overgenomen, vermoedde ze dat hij iets wist. Hadden ze vannacht soms ruzie gehad?

Pa ging naar de badkamer en deed gedecideerd de deur achter zich dicht. Ze hoorde dat hij hem op slot draaide, wat helemaal niets voor hem was. Ze deden allemaal altijd gewoon de deur dicht. Het hele gezin respecteerde een gesloten deur, van welke kamer ook. 'Een dichte deur is dicht om een reden,' had mama vaak gezegd toen ze klein waren.

Tegen de tijd dat pa weer verscheen en zijn plaats aan het hoofd van de tafel innam, kwam Mandy met rimpels in haar voorhoofd in de deuropening van de keuken staan. 'Hebt u haar gevonden?' Ze liet zich naast pa neervallen.

'Bedoel je je moeder?' Pa keek hen beiden aan.

Grace zette het bord met eten voor hem neer, de eieren precies gebakken zoals pa ze wilde hebben. Ze wachtte of hij nog iets anders wilde. En of hij zou zeggen waar hij geweest was.

'Ze is nergens te vinden.' Mandy boog zich naar voren, zette haar ellebogen op tafel en steunde haar kin in haar handen. 'Waar ter wereld kan ze zijn?'

'Ik weet het niet,' mompelde pa.

'Meestal is ze niet 's morgens vroeg meteen weg,' verklaarde Mandy en ze keek naar Grace.

Pa boog zijn hoofd om een zegen te vragen en kneep zijn ogen stijf dicht. Toen hij amen had gezegd en zijn vork had opgepakt, fluisterde hij: 'Het is een raadsel.'

'Nou, waar *denkt* u dat ze is?' Mandy vouwde haar handen op tafel.

Grace legde zacht een hand op haar schouder. 'Laat pa nu even rustig eten.'

Mandy fronste haar wenkbrauwen en stond op. 'Sorry,' mompelde ze en vertrok door de zijdeur.

Pa at door en hield zijn ogen strak op zijn bord gericht terwijl Grace voor de tweede keer de koekenpan afwaste. Ondanks haar vaders neutrale gezichtsuitdrukking voelde ze dat hij iets wist.

Met haar handen nog in het sop keek ze naar hem om. 'Mama heeft me een brief geschreven over haar vertrek.' Ze zweeg even, droogde vlug haar handen af en kwam naar hem toe. 'Ze moet hem in de kleine uurtjes op mijn ladekast hebben achtergelaten.'

Even was er een flits van verbazing op pa's gezicht, en toen knikte hij. 'Ik heb hem gezien.'

'Dus u hebt hem gelezen?'

'*Jah.*'

Dus hij heeft hem meegenomen.

Grace voelde hoe pijnlijk hij het moest vinden. 'Nou ja, ik had toch niet geweten hoe ik het u had moeten vertellen, pa. Ik begrijp er helemaal niets van.'

Zijn ogen stonden verdrietig en ze liet zich links van haar vader neerzakken op de houten bank, op Adams plaats. 'Ik ben haar meteen gaan zoeken, door het hele huis.'

'Ik ook,' zei hij.

'En toen zag ik haar over de weg rennen. Er stopte een auto om haar op te halen. Ik kon mijn ogen niet geloven.'

Daarop trok hij rimpels in zijn voorhoofd en hij streek met zijn hand over zijn onverzorgde baard. Hij zuchtte diep.

'Waar denkt u dat ze heen is, pa?'

Hij zat bewegingloos. 'Ik heb geen flauw idee.'

Ze hoorde hem zuchten, maar hij zei niets meer. Er kwamen talloze vragen in haar op, maar hij was nu kennelijk niet in staat om ze te beantwoorden. Hij had er zelf natuurlijk genoeg.

Ze stond op en keerde terug naar de gootsteen.

'Een gereserveerd man kan lastig zijn om mee te leven... Als vrouw weet je nooit waar hij staat,' had mama gezegd. Destijds had Grace gehoopt dat haar moeder alleen op Henry doelde.

Hoofdstuk 15

Toen Adah de benedengang door Letties zitkamer overstak en naar de keuken dwaalde, zag ze tot haar verbazing dat Grace het aanrecht afnam. 'Een beetje laat om schoon te maken na het ontbijt, *jah*?' plaagde ze.

Grace knikte en veegde door.

'Is je moeder in de buurt?' vroeg Adah. Toen viel haar het bleke gezichtje van haar kleindochter op. '*Ach*, kind… voel je je wel goed?'

'Een beetje opgeblazen, geloof ik.'

'Nou, als je haar ziet, zeg dan dat ik graag hulp wil hebben met de bovenrand van een quilt.'

'Mama is er niet.' Grace' onderlip trilde. 'Ze is weg.'

'Waarheen?'

Grace hield op met boenen en vouwde haar werkdoekje op. 'Wist ik het maar.'

Is Lettie weer aan de wandel gegaan? vroeg Adah zich af. 'Kom even bij me zitten… even praten.' Ze wenkte Grace.

Ze gingen naar de knusse zitkamer. Grace nam plaats op een van de harde rotanstoelen, terwijl Adah zich op een gestoffeerde liet zakken. In de ruime, vierkante kamer was het donkerder dan in de keuken, wat een gevoel van vertrouwelijkheid gaf. 'Waarom zeg je dat je moeder weg is?'

Grace ademde diep in. 'Ik zag haar gaan.'

Adah had geweten dat Lettie buiten rondsjouwde als Judah sliep. Waarom dacht Grace dat het nu anders was dan andere nachten?

'Je hebt haar gezien… zoals zo vaak. Bedoel je dat?'

'Nee, ik denk dat u het niet begrijpt, *Mammi*. Ik zag haar in een auto stappen.'

'Misschien heb je gedroomd, kind,' opperde Adah.

'Eerlijk waar, dat heb ik ook gedacht… maar mama heeft een afscheidsbrief voor me achtergelaten.'

Een brief?

'*Ach*, even rustig aan.' Adah wuifde zich koelte toe met het zakdoekje dat ze uit haar mouw had getrokken. 'Je moeder heeft je een brief geschreven?'

Grace knikte en legde ook uit dat ze haar met een grote koffer van huis had zien weglopen. 'Ze liep in de richting van snelweg 340.'

Hier klopte niets van. *Lettie weg?*

'Was het maar verbeelding van me geweest,' zei Grace zacht, met vochtige ogen.

'Is je vader haar gaan zoeken?'

'*Jah.* Adam en Joe zeiden dat hij vanmorgen vroeg was weggegaan, nog voordat hij op zijn beurt bij de pasgeboren lammeren had gekeken. Maar hij heeft haar niet gevonden.'

Adah werd duizelig en ze liet haar hoofd een ogenblik rusten tegen het oor van de fauteuil.

'Gaat het?' Grace knielde naast haar neer.

'De kamer draait heel snel in de rondte.'

'Rustig maar,' zei Grace. 'Ik haal een glas water.'

Adah ademde een paar keer langzaam en diep in. 'Als ik hier maar even rustig kan blijven zitten…'

Ze wuifde zich koelte toe en probeerde kalm te blijven. Eerlijk gezegd was Letties verdwijning het laatste wat ze van deze dochter had verwacht.

Het allerlaatste.

Grace haalde haastig een glas uit de kast en liet de kraan lopen. *Uit het koelhuis kan ik kouder water halen*, dacht ze. Maar nee, ze kon haar grootmoeder niet alleen laten, nu ze zo duizelig was.

De pijn en angst van deze vroege ochtend kwamen met een golf terug. De tranen sprongen haar in de ogen en ze leunde met haar hoofd tegen de kast. Ze worstelde om haar emoties in bedwang te krijgen omdat ze sterk wilde zijn voor haar grootmoeder, die duidelijk net zo aangeslagen was als Grace zelf.

Omdat ze niet te lang wilde wegblijven, veegde ze haar ogen af en bette haar natte wangen met de zoom van haar schort. Met een diepe zucht bracht ze het glas water naar de zitkamer.

Adah was opgelucht toen Grace terugkwam. Alleen al de aanblik van haar kleindochter hielp Adah haar zelfbeheersing terug te vinden en ze nam het glas aan. '*Denki*, Gracie.'

'Voelt u zich nu een beetje beter, *Mammi*?' voeg Grace toen Adah een paar slokjes had genomen.

Adah slikte een grote slok door en zei: 'Je moet je geen zorgen maken, kind.' Ze boog zich naar voren om in de keuken te kijken, maar zag niemand. 'Waar is je vader nu?'

'Buiten in de schuur met Adam, denk ik,' zei Grace zacht. Ze zag eruit alsof ze erg haar best deed om niet weer te gaan huilen.

Adah stak haar hand uit. 'Alles komt goed, hoor je?' Grace kwam naar haar toe en pakte haar hand, terwijl ze haar aankeek met die liefdevolle ogen. Adah herinnerde zich hoe ze Lettie door het vreselijke verlies van Naomi heen had geholpen. Hoe moeilijk was dat te dragen geweest! 'Alles komt goed met ons,' zei ze nog een keer, net zo goed om zichzelf gerust te stellen als haar kleindochter.

Grace deed haar mond open, maar ze wendde zwijgend haar blik af.

'Wat is er, kind?'

Grace haalde haar schouders op en bleef zwijgen. Toen knielde ze naast Adahs stoel neer, haar handen op de gestoffeerde leuningen. 'Ik wilde mama iets wonder-*guts* vertellen. Iets belangrijks.' In haar ogen welden tranen op. 'En nu kan dat niet.'

'*Ach*, lief kind.' Ze was er haast zeker van dat Grace' nieuws om een serieuze *beau* ging, maar ze peinsde er niet over Letties rechtmatige plaats als vertrouwelinge in te nemen. 'Je moeder zal verrukt zijn om je nieuws als ze terugkomt. Wat het ook is.'

Hoofdschuddend veegde Grace haar tranen af. 'Ik wil geen onaardige gevoelens over haar koesteren, *Mammi*. Nooit...'

'Natuurlijk niet.' In de stilte was het tikken van de pendule in de keuken duidelijk hoorbaar. Adahs hart was zwaar omwille van Grace... en omwille van haar dochter. 'Ze komt vast en zeker gauw terug.'

Na een tijdje stond Adah met hulp van Grace op uit haar stoel. Ze liep naar Letties gasfornuis en zette de theeketel op de brander. 'Wil je een kopje thee?'

'Nee, dank u.' Grace zei dat ze andere dingen te doen had. 'Maar als u wilt, help ik u straks met uw quilt.'

Adah knikte. 'Dat zou heel fijn zijn.'

'Goed dan.' Grace liep onder de gewelfde doorgang door de gang in.

Adah hoorde de voordeur open- en dichtgaan. *Arm, lief kind.*

Ze stopte haar zakdoekje weer in haar mouw. Letties overhaaste besluit had haar zenuwachtig gemaakt. Ze hoopte uit de grond van haar hart dat Lettie het niet in haar hoofd had gehaald om haar nieuwsgierigheid achterna te gaan. Ze was nu eenmaal een impulsief kind geweest. Maar nu was Lettie ouder... en heel wat wijzer.

★

Als een zwemmer in een vijver die verstrikt is geraakt in wilgenwortels worstelde Grace zich door de ochtend heen. Ze snakte naar bevrijding van wat haar drukte. De vermoeiende vragen, die geen van alle beantwoord werden. Ze kon haar zorgen niet nader uitspreken tegen pa of tegen *Mammi* Adah.

Ze werkte snel maar zorgvuldig met haar grootmoeder aan de quilt, blij dat *Mammi* ook zweeg. Diep in gedachten verzonken zaten ze samen in de gezellige naaikamer op de bovenste verdieping aan *Mammi*'s kant van het huis.

Toen het later tijd werd om het middageten op tafel te zetten, droeg Grace de stoofschotel van kip met rijst van het aanrecht naar de tafel. Ze zette hem neer in de buurt van pa, zoals mama het warme eten altijd opdiende.

Na het tafelgebed begon Mandy weer over mama. 'Het is niets voor haar om ook op klaarlichte dag te verdwijnen,' zei ze toen iedereen zich had opgeschept.

'Nee.' Adam keek even op van zijn bord.

Pa zei niets, met lege ogen hield hij zich bezig met het beboteren van zijn brood en het zouten van zijn sperziebonen.

Pas vlak voor het toetje vroeg Adam: 'We wisten toch allemaal dat mama de laatste tijd zichzelf niet was?'

Joe en Mandy knikten. '*Jah*, alsof ze zich niet zo goed voelde,' opperde Joe.

Adam wendde zich tot pa. 'Kan ze niet op bezoek zijn bij een van haar zussen… om een beetje rust te zoeken?'

Pa knikte langzaam. 'Kan zijn.'

'Heeft ze niets tegen u gezegd, pa?' vroeg Mandy, terwijl ze kletterend haar vork op haar bord legde. 'Ze moet toch iets gezegd hebben? Ik bedoel, als ze ergens op bezoek wilde gaan?'

'Dat zou je wel denken.' Joe keek naar Mandy terwijl Adam steeds roder aanliep.

'Niemand van ons weet waar mama is… of wanneer ze terugkomt,' kwam Grace tussenbeide, met een strakke blik eerst naar Adam en toen naar pa. Ze voelde dat ze het gesprek moest onderbreken om het niet uit de hand te laten lopen. Het was niet nodig om overhaaste conclusies te trekken.

'Wat moeten we tegen de buren zeggen… en tegen onze vriendinnen?' vroeg Mandy met een strak gezicht. 'Zondag wordt de dienst bij ons gehouden, dan zal iedereen het weten… tenzij mama voor die tijd terugkomt.'

'Ik denk dat ze voorlopig niet terugkomt,' verraste pa hen.

Grace greep haar vork vast. Zoiets had ze al gemeend te zien aan het formaat van de koffer die mama meegezeuld had.

Pa vervolgde: 'Jullie moeder heeft een brief geschreven… aan Grace.'

Geschrokken dat ze dit in haar schoenen geschoven kreeg, verstijfde Grace.

Mandy schudde haar hoofd alsof ze het niet kon bevatten. 'Nou, wat stond erin?'

Vlug antwoordde Grace: 'Mama heeft niet bekendgemaakt waar ze heen is of waarom… iets van dat ze de moed niet had om ons te verlaten als ze met pa had gesproken… of met ons.'

Grace zag haar vaders gezicht pijnlijk vertrekken.

Adam sprong op van zijn plaats op de houten bank en keek pa dreigend aan. 'Heeft mama het niet aan *u* verteld?' Fel fronste hij zijn wenkbrauwen. 'Waarom niet?'

Hun vader schudde zijn hoofd.

'Omdat ze dacht dat u toch niet zou luisteren?' Adam was nu knalrood geworden en hij plantte zijn rechtervoet op de bank terwijl hij zich naar voren boog.

Grace kromp in elkaar en kromde onder de tafel haar tenen.

'Wat moeten we beginnen zonder haar?' snufte Mandy.

'O, allemensen, Mandy!' zei Adam met stemverheffing. 'Je bent toch geen klein kind dat verzorgd moet worden… of wel soms?' Hij haalde zijn hand door zijn dikke bos blond haar. 'Je bent nu volwassen. Wij allemaal.'

Grace zag haar kans schoon. 'Adam heeft gelijk.' Ze richtte zich tot haar zusje. 'Bovendien is dit niet het juiste moment om over onszelf te tobben, *jah*?'

Pa legde zijn mes en vork neer en vouwde zijn handen alsof hij klaar was voor het dankgebed. Maar ze hadden het hoofdgerecht nog niet eens op, laat staan het toetje. Hij leunde achterover in zijn stoel en sprak op langzame, afgemeten toon, zonder acht te slaan op Adams beschuldigingen. 'Boven alles moeten we bidden voor de veiligheid van jullie moeder. Dat is wat God van ons vraagt.'

De pijn stond duidelijk op Mandy's gezicht te lezen.

Niet gerustgesteld omdat pa geen antwoord had gegeven op Adams vraag, voelde Grace slechts frustratie om haar vaders voorstel mama in Gods hand te bevelen. Ze wilde alleen maar weten wanneer haar moeder naar huis kwam!

Toen ze bezig waren met de afwas – Mandy droogde af en babbelde zenuwachtig over waar mama zou kunnen zijn – luisterde Grace in gedachten verzonken naar haar zusje. Had haar vader geen mening over wat zich had voorgedaan waardoor mama was vertrokken?

Onder het eten had Grace gezien hoe hij vaak had moeten slikken voordat hij iets zei. Dat gevoegd bij het onmiskenbare verdriet in zijn ogen, vond Grace enigszins bemoedigend. Op een rare manier gaf pa's moeite haar steun. *Hij mist mama ook, net als wij.*

Ze haalde het laatste bord uit het hete sop en begon de grote potten en pannen te schrobben, blij dat dit werkje er bijna op zat.

Zodra de laatste pan was afgedroogd, vloog Mandy de deur uit. Ze bleef niet om te helpen met het vegen van de vloer en het verzamelen van het afval. Maar Grace was heimelijk blij dat ze alleen was.

Ze haalde alle kleedjes van de benedenverdieping en sleepte ze naar buiten, waar ze ze over de balustrade van de veranda hing. Toen ze op een rijtje hingen, begon ze te kloppen met de bezem. Bij elke slag dacht ze aan Henry's huwelijksaanzoek, en aan zijn terughoudende manier van doen zelfs op dat vreugdevolle moment.

'Ik ben dol op je,' had hij tegen haar gezegd.

O, wat was ze gisteravond gelukkig geweest. Elke gedachte aan overgeslagen worden als bruid was met zijn bezoek weggevaagd. En toen was er binnen een paar uur zo veel veranderd. Nu peinsde ze erover of het niet beter was om met Henry te praten over uitstel van de trouwerij, in elk geval tot mama erbij kon zijn. Maar het bruiloftsseizoen was pas over een paar maanden. Haar moeder kwam toch vast en zeker voor die tijd wel tot haar verstand. Grace kon het alleen maar hopen, want de inhoud van de brief en pa's troosteloze blik brachten haar aan het twijfelen.

En ze was er zeker van dat het niet Adams bedoeling was geweest om aan tafel zo uit te vallen. *Niets voor hem.* Het hele gezin was prikkelbaar, en geen wonder.

Smachtend naar rust dacht ze aan Becky's verjaardagskaart met de kolibrie die ze met zo veel zorg getekend had. Ze droogde haar handen af en rende naar boven om er nog eens naar te kijken.

Ongebonden door de aarde en haar rampspoed, vliegt de kolibrie vrij door de lucht.

Boven zag ze tot haar verrassing mama's brief op haar ladekast liggen. Ze ging ermee zitten en las gretig opnieuw wat haar moeder geschreven had, in ieder woord op zoek naar een antwoord.

★

Het ritmische wiegen van de trein maakte Lettie rustiger dan ze sinds het instappen was geweest. Ze deed haar ogen dicht en probeerde de herinnering weg te duwen aan Grace' kreten langs de weg. 'Mama, alstublieft... niet weggaan!'

Ze huiverde. Ze had haar lieve meisje laten staan, van alle vreselijke dingen was dat het ergste. Op basis daarvan zou Grace stellig twijfelen aan alles wat Lettie in de haastige brief geschreven had. En wat was het onnadenkend van haar geweest om niets op Grace' verjaardagskaart te schrijven, tot Mandy er helemaal van streek mee aan kwam zetten. Te bedenken dat ze naar de telefooncel was gesneld om een chauffeur te bestellen in plaats van thuis op haar plaats te blijven, waar ze hem had kunnen ondertekenen.

Wat is er in me gevaren?

Ze waagde het aan haar man te denken; ze had niet eens de tijd genomen om hem een afscheidsbriefje te schrijven. Ze had gewoon geen tijd gehad... en ze voelde zich niet in staat om haar gedachten onder woorden te brengen. Nou ja, op papier althans.

Ze drukte haar boek – een verzameling lievelingsgedichten – dicht tegen haar hart. Ze was zo zenuwachtig omdat ze niet van tevoren had kunnen reserveren voor de trein van acht voor twee naar Pittsburg. Hoe had ze dat kunnen doen, zonder nog meer opschudding te veroorzaken? En die lieve Grace had haar zien gaan... ondenkbaar!

Dat was nooit mijn bedoeling.

Ineens werd ze licht in haar hoofd; ze had zichzelf maar een paar uur slaap toegestaan, toen had ze urenlang op het station gezeten, waar ze haar meegenomen boterhammen ook had opgegeten, en in de dichtbundel had gelezen. Meer dan zes uur wachten in totaal... alleen omdat ze nooit op klaarlichte dag met een koffer had kunnen wegglippen.

Zelfs nu had ze nog geen rust. Vermoeid van het plannen maken voor deze dag bad Lettie om kracht. *Help me, God, om dit moeilijke te doen.*

Ze had een lange reis voor de boeg. Met een zucht sloeg ze het boek open bij het schutblad en las de langgeleden geschreven opdracht. *Op onze zestiende verjaardag.*

Ze perste haar lippen strak op elkaar om ze niet te laten trillen. Om haar tranen in bedwang te houden.

Zacht legde ze haar hand op de gekoesterde woorden: *Voor mijn liefste Lettie... uit liefde, Samuel.*

Hoofdstuk 16

Heather had een hekel aan de avondspits, maar ze maakte goed gebruik van haar tijd. Terwijl het verkeer bumper aan bumper stond, typte ze een bericht en verzond het naar Devons e-mailadres. Hij zou het later ontvangen, wanneer hij uit het ziekenhuis ontslagen was.

Dat ze niets meer van zijn maat Don had gehoord, was zowel zenuwslopend als geruststellend. Heather hoopte dat haar verloofde de virusinfectie kon overwinnen en gauw beter werd.

Zo goed als ik me voel... Het verbaasde haar nog steeds hoeveel energie en eetlust ze had. Mam had altijd gezegd dat je gezond was als je trek had.

Het verkeer kroop voort en ze zette de radio aan om haar bezorgdheid over Devon te overstemmen... en haar eigen gedachtekronkels.

Na het examen was ze langer blijven rondhangen dan ze van plan was geweest en nu was het bijna halfzes. Geen wonder dat ze nu stilstond op de snelweg. Ze was een paar klasgenoten tegengekomen en had verteld over haar plannen om volgende week naar het noorden te gaan in plaats van de hele zomer hier te blijven om haar scriptie af te maken, zoals de meeste medestudenten. Ondanks hun smeekbeden – 'Ah, blijf nou bij ons... dan gaan we lekker naar het strand' – had ze voet bij stuk gehouden en niet toegegeven.

Ze had het hart niet om hun enthousiasme te temperen met de mededeling 'ik ben ongeneeslijk ziek'. Wie zou het trouwens geloven? Heather had zelf al moeite om aan te nemen dat het waar was.

Toen ze eindelijk moe van het filerijden thuiskwam, riep ze

haar vader, vanwege de kleine kans dat hij vroeg thuis was. Ze dwaalde door het huis op zoek naar een teken van leven. Maar zijn bed was nog steeds niet opgemaakt en naast zijn bureau op de grond lagen nog steeds dezelfde sokken. 'Raar,' zei ze, toen ze in de grote badkamer ontdekte dat zijn scheerset weg was. *Hij is zeker op zakenreis gegaan en is vergeten het tegen me te zeggen.*

Als dat waar was, vond ze het verontrustend. Haar vader kwam en ging vaak, maar sinds ze weer thuis woonde, had hij het altijd tegen haar gezegd als hij 's nachts wegbleef. Nadat mam was overleden, had hij zich meer dan ooit op zijn werk gestort om constant bezig te blijven. Dat was zijn manier van omgaan met verdriet. En de meeste tijd leek die aanpak voor hem te werken.

Ze ging naar zijn studeerkamer en merkte op dat zijn statige bureau er nog net zo uitzag als laatst, toen ze de brochures voor Lancaster County had gezocht en de foto van haar moeder had bewonderd.

Het gaf haar een ongemakkelijk gevoel dat ze niet wist waar haar vader verbleef en toen drong het tot haar door dat zij hetzelfde had willen doen, en naar Pennsylvania had willen vertrekken zonder het hem te laten weten.

Ik was tenminste nog van plan een briefje achter te laten!

'Leven we zo langs elkaar heen?' fluisterde ze.

Mo en Igor kwamen de kamer binnen trippelen en ze mauwden allebei. Ze bukte en pakte Mo op, hield hem vlak voor haar gezicht en keek in zijn koperkleurige ogen. 'Heb jij pap de laatste tijd nog gezien?'

Mo staarde terug.

'Oké... dan zeg je niks.' Ze lachte zacht, maar inwendig voelde ze dat er iets mis was. Ze had weinig tijd om nog even te leren voor haar laatste examen morgen, hoewel ze erop vertrouwde dat ze er klaar voor was.

Als pap over een paar dagen nog niet verschenen was, zou ze hem opbellen en uitzoeken waar hij zich schuilhield. Of een sms'je sturen, al had hij een hekel aan wat hij noemde 'de terugkeer naar een archaïsch soort steno'. 'Te langzaam,' had hij vaak gegrapt en hij stond erop dat ze zich gewoon hield bij een telefoontje. 'Zó jaren negentig,' antwoordde zij dan. Hierop rolde hij met zijn ogen en deed of hij ontzet was, tot hij hartelijk begon te lachen.

Heather liet zich op haar vaders bureaustoel vallen en achterovergeleund draaide ze een hele cirkel. Ze raakte zijn lamp aan en het licht ging branden; simpel... makkelijk. Precies zoals hij het graag had. De dood van haar moeder was veel te ingewikkeld geweest. Het had hun hele leven op z'n kop gezet.

Maar de laatste reis die ze met haar moeder had gemaakt naar Lancaster County was moeiteloos verlopen. Alles was zo snel op zijn plaats gevallen, dat zelfs mam er iets over had gezegd: hoe vaak kreeg je nou op het laatste moment zo'n ideale accommodatie? De dag voordat ze er met de auto heen zouden rijden, had mam erop aangedrongen dat ze een mooie jurk en schoenen met hoge hakken meenam.

'Gaan we dansen?' had Heather geschertst, terwijl ze wel beter wist.

'We gaan onszelf vieren, en meer zeg ik niet.' Haar moeder had komisch geheimzinnig gedaan. Heather had vrolijk meegespeeld.

Mo sprong op haar schoot en onderbrak haar gepeins. 'Hé, zeg!' Ze aaide zijn kop en hij rekte zich uit en drukte zich tegen haar vingers. 'Ik zal je missen... en Igor ook. Zullen jullie braaf zijn voor de kattenoppas?'

Zonder zoals anders mauwend terug te praten, kroop hij dicht tegen haar aan toen ze hem knuffelde. Ze was blij dat ze de natuurgenezer in Lancaster al had gebeld. Het duurde bijna een maand om een afspraak te kunnen maken, maar ze had gevraagd haar op de wachtlijst te zetten. Je wist maar nooit of iemand een afspraak zou afzeggen.

★

Na het avondgebed trok Grace Adam aan zijn mouw voordat hij naar de trap liep. 'Laten we morgen een eindje gaan wandelen,' zei ze.

'Ik zal kijken.' Hij glimlachte nadenkend naar haar. 'Gaat het wel met jou?' fluisterde hij.

Ze haalde haar schouders op. 'Ik vind eigenlijk dat iemand op zoek moet gaan naar mama.'

Hij keek haar onderzoekend aan. 'Maar je weet nog wat pa zei?'

'*Jah.*' Ze zou echt wel bidden voor mama's veiligheid, maar ze kon amper de gedachte verdragen dat er verder niets gedaan werd.

'Kunnen we er morgen over praten?' vroeg hij.

'Ja, goed… als je even tijd hebt.' Ze keek hem na toen hij haastig de trap opliep en voelde opnieuw droefheid omdat ze hem zou verliezen aan een huwelijk. Niet zo deprimerend als mama's afwezigheid in huis, maar niettemin een groot verlies.

Maar morgen was er weer een dag, zoals mama vaak zei in een poging om de klap te verzachten als er iets was misgegaan.

Grace zag dat pa naar buiten was gegaan in plaats van naar zijn slaapkamer, zoals de rest van het gezin. Ze kon zich er alleen maar een voorstelling van maken hoe afgedankt *hij* zich moest voelen.

Na vandaag zal iedereen weten dat mama weg is.

Ongetwijfeld zou binnenkort de bisschop komen om vertrouwelijk met pa te praten. Ook diaken Amos; alle broeders zouden zich hier verzamelen, zo ging het altijd.

Omdat ze mama miste, ging ze weer naar de slaapkamer van haar ouders en opende de lade waarin haar moeder haar zakdoekjes bewaarde. De lichte geur van haar reukzakjes zweefde omhoog. Ze had vandaag al eerder naar mama's spullen gezocht, maar nu wilde ze de zwakke geur inademen die achtergebleven was van de dikke kussentjes met potpourri waar haar moeder zo dol op was. Ze waren allemaal weg, net als mama's persoonlijke spulletjes.

Grace keek de kamer rond en huilde om de eenzaamheid die haar moeder gevoeld moest hebben. Wat leefde er in mama's hoofd en hart dat ze geloofde dat ze weg moest gaan? Met die kwellende vraag draaide ze zich om naar de boekenkast – mama's trots en vreugde, zoals ze altijd had gezegd – die pa niet lang nadat ze verloofd waren met de hand had gemaakt.

Ze bukte en zag een lege ruimte waar verscheidene boeken hadden gestaan. Mama had niet vaak over haar geliefde poëzie gesproken, tenminste niet onlangs. Grace zag dat er misschien twee of drie boeken ontbraken.

Die moet ze meegenomen hebben. Waarom? Waren die haar dierbaarder dan haar eigen kinderen?

Grace droogde haar ogen en ging naar haar kamer.

★

Adah kon niet slapen en ging rechtop in bed zitten, voorzichtig om Jakob niet te storen. Die lieve man, hij had zich de hele dag al niet goed gevoeld. Zij eerlijk gezegd ook niet. Het hele huis galmde van Letties afwezigheid.

Ze moest zich wel afvragen waar haar eigenzinnige dochter vannacht sliep. Dat kon overal zijn. Lettie had familieleden van Eenvoud in overvloed. Genoeg om een heel kerkdistrict te vormen als alle tantes, ooms en neven en nichten zich op één plaats verzamelden. En tientallen achterneven en -nichten zaten verspreid door het hele land; sommigen in Holmes en Wayne in Ohio, en ook een heleboel in Indiana. Had ze maar contact gehouden met een paar van haar nichten die een idee konden hebben van Letties verblijfplaats – *als* Lettie inderdaad bij een van hen op bezoek was gegaan. Adah zat er niet bepaald om te springen de geruchtenmolen in werking te zetten. Maar wat zou het een opschudding geven, te beginnen met morgen, als Letties zussen Mary Beth en Lavina kwamen om te helpen de muren te boenen en wat al niet om Judahs kant van het huis klaar te maken voor de kerkdienst van aanstaande zondag.

Heeft Lettie daar niet aan gedacht? Adah wist dat ze niet moesten vallen in de valkuil van ergernis, wat snel tot boosheid kon leiden. *Laat de zon niet ondergaan over uw toorn*, stond er in Efeziërs, een van de eerste teksten die haar eigen moeder Esther Mae haar langgeleden had geleerd.

Adah weigerde haar emoties te laten leiden door de dwaasheid van haar dochter, maar ze wenste met haar hele hart dat ze door de jaren heen niet zo vreselijk hardvochtig voor Lettie was geweest. En zo vasthoudend, toentertijd.

★

Tijdens de folterende ziekte van haar moeder was de nacht altijd het ergste geweest, vooral in de laatste weken. Nu nog, als Heather haar tanden poetste en ze op het punt stond om naar bed te gaan, had ze moeite de herinnering van zich af te zetten aan haar eigen slapeloosheid in die afschuwelijke tijd. Er waren nachten dat Heather, gealarmeerd door haar moeders gestage achteruitgang, naar de woonkamer was gedwaald, om haar moeder uitgestrekt op de bank te vinden, haar hoofd ondersteund door kussens. Altijd droeg ze haar lichtroze fleece badjas, al vond verder iedereen de temperatuur in huis aangenaam. Maar mam had een slechte bloedsomloop en ze had het voortdurend koud, vooral 's nachts.

Op een avond had Heather haar voeten onder zich opgetrokken en was laat opgebleven, om haar moeder gezelschap te houden in de donkere uren en niet te denken aan het onvermijdelijke. Ondanks haar pogingen om haar moeders gedachten af te leiden, waren ze er op de een of andere manier in geslaagd het weer over de ziekte te hebben, en over de akelige manier waarop die erin gehakt had in hun leven. 'Mijn goede leven,' zei mam, niet uit opstandigheid, maar omdat ze haar best deed om de realiteit van de kanker te aanvaarden.

Heather had een deel van het lijden willen dragen, met het idee dat als de slopende pijn van haar moeder zo hevig was dat die kon overlopen in de emoties van haar dochter, Heather in ruil iets positiefs moest kunnen schenken. En ze had haar optimisme geboden. Ze waren als vaartuigen die in elkaar overliepen; de een ontdeed zich van lijden, de ander vulde het hart van de eerste met hoop. En zo waren ze die laatste tere maanden doorgekomen.

Heather had de woorden die haar moeder een paar weken voor haar overlijden in een kaart had geschreven uit haar hoofd geleerd: *Ik heb me altijd zo geliefd door je gevoeld, Heather. Wat een prachtige band hebben we als moeder en dochter gehad. Je hebt me op zo veel manieren laten zien hoe je volledig kunt liefhebben... als ouder en als vriendin. Liefs, mam.*

Nu trok Heather de deken op en moedigde Mo en Igor aan om erop te springen. Ze glimlachte naar hen toen hun gloeiende ogen haar strak aankeken. 'Jullie zijn de beste maaatjes die je je kunt wensen, jongens,' zei ze terwijl ze het licht uitknipte.

Morgen hoopte ze weer iets te horen van Devons wapenbroeder Don. *Als zijn situatie was verslechterd, had ik toch wel iets gehoord.*

In haar droom praatten Devon en haar moeder met elkaar en ze schrok wakker, bang dat de droom bewaarheid zou worden.

Nee... Ze kermde en trok Mo dichter tegen zich aan tot ze weer in slaap viel.

★

Lettie voelde het wiegen van de trein, het haast hypnotiserende ritme van de ratelende wielen op de rails. In Pittsburg had ze na het uitstappen de starende blikken van *Englischers* en de scherpe lucht van sigarettenrook verdragen. Gelukkig had ze weinig moeite gehad om haar aansluiting te vinden. De overstap in Pittsburg was veel zenuwslopender geweest dan het instappen in Lancaster; er waren zo veel passagiers. Toen ze bang werd, had ze fluisterend gebeden en het was gelukt haar verstand erbij te houden.

Ze nestelde zich dieper in de bank en zuchtte diep, blij met de lege plek naast haar in de trein naar Alliance, Ohio. Ze knikkebolde tot ze uiteindelijk toegaf aan het gevoel van schuurpapier onder haar oogleden en in slaap viel.

Terwijl ze sliep droomde ze prettig van voorbije tijden, waarin ze de softbalknuppel in haar jonge handen hield… hard uithaalde en het gekraak hoorde wanneer de bal in aanraking kwam met het hout. Die bal was hoog boven de meisjestoiletten uit gezeild en de jongens waren naar het hek gerend. Aan het eind van de pauze waren ze te laat voor de bel.

In haar droom was ze weer een robbedoes, net als in haar vroege tienerjaren. Maar dat was veranderd nadat Samuel Grabers hazelnootbruine ogen de hare hadden gevonden in de achtste klas, voor het einde van hun laatste jaar op de Amish school. Samuel… haar eerste echte liefde.

Toen Lettie wakker werd, reed de trein het station van Alliance binnen en ze besefte opnieuw wat ze had gedaan om zover te komen. Ze keek op haar horloge en zag dat het halftwee in de nacht was. Hoogstwaarschijnlijk zou Judah op zijn om in de schuur zijn pasgeboren lammeren te verzorgen, een taak die hij de laatste tijd niet meer van haar had gevraagd. Zij had binnen haar eigen werk.

Verantwoordelijkheden die ik heb achtergelaten…

Haar schuldige geweten knaagde aan haar toen ze haar boek pakte en de wollen sjaal, en haar spullen bij elkaar zocht. De tijd van de afrekening zou al te gauw komen.

146

Hoofdstuk 17

'Mama komt voorlopig niet terug,' zei pa almaar in haar droom. Steeds weer herhaalde hij dat zinnetje tot Grace met een schok wakker werd. Het was ver na middernacht. Langzaam kwam ze overeind en reikte naar haar badjas op het voeteneind van het bed.

Ze sloop de trap af naar de keuken, zag de deur op een kier staan en tuurde naar buiten, waar de schuurdeur ook openstond. Nog suf van de slaap besloot ze een kijkje te nemen. In het verleden waren er wel lammetjes van hen gestolen; niet door iemand uit de Gemeenschap, daar was ze zeker van, maar niettemin waren er pasgeboren lammeren verdwenen.

Ze bewoog zich langzaam over het achtererf en keek op naar de nachtelijke hemel. Keek mama vannacht ook naar de maan en de sterren? Ergens... waar ze heen gevlucht was?

Op dit uur sliep haar moeder waarschijnlijk als een roos en Grace wenste dat ook zij in een vredige slaap mocht vallen. Maar bitterheid had in haar wortel geschoten, geplant toen mama daar op de weg niet naar haar had omgekeken. Ze wist wel dat ze die bitterheid niet moest voeden, haar hart niet verstrikt moest laten raken in de herinnering. Maar weten en doen waren twee verschillende dingen.

Verrast toen ze zwak en gedempt de stem van haar vader uit de schuur hoorde komen, ging ze naar hem op zoek. Haar adem stokte toen ze vaag zijn silhouet zag in het zwakke licht van de maan. Hij stond bij Willow, zijn hand streelde haar lange hals. 'Het is een verschrikkelijke knoeiboel, meisje,' biechtte hij op. 'Het is mijn schuld... en er is geen weg terug.'

Nooit had Grace haar vader zich zo openlijk tegen iemand

horen uitspreken. Maar nu stortte hij zijn verdriet uit bij de prachtige Willow.

Ze trok zich terug. Kwam er dan geen einde aan de smart van hun gezin?

★

Uren later werd Grace wakker en begon ze opnieuw te peinzen over datgene waarvan ze getuige was geweest in de schuur. Uitgestrekt liggend in bed wenste ze de dageraad ver weg, want ze had weinig moed voor de moeilijke dag die wachtte nu er twee oudere zussen van mama kwamen. Lavina en haar jongere zus Mary Beth zouden na het ontbijt arriveren. Ze zouden zich zeker afvragen waarom iedereen in huis zo treurig keek. Ze was ook bang voor hun reactie; wat zouden ze wel niet denken? Zou mama hardvochtig geoordeeld worden?

In haar wazige toestand dommelde Grace weer in. Toen ze wakker werd van de wekker, ging ze rechtop zitten en pakte de Bijbel, waarin ze de Psalmen opsloeg. Mama had het altijd heerlijk gevonden die te lezen. 'De Schrift omgezet in poëzie,' zei ze vaak.

Grace las een paar Psalmen en gaf aan waar ze gebleven was, terwijl ze nadacht over het komende gesprek met Adam. Ze vroeg zich af wat hij haar zou adviseren over haar verloving met Henry op dit moment. Natuurlijk, morgen zou het al gonzen van de geruchten over mama... dus het zou haar niets verbazen als Henry degene was die besloot hun bruiloft uit te stellen, of zelfs hun verloving te verbreken. Ze hoopte van harte dat hij haar zo lang als het nodig was zou steunen.

Ze leunde op haar ellebogen en tuurde in de spiegel op de kast. Nu mama weg was, leek het ineens wel goed om rechtop naar haarzelf te zitten staren. Er was zo veel zo snel veranderd. Weer dacht ze aan pa, die nota bene tegen Willow had gepraat.

Als Willow sterft, zal ze veel geheimen met zich meenemen, dacht ze terwijl ze uit bed stapte om haar haar te borstelen. Ze liep met de borstel in haar hand naar het raam en trok het rolgordijn omhoog. Toen ze naar buiten keek, dacht ze er weer aan hoe spannend het nog maar gisternacht was geweest om Henry's lamp op de ruit te zien schijnen. Ze legde haar borstel op de vensterbank, bukte en schoof het raam open. Ze knielde neer en ademde diep de frisse ochtendlucht in. De zwakke geur van verse bijenwas van hun bijenhoudende buren dreef op de wind over de weg.

Ze bleef op haar knieën liggen tot ze pijn deden. Wat had mama ervan weerhouden om te zeggen dat ze die nacht zou vertrekken, hier in de kamer waar Grace zo graag had willen luisteren? Maar in plaats daarvan had mama een verwarrende brief geschreven... een brief die zo weinig bekendmaakte.

Ze pakte haar borstel op en maakte het juiste aantal slagen af, terwijl ze uitkeek naar een glimp van een kolibrie buiten het raam.

★

Judah liep langzaam tussen zijn grazende schapen en de oudere lammeren door. Vanaf de weg klonken stemmen en hij zag twee zussen van Lettie – Mary Beth en Lavina – vanaf het huis van de Riehls zijn kant op komen lopen. Hij veronderstelde dat hun chauffeur hen had afgezet nadat hij Andy had opgehaald, die van plan was een zieke broer te bezoeken in het ziekenhuis van Lancaster.

Toen Judah het geanimeerde gebabbel van de vrouwen hoorde, was hij er zeker van dat ze niets wisten van Letties plotselinge en geheimzinnige vertrek. Hij kon zich er een voorstelling van maken hoe snel hun luchthartigheid zou omslaan in hevige schrik, en hij wenste dat hij de dreun kon verzachten die ze straks moesten incasseren. Het klopte totaal niet dat Lettie was weggegaan. Zeker niet met al die nieuwe lammetjes op komst.

Letties zussen sloegen onafgebroken kleppend de oprijlaan in. Ze zwaaiden naar Adam en Joe, die voer hadden gehaald, en zijn zoons zwaaiden terug. Ze keken elkaar ongerust aan, bezorgd om wat de zussen van hun moeder zo meteen zouden ontdekken.

Judah keek toe hoe de vrouwen op het huis toeliepen en stopte zijn handen in zijn zakken. Hij vermande zich en snelde over het weiland naar het erf aan de zijkant.

Vanuit het keukenraam zag Grace de tantes aankomen. Ze had naar hen uitgekeken en zag tot haar verbazing dat pa over het pad rende en de tantes riep. Ze hoorde dat hij vroeg of hij hen even kon spreken voordat ze zouden binnenkomen.

De verleiding was groot om te blijven staan waar ze stond, maar ze ging naar boven om door het open gangraam mee te luisteren naar de verklaring die haar vader gaf.

Op diep ernstige toon vertelde vader het nieuws, alleen de meest relevante feiten. 'Het spijt me dat jullie dit van mij moeten horen,' zei hij uiteindelijk. '*Ach*, wat is er in vredesnaam aan de hand met Lettie?' jammerde *Aendi* Lavina zacht.

'Is ze misschien gewoon oververmoeid?' vroeg Mary Beth.

'Je gaat haar toch zeker zoeken, Judah?' vroeg Lavina geheel overstuur.

Dat had Grace zich ook afgevraagd en ze was benieuwd wat pa zou zeggen, maar Mary Beth deed haar mond al open. 'Onze Lettie is toch gewoon van streek? Wat kan het anders zijn?'

'Geen idee,' antwoordde pa, en hij maakte een eind aan het gesprek door hen gegeneerd te bedanken voor hun hulp van vandaag. Hij draaide zich om en vertrok naar de schuur, mama's zussen op de stoep achterlatend om hun neuzen te snuiten en hun ogen te drogen.

Ze begonnen tegen elkaar te fluisteren. 'Je denkt toch niet dat Letties eerste *beau* boven water is gekomen?' zei Lavina. Dat meende Grace tenminste te verstaan.

Wat afschuwelijk om dat te zeggen! Ze weigerde om oneervol over mama te denken. Niemand kon toch een bedreiging zijn voor haar toewijding aan pa?

Toen ze de keukendeur open hoorde gaan, snelde Grace naar beneden om hen met een glimlach op haar gezicht te begroeten.

Tante Mary Beth had haar meest sjofele, oude bruine jurk en schort aan, maar haar haar zag er mooi en schoon uit. Het was naar achteren getrokken in de gewone strakke knot, de bandjes van haar *Kapp* waren van achteren losjes gestrikt. Het donkerbruine haar van tante Lavina kwam al los uit de knot, aan weerskanten bungelden verdwaalde pieken alsof ze het in-derhaast opgestoken had. Ze droeg een kastanjebruine jurk en een verschoten zwart schort, en ze glimlachte te breed gezien het nieuws dat ze net had gehoord.

'*Denki* dat u komt helpen schoonmaken,' zei Grace, zich in-eens bewust van de brok in haar keel die haar stem hinderde.

'O, met alle plezier, hoor... zeker nu.' Mary Beth keek Grace strak in de ogen. 'Laten we boven maar beginnen.'

Grace knikte. '*Mammi* Adah komt straks ook; ze zal een handje helpen. En Mandy ook.'

'*Jah, gut*... hoe meer zielen, hoe meer vreugd,' zei Lavina. Ze betrapte zichzelf en zei: '*Ach*, dat spijt me.'

Grace hield zich met moeite in en riep Mandy, die prompt uit de andere kant van het huis kwam aanzetten. 'Tijd om de emmers te vullen met veel warm sop. We hebben heel wat te poetsen,' zei ze terwijl de tantes Mandy liefdevoller omhelsden en kusten dan ze ooit hadden gedaan.

Mandy's kin beefde toen Mary Beth haar arm om haar heen legde. 'Kom, liverd, je moet eraan denken hoeveel je mama van je houdt. Ze heeft altijd veel van jullie gehouden.'

'En dat zal ze altijd blijven doen,' voegde Lavina eraan toe.

Mandy knikte met een betraand gezicht. Maar in haar ogen stond de vraag te lezen die in hen allen opkwam: *waarom is ze dan weggegaan?*

Lavina pakte wat oude lappen uit de kast. 'We hebben werk te doen.'

Grace stak een hand naar Mandy uit. 'Mama zei altijd dat je hard moet werken als je zorgen hebt, hè?'

Mandy knikte en volgde braaf, terwijl ze haar neus bette met een zakdoekje. En op dat moment had Grace het gevoel dat ze haar moeders plaats geheel had ingenomen, hoe ongemakkelijk het ook was.

★

Rond halfelf hielden Grace en de andere vrouwen op met poetsen en vegen en begonnen aan de bereiding van het middagmaal. Grace had al drie pond mager rundergehakt uit de vriezer gehaald; vlees dat ze hadden aangeschaft bij de familie Stoltzfus. Ze was van plan om gehaktballen met rijst in tomatensaus te maken in mama's snelkookpan. Mandy ging aardappels schillen en Mary Beth en Lavina haalden ingemaakte groenten – asperges, maïs en bieten – uit de koude kelder.

Mooi, dacht Grace, die een heerlijke maaltijd wilde verzorgen voor haar vader en broers. 'Vraag of *Dawdi* en *Mammi* ook bij ons komen eten,' zei Grace tegen Mandy. Ze had haar zusje de hele ochtend in de gaten gehouden.

Het helpt dat mama's zussen nu hier zijn, dacht ze.

'Dat wordt een feestmaal,' zei Mandy met een lachje naar Grace, die een gaspit aanstak en de balletjes begon te draaien van het gehakt.

Een feestmaal zonder onze moeder…

Was mama gezond en wel? Alles was zo vreemd en uit evenwicht zonder haar. Grace veronderstelde dat ze dat gevoel zouden houden zolang mama bij hen weg was, hoe lang dat ook kon duren.

Hoofdstuk 18

Alle sierborden en al mama's kop en schotels waren afgewassen, afgedroogd en teruggezet op hun eigen plekje in de kast en het porseleinbuffet. De meubels waren glanzend gewreven en het hele huis was smetteloos... het glom van de nok tot het kleinste hoekje. Hun woonplek was helemaal klaar om zondag tijdelijk een huis van aanbidding te worden. Nu had Grace alleen nog koud vlees en vers gebakken brood nodig om tweehonderd mensen te bedienen. En de banken en oude liedboeken die de bankenwagen morgenavond zou brengen.

Grace was bijzonder dankbaar voor de extra schoonmaakhulp, en al was het nu een beetje koud buiten, ze trok een trui aan en ging op de schommelbank op de voorveranda zitten. Daar, waar mama drie avonden geleden had gezeten, wachtte ze tot Adam klaar was met zijn werk.

Ze had best naar Becky kunnen gaan, maar ze wilde eerst met haar broer praten. Mandy was te veel van streek voor een gewichtig gesprek, ze kon elk moment in tranen uitbarsten. Grace had haar gevoelige zusje begrip getoond, zij allemaal. Het was akelig om Mandy te zien huilen.

De hele dag hadden het afgrijzen en het ongeloof bij Lavina en Mary Beth in de ogen gestaan, de kleur was haast uit hun gezicht weggetrokken. Maar ze hadden even hard gewerkt als altijd voor een kerkdienst aan huis. Nu zouden ze onderhand hun schokkende nieuws thuis wel hebben verteld aan hun mannen en misschien aan hun grote kinderen, die het op hun beurt aan anderen zouden vertellen. Binnenkort wist heel Bird-in-Hand dat Lettie Byler vertrokken was. En daar kon Grace weinig of niets aan veranderen.

'Dag, zus.'

Ze schrok op uit haar dromerij. Adam stond met zijn lange armen over de balustrade van de veranda geslagen.

'*Ach*, ben je al klaar?' Ze was opgelucht hem te zien; bij hem kon ze haar hele hart uitstorten.

Hij knikte. 'Laten we maar gaan voordat ik te moe ben om de ene voet voor de andere te zetten. Ik begin last te krijgen van al die nachten op met het lammeren.'

Ze stond op en daalde vlug het verandatrapje af naar het grasveld. 'Waar lopen we heen?'

Hij dacht even na en opperde toen: 'Laten we Sassy meenemen en limonade gaan drinken.'

'Tuurlijk, laat die wandeling maar zitten... voor een glas limonade!'

Sassy was al voor het gesloten familierijtuig gespannen. Grace was blij dat Adam zijn open rijtuigje niet had genomen. Ze werd er verlegen van als ze eraan dacht dat ze gezien zouden worden, nu de Amish geruchtenmolen al fluisterde over mama.

'Dus het harde werk is klaar?' vroeg hij, doelend op de grondige schoonmaak.

'Het geeft wel een *gut* gevoel, ja.'

'En het middageten was ook heerlijk.' Hij liet de teugels los op zijn knieën liggen. 'Je kunt bijna even *gut* koken als...'

'Adam, niet zeggen,' onderbrak ze hem.

Hij fronste hoofdschuddend zijn wenkbrauwen. 'Echt waar, ik vergat bijna dat mama weg was.'

Natuurlijk zei hij dat. Pa en de jongens werkten in deze tijd van het jaar lange dagen buiten, dus mama's afwezigheid deerde hen niet zo erg als Mandy en haar.

En Mammi *Adah.*

'Enig idee waar ze kan zijn?' Adam keek haar aan. Zijn strohoed was op zijn achterhoofd geschoven.

'Nee.' Grace schudde haar hoofd. 'Dit soort dingen gebeurt niet in de Gemeenschap van Eenvoud.'

'En dat is maar *gut* ook.'

Ze wilde niet onthullen wat tante Lavina tegen haar zus had gezegd. Dat had geen zin. Bovendien kon het onmogelijk waar zijn; mama geïnteresseerd in een oude *beau*?

'Pa is behoorlijk *ferhoodled*.' Adam zette zijn hoed af en legde hem op zijn been. 'Ik heb hem nog nooit zo in de war gezien.' Hij vertelde dat hij vandaag een paar voerkaarten opnieuw had moeten schrijven en veel notities van pa had moeten doorstrepen. 'Hij is echt zichzelf niet.'

'Ik kan me niet indenken wat hij voelt.'

Adam schudde zijn hoofd. 'Ik ook niet.'

Het paard trok het rijtuig door de drive-in van het hamburgerrestaurant, waar ze stopten en limonade bestelden. 'Wil je één rietje?' vroeg Adam.

'Ik wil graag een eigen rietje,' zei ze met een glimlach. Haar broer had zeker gedacht dat ze samen zouden doen, zoals hij waarschijnlijk met Priscilla deed. En zoals Grace soms deed met Henry. 'Je bent net zo *ferhoodled* als pa.'

Hij lachte, zijn blauwe ogen lichtten op. 'We zijn allemaal in de war, *jah*?'

Ze beaamde het hartgrondig.

Toen hij haar het koude blikje overhandigde, nam ze een lange, trage slok. Op weg naar huis begon ze te huiveren van de koude drank. 'Ik hoop van harte dat jij wel gelukkig zult zijn als je getrouwd bent, Adam,' zei ze zacht.

Gelukkiger dan mama...

'En jij ook.' Hij glimlachte. 'Ik zal het maar bekennen, Grace.'

'O?'

'Nou, jouw Henry heeft me verteld dat hij 's avonds op bezoek zou komen. Hij liet me een paar dagen van tevoren geheimhouding beloven.'

Ze luisterde en wist niets te zeggen. Was het algemeen bekend dat Henry en zij verkering hadden?

'Dus hij heeft je gevraagd?'

Ze knikte. '*Jah*.'

Adam keek haar aan. 'En…?'

Ze lachte om zijn gretige nieuwsgierigheid. 'Ik heb ja gezegd, maar nu… nu mama weg is en zo, vraag ik me af of we niet een poosje moeten wachten.'

'Niet je woord terugnemen, Gracie. Wat voor een meisje doet dat?'

Met een zucht besefte ze dat hij het niet begreep. 'Ik zei niet dat ik het uit wilde maken. Alleen dat het nu in het ongewisse hangt.'

'*Jah*, maar denk je dat mama zo lang wegblijft?'

'Dat schijnt pa ook uit haar brief te hebben opgemaakt.'

Adam trok een grimas. 'Toch denk ik dat je bij Henry moet blijven,' zei hij vol vertrouwen. 'Laten pa en mama hun eigen problemen maar uitvechten. Jij… en ik, we hebben ons hele leven nog voor ons, Gracie. En bedenk eens: onze kinderen zullen immers nog dichter bij elkaar staan dan gewone neven en nichten wanneer jij met Priscilla's broer trouwt. Het lijkt me leuk om ze samen groot te brengen. Bijna als broers en zusjes, denk je niet?'

Voor deze ene keer had hij haar hart niet doorgrond. Ze wilde haar verloving niet uitmaken, ze wilde alleen wachten tot ze er zeker van was dat mama bij de bruiloft zou zijn. Het enige waar Adam zich om scheen te bekommeren was dat zij tweeën deze herfst met een broer en zus gingen trouwen, zodat Adams kinderen met Priscilla haast broers en zusjes zouden zijn van die van Henry en haar.

Inwendig zuchtte Grace. *Ik had mijn gedachten voor me moeten houden.*

★

Later tijdens het avondgebed peinsde Grace afwezig over haar gesprek met Adam. Omdat hij haar niet begrepen had, vond ze het beter om hem niet te vertellen over het nieuwe idee waar ze op broedde. In gedachten was ze teruggekeerd naar de dag van de schuurbouw; de dag die zo veel veranderingen had gebracht.

Pa had het te druk met zijn dagelijkse werk om actief naar hun moeder te zoeken. Erger nog, hij scheen zich bij de situatie te hebben neegelegd. Hij hoopte er het beste van, maar zette zich schrap voor het ergste.

Hopen was veel beter en na haar formuliergebed fluisterde Grace: *Laat ons alstublieft weten wat we moeten doen, God. Amen.*

Haar idee kwam opnieuw in haar op: stel dat ze mama kon vinden, dat ze met haar kon praten en haar overhalen om naar huis terug te komen?

Eerst had ze het een dwaze gedachte gevonden. Afgezien van paard en rijtuig – of een chauffeur op bestelling – had ze geen vervoer. Haar blijvende huishoudelijke verantwoordelijkheden, binnen en buiten, vormden een ander probleem; het was niet eerlijk om weg te gaan nu pa het zo druk had met het lammeren.

Toch vond Grace dat ze iets moest doen, hoe weinig ook.

Mama en tante Naomi hadden altijd zo'n hechte band, ik vraag me af of oom Ike iets weet. Of misschien moet ik beginnen met uitzoeken met wie mama ging praten op die dag van de schuurbouw.

Ondanks haar droefheid voelde Grace hierin iets van verwachting en zelfs hoop. De diepe put van zelfmedelijden waarin Mandy en pa waren gevallen, was niets voor haar. Ze wilde haar mannetje staan en haar moeder vinden, haar thuisbrengen, waar ze hoorde. Met de opmerking van tante Lavina in haar achterhoofd, besloot Grace eerst met *Mammi* Adah te gaan praten. Ze had het gevoel dat haar grootmoeder meer wist dan ze liet merken.

Misschien wel veel meer.

★

Zaterdagochtend bakten Grace en Mandy samen met *Mammi* Adah een groot aantal broden voor de gemeenschappelijke maaltijd van morgen, die na de dienst geserveerd zou worden. Grace deed voortdurend haar best om op Mandy te letten. Voordat ze wegging, had mama geopperd dat Mandy extra aangespoord moest worden, maar dat wilde Grace nu niet doen. Ze begreep het verdriet van haar zusje volledig, maar ze waagde het niet door het verlies haar eigen denkvermogen op te geven. Vooral niet nu er zo veel te doen was voor de Dag des Heeren. Morgenavond waren ze ook gastgezin voor de zangavond die twee keer per maand werd gehouden, en dat betekende dat pa en haar broers vanmiddag de hele bovenverdieping van de schuur schoon zouden maken.

Aangezien ze ook nog haar uren moest maken bij Eli's, moest Grace woekeren met haar tijd om alles voor elkaar te krijgen wat mama had gedaan. De maandag was voor wassen en strijken, gevolgd door dinsdags sokken stoppen en het strijkwerk afmaken dat was blijven liggen. Pa en haar broers hadden volgende week sokken zonder gaten nodig voor het schapen scheren. De zware vachten van de schapen moesten geschoren worden voordat het zomer werd en ze te veel waardevolle wol zouden verliezen. Ook werden op die dag de hoeven van de schapen gekapt.

Zijzelf zou aanstaande woensdag de ochtenduren gebruiken om de groentetuinen van de familie en voor liefdadigheid te wieden, evenals de lange rijen bessenstruiken langs de stenen muur aan de achterkant. Donderdag was de enige dag van de week dat Grace misschien even tijd kon vinden om naar Bart te gaan, aangenomen dat haar gesprek met *Mammi* niet genoeg opleverde als uitgangspunt. Ze huiverde bij de gedachte dat ze vragen moest stellen over haar moeder, maar ze zou zich er niet aan onttrekken.

Is het roddelcircuit al zo ver naar het zuiden uitgebreid?

Maar voordat ze die reis ging maken, wilde ze eerst op bezoek bij oom Ike Peachey. Mama had per slot van rekening al Naomi's boeken en persoonlijke spullen door haar handen laten gaan en verscheidene dichtbundels mee naar huis genomen, die nu ontbraken. Grace had er een paar van gelezen, maar ze zag niet in waarom ze zo veel voor haar moeder betekenden.

Hebben ze iets te maken met een eerste beau? Ze wilde er niet eens aan denken.

Misschien dat haar man, nu er vier jaar voorbij waren gegaan sinds de dood van tante Naomi, bereid was Grace iets meer duidelijkheid te geven.

Ze zuchtte. De grootste hindernis in het geheel was haar dagelijks werk. Vrijdag over een week zouden Mandy en zij dit grote oude huis wéér schoonmaken en zaterdag was het weer bakdag. En zondag over een week was er weliswaar geen kerk, maar dan was het tijd om uit te rusten, te lezen, brieven te schrijven en op bezoek gaan bij familie en vrienden, en dat laatste deden zij gewoonlijk als gezin.

Nu de vele broden lagen af te koelen, richtte Grace haar aandacht op de bereiding van het middagmaal. Mandy zou in haar eentje moeten afwassen en afdrogen, want Grace moest vanmiddag bij Eli's werken. Wat zou het vreemd zijn om zich voor het eerst weer uit huis te wagen, nadat ze over de weg achter mama aan was gerend.

Ze keek naar Mandy, blij dat haar zusje hier thuis beschermd was tegen de eindeloze stroom vragen. *Voorlopig.*

Hoofdstuk 19

Het parkeerterrein bij Eli's stond vol auto's en Amish rijtuigen door elkaar. Ineens overvallen door vermoeidheid streek Grace haar rok glad en bleef nadat ze aangekomen waren even zitten zonder zich te verroeren.

Adam wierp haar een vriendelijke blik toe. 'Hoe dan ook, Gracie, trek je niks aan van de geruchten.' Hij boog zich naar voren, met de beide leidsels die aan Sassy vastzaten in één hand. 'Mama is eigenwijs… En wat zij heeft gedaan, nou, dat is niet wat wij zouden doen… of pa, trouwens.' Hij wendde zijn blik af naar de weg naar het oosten en terug. 'Dus ik wil maar zeggen, laat je niet kwetsen door het geroddel.' Hij glimlachte en dat gaf haar moed.

In de winkel meldde ze zich en ging meteen aan het werk. Ze hield haar adem in toen Nancy en Sylvia Fisher, twee Amish meisjes uit haar kerkdistrict, haar kant op keken. Toen Ruthie Weaver door de winkel heen naar haar zwaaide en glimlachte, zwaaide ze terug.

Denk aan wat Adam zei, hield ze zichzelf voor. Met zijn woorden kon hij haar zowel grieven als opvrolijken. Gisteren had hij niet de moeite genomen om naar haar hart te luisteren toen ze praatten, maar dat wilde ze hem niet kwalijk nemen, en ze wilde zeker geen spijkers op laag water zoeken. Ze hadden al moeilijkheden genoeg.

★

Grace was dankbaar dat Ruthie die middag haar gezicht niet liet zien in de kleine ruimte waar ze in de pauzes zaten. Ze drukte op de knop van de waterkoeler en wachtte tot het papieren bekertje vol was. Toen ging ze in de deuropening staan om uit te kijken over de uitgestrekte winkel terwijl ze water dronk en het koud in haar maag voelde belanden. Ze glipte de kamer uit terwijl de andere werknemers honderduit zaten te kletsen in hun rustpauze.

Ze drentelde door het achterste gangpad van de winkel en bekeek de selectie kruiden die ze onlangs geïnventariseerd had. Ze wist welke de stemming verhoogden en pakte een flesje valeriaanwortel en een doosje passiebloemkruiden voor haar wanhopige zusje, toen Nancy Fisher langzaam op haar toekwam.

Ach, *nee…* kreunde Grace inwendig.

★

Adah draaide haar theekopje langzaam rond, verstoord door het verbijsterende nieuws dat Marian Riehl had verteld. 'Het gaat me boven mijn verstand, wat je zegt,' zei ze tegen haar buurvrouw.

'*Jah*, het is niet te geloven.' Marian roerde nog meer suiker door haar thee. 'Ik had liever dat er niets van waar was, maar…'

'Martin Puckett, zeg je?' Adah fronste perplex haar voorhoofd. 'Dat lijkt me toch een fatsoenlijke man… en veel mensen huren hem als chauffeur.'

'Wij hebben hem ook wel gebeld.'

Adah keek haar aan. 'Dus je wilt zeggen dat hij Lettie in de vroege ochtenduren naar het treinstation heeft gebracht?'

'Dat heb ik gehoord.'

'En hoelang zat hij vlak naast haar te wachten tot haar trein kwam?'

'Urenlang, werd er gezegd. En sindsdien is de man ook verdwenen.'

Adah schudde haar hoofd. '*Ach*, kom! Het klinkt me raar in de oren.'

De zon brak door de wolken heen en scheen door het keukenraam naar binnen, tot de rand van het gasfornuis. Marian draaide zich om en keek naar buiten, zo drastisch was de verandering van het licht in de keuken. 'Maar Lettie *was* vroeger…'

'Nee, zeg, luister eens even,' zei Adah. 'Lettie is al heel lang getrouwd met Judah. *Getrouwd*, zeg ik.'

'Waarom heeft ze hem dan in vredesnaam verlaten?' Marians woorden bleven in de lucht hangen.

Ja, waarom? Adah perste haar lippen op elkaar.

Ze werden gestoord bij hun thee met koekjes toen Jakob kwam binnenwandelen, opgefrist na zijn middagslaapje. Adah was zo opgelucht dat ze een immense zucht slaakte, wat Marian gemerkt moest hebben, want vlug duwde ze haar stoel naar achteren en excuseerde zich om naar huis te gaan.

★

'Eigenlijk wil ik niet eens fluisteren wat ik heb gehoord,' zei Nancy Fisher.

'Nou, dan doe je het niet,' antwoordde Grace, het flesje valeriaanwortel nog in haar hand geklemd.

Nancy's ronde gezicht betrok, ze kreeg rimpels in haar voorhoofd. 'Ik vraag alleen maar of het soms waar is?' Ze vertelde verder over de geruchten.

Hield Martin Puckett mijn moeders hand vast op het station?

'O, wat is dit pijnlijk,' zei Nancy.

Grace kon haar frustratie niet langer inhouden. 'Pijnlijk voor jou, Nancy? Ik heb geen idee waar je die onzin hebt gehoord, maar als ik jou was zou ik maar oppassen met verhalen vertellen die niet waar zijn.'

'Nou, is je mama thuis of niet?' Nancy zweeg even. 'Priscilla Stahl zegt dat ze weg is. En Martin Puckett is nergens te vinden!'

Praat Adams verloofde zo over haar aanstaande schoonmoeder?

Zonder nog een woord te zeggen liep Grace naar de voordeur. Ze had frisse lucht nodig om niet zo duizelig te worden als *Mammi* Adah van de week was. Straks moest ze nog naar de kantine gebracht worden, waar ze haar op de bank zouden leggen, en dat was het laatste wat ze wilde.

★

'Wat is er in vredesnaam aan de hand?' vroeg Jakob aan Adah terwijl ze de theekopjes naar de gootsteen bracht. 'Marian was nogal *befuddled.*'

'Tja, ik denk dat sommige mensen weinig anders te doen hebben dan kletspraatjes ophangen.' Ze wilde niet herhalen wat Marian had gehoord van Sadie Zook, van wie de *Englische* neef Pete Bernhardt naar verluidt getuige was geweest van het smakeloze tafereel.

Waarom was Lettie op het station? Waar wilde ze toch heen?

'Ik vind het helemaal niet netjes van Marian,' zei hij. Dus hij had gehoord waarvan de buurvrouw hun dochter beschuldigd had.

Adah knikte. De roddel die hun buurvrouw had doorverteld, was uitgesproken kwaadaardig. Adah vond het wijs van haar dat ze naar hen toe was gekomen om het meteen uit de eerste hand te vertellen, zodat er een eind gemaakt kon worden aan die praatjes. Alleen had Jakob hen gestoord voordat ze de kans had gekregen om Marian terecht te wijzen.

Lettie is best fatsoenlijk, dacht ze opstandig. *Nu tenminste wel!*

Na al die jaren wist Adah nog maar al te goed hoe Letties gedrag als jong meisje een klap in haar gezicht was geweest. Hoe vaak had ze haar dochter niet met die ene jongen op de hooizolder betrapt? Zeker, ze hadden daar alleen maar zitten praten en elkaar gedichten voorgelezen, nota bene. Maar ze schenen niet langer dan een dag zonder elkaar te kunnen, dan stond hij er weer met zijn boeken. Er werd gezegd dat Samuel Graber toen al niet meer naar de kerk ging. Kort daarna had hij de Amish vaarwel gezegd, toen zijn familie was vertrokken naar een andere staat. Maar Lettie had nooit in haar leven zo veel geglimlacht als toen die twee verkering hadden.

O, wat was Adah blij geweest toen het hele stel verhuisd was. Haar bloeddruk steeg als ze alleen maar dacht aan Letties eerste *beau*. Ze deed er beter aan niet over die nietsnut te prakkizeren. Met de theedoek losjes in haar hand staarde ze uit het raam naar het westen, waar Judah met een klein lammetje in zijn armen liep. Een beste man, die grote zorg had voor zijn schapen. Ze had het nooit betreurd dat Lettie met hem was getrouwd. Ook Jakob had al die jaren geleden waargenomen hoe gewetensvol en evenwichtig Judah Byler was. *Nog steeds.* Het feit dat hij erg weinig zei, stoorde hen niet zo, vergeleken met Samuel, die onafgebroken leuterde.

Bij de gedachte aan de geruchten griezelde Adah vol afkeer van de snelheid en invloed van de tamtam. *Morgen na de kerkdienst stap ik meteen op Marian af*, besloot ze. Iemand moest de bosbrand blussen voordat hij de oren van de broeders bereikte.

Maar terwijl ze haar fijne theekopje afwaste, vroeg Adah zich ongerust af of Letties roekeloze jeugd haar uiteindelijk duur kwam te staan.

★

Het aardige logement stond een eindje van de weg af in een kleine uitholling. Lettie zat te lezen in haar comfortabele kamer en keek op naar het uitzicht van torenhoge esdoorns die achter het huis van drie verdiepingen verspreid stonden. De lucht had dezelfde kleur als de zee.

Ze legde het boek opzij en nam plaats aan het kleine schrijfbureau. Ze pakte de pen op en voelde tussen haar vingers hoe glad hij was. Met alles wat ze in zich had, wenste ze dat ze Judah gewoon kon opbellen en hem laten weten dat alles in orde was met haar.

Lettie was nog vermoeid van de reis. Ze was blij dat het niet haar gewoonte was om zulke uitstapjes te maken. Midden in de nacht was ze aangekomen in Alliance, Ohio. En ze had een hele tijd zitten wachten op de chauffeur die de hotelhouder op haar verzoek had gestuurd. Ze had nog bijna een uur in de auto moeten zitten voordat ze gisterochtend de zon zag opkomen in het schilderachtige stadje Kidron, waar ze gereserveerd had in dit charmante hotelletje.

Ze scheurde een blad uit haar schrijfblok en drukte haar pen op de bladzijde. *Mijn lieve familie*, schreef ze.

Zouden ze geloven dat ze hen werkelijk liefhad en dat altijd had gedaan? Het deed haar pijn om te bedenken wat ze nu moesten voelen. Ze wisten nu allemaal van haar verdwijning af, ook haar ouders. Wat het voor hen betekende, vond ze wel heel erg, nu haar vader zo breekbaar was. Zelfs *Mamm* was nu niet meer zo sterk.

En Judah?

Er sloot zich een grote vuist om haar hart. Ze kon niet schrijven wat ze moest schrijven, net zomin als ze het in zijn gezicht had kunnen zeggen. O, ze had het geprobeerd, maar ze durfde niet… en hij uiteindelijk ook niet. Was het beter geweest om hem te sparen?

En dan te bedenken dat ze ruzie hadden gemaakt op de avond voor haar vertrek. En wat bereikte ze er nu mee bij Judah dat hij haar verklaring las in een brief? Was de schade niet al aangericht?

Ze had haar hart niet voor hem kunnen openstellen, omdat het voelde als woorden in de wind. En van het begin af aan had ze het, gezien haar wanhoop om het verlies van Samuel, beter gevonden om Judah onwetend te laten van haar diepe liefde voor haar eerste *beau*… en zijn liefde voor haar. Maar de afstand tussen haar en haar man had hun huwelijk door de jaren heen blijvende schade toegebracht.

Ze verfrommelde het briefpapier. Dit was helemaal niet de goede manier. Ze moest gewoon wachten en het Judah in zijn gezicht zeggen.

Als ik hem kan helpen me helemaal te begrijpen, zal ik het niet laten.

★

Omdat hij dorst had, liep Judah zaterdagavond vroeg naar huis. Hij was halverwege het achtererf toen hij de bankenwagen zag aankomen. Diaken Amos zat hoog op de bok, maar hij zette zijn hoed niet af en hij zwaaide niet, zoals anders. Vandaag klom hij met een grimmig gezicht van de bok en bond zijn paard vast.

Judah wreef zijn nek, de brandende pijn werd met het uur heviger. Toen hij zag dat Amos' kleinzoons van de wagen sprongen en de banken begonnen uit te laden, drukte hij zijn hoed op zijn hoofd en beende erheen.

Het was ongetwijfeld met opzet dat de diaken de bankenwagen bracht. *We krijgen een heel andere Dag des Heeren,* dacht Judah, terwijl hij de ene kant pakte van een lange bank, die morgen ook als tafelblad zou dienen. Adah, Grace en Mandy hadden het eten klaar, had Grace hem verteld, dankzij wat hulp van Marian Riehl. Hij had hun vriendelijke buurvrouw op bezoek zien komen bij Adah en Jakob. *Misschien heeft ze bericht gehad over Lettie.*

De vragen hingen zwaar in de lucht. Hij was opgelucht toen Adam en Joe de schuur uit kwamen rennen om een handje te helpen. Algauw kwamen ook Grace en Mandy naar buiten. Ze waren net klaar in de keuken en veegden hun handen af aan hun schort.

Niemand had hem rechtstreeks aangesproken over de ramp die hun huis had getroffen, maar hij voelde dat het eraan kwam nu diaken Amos hem met een strenge frons op zijn zongebruinde gezicht aankeek.

'We moesten zo direct maar es even een eindje gaan kuieren achter de schuur,' zei Amos gedempt.

Hij knikte. Zijn vrouw had schande gebracht over de naam

Byler, en er zat niets anders op dan zijn eigen beroerde aandeel in de ruzie op te biechten. Letties vertrek was stellig niets meer dan dat: een reactie op hun onafgemaakte meningsverschil. Zo veel jaren van onuitgesproken spanning. Ze had wel eerder vreemde dingen gedaan, zoals brieven verstoppen die voor haar alleen kwamen.

Over die schuurbouw had ze ook raar gedaan, herinnerde hij zich. Iemand – hij wist niet wie – had haar ingefluisterd dat ze daar eten moest gaan brengen. Zo veel wist hij wel. Toen ze erover begonnen was dat ze erheen wilde, had ze Grace niet bij de plannen betrokken. Judah was degene geweest die erop had gestaan dat ze niet alleen hoorde te zijn met Martin Puckett, als ze zo'n eind weg ging. Dat wekte een verkeerde indruk. Niet dat hij Lettie niet vertrouwde; het was de schijn van het kwaad die hem bezwaarde… en daarom had hij Grace met haar mee gestuurd.

Maar nu was duidelijk dat Lettie helemaal niet had moeten gaan. Humeurig en geagiteerd was ze teruggekomen, zonder rust in haar lijf. Klaarblijkelijk niet eens in staat om thuis te blijven. *Waar ze hoort.*

Hij zette zijn kant van de zware bank neer in de voorkamer en volgde gedwee toen Amos de deur uitliep en de verandatrap afdaalde. Amos liep kordaat over het erf en wachtte in de buurt van de schuur tot hij hem ingehaald had.

'Weet je waar Lettie is?' Amos nam nooit een blad voor zijn mond. Hij keek Judah strak aan.

'Nee.'

'Dus ze is weggelopen?'

'Kan zijn.'

'En je hebt geen idee waarheen?'

Judah schudde zijn hoofd.

'Goed dan… Ik moet je vertellen welke geruchten de ronde doen.'

Verbaasd zette hij zich schrap.

'Een van de plaatselijke chauffeurs, Martin Puckett, is afgelopen donderdag in de vroege ochtend voor het laatst gezien met je vrouw. Het schijnt dat hij ook verdwenen is.'

Het was voor het eerst dat Judah het hoorde.

'Wat denk je, Judah, waarom zou Martin met je vrouw meegaan?' Amos' diepliggende grijze ogen stonden vermoeid, alsof hij niet veel had geslapen.

Martin was juist een van de mannen bij wie Lettie zich in de auto het best op haar gemak voelde; en Judah dacht er ook zo over. Naar zijn mening was Martin een beste man. En zijn Lettie had hem nooit reden gegeven om aan haar trouw te twijfelen.

'Dat zou je Martin moeten vragen,' antwoordde Judah.

Amos keek hem dreigend aan. 'Je werkt niet erg mee.'

'Tja, ik weet er niks van.'

'Je beseft toch wel dat Letties opstandigheid een uiterlijk vertoon van ongehoorzaamheid is aan jou, haar echtgenoot, en aan haar ouders, die haar tot een godvrezende vrouw hebben opgevoed. We zullen dit nader onderzoeken.' Amos wendde zich af.

Judah kwam naast hem lopen. Hij zag de paarden van Andy Riehl buiten grazen.

'De broeders zullen mij vragen verslag te doen van dit gesprek,' voegde Amos eraan toe.

'Doe wat je moet doen,' zei Judah. Hij begreep niet waarom Amos er zo op gebrand was hem angst aan te jagen.

'Prediker Smucker zal je morgen na de gemeenschappelijke maaltijd opzoeken.'

Judah knikte en zei dat het goed was. Eerlijk gezegd had hij de zaak veel liever besproken met Josiah, de jongste van de twee predikers, als hij zijn schuld in de kwestie moest opbiechten. Het had geen zin die bekentenis uit te stellen. Sommige broeders in andere districten konden uitgesproken dominerend zijn en zelfs specificeren hoe vaak het huwelijksbed moest worden gebruikt met het doel van voortplanting. Maar hun predikers waren geen van beiden zo vrijpostig. Toch wist Judah dat hij een paar persoonlijke bekentenissen moest afleggen.

Hoofdstuk 20

Grace stond voor het voorkamerraam van haar grootouders en keek naar twee eekhoorns die elkaar achternazaten. Ze trippelden over het pad, de trap op en naar de schommelbank op de veranda. Elke keer als ze naar de schommelbank keek, dacht ze aan mama.

'Waar denk je aan?' vroeg haar grootmoeder vanuit haar stoel achter Grace.

Ze draaide zich om en ging naast *Mammi* Adah zitten. Ze keek toe hoe de frivoliténaald langs de rand van een mooi, geel zakdoekje vloog. Haar eigen verjaardagszakdoekje was nog helemaal niet gebruikt na het heerlijke feestmaal dat mama had klaargemaakt. Grace was haar cadeautjes bijna vergeten. Bijna alles had stilgestaan toen haar moeder wegging.

'Ik heb vandaag een paar vreselijke dingen gehoord,' fluisterde Grace.

Het gerimpelde gezicht van haar grootmoeder werd zacht. 'Ik denk dat ik daar ook iets van heb gehoord.'

'Nou, het is niet waar… toch? Zoiets zou mama nooit doen.' Grace voelde iets krachtigs in zich opkomen. 'Ik ga naar het zuiden om met pa's familie, de Stoltzfusen, te praten.'

'*Ach*, waarom?'

'Omdat die vast wel weten wie er allemaal waren bij die schuurbouw in maart.'

Mammi's gezicht betrok.

'Er was een vrouw die ik nog nooit had gezien.'

'Net als een heleboel anderen, verwacht ik.' *Mammi*'s stem klonk gespannen.

'*Jah*, maar deze vrouw scheen mama te kennen. Ze is een eindje met haar gaan lopen.'

Mammi's frivolitéwerk hing los in haar hand terwijl ze dat verwerkte. Toen vroeg ze: 'Weet je nog hoe ze eruitzag?'

'Ik weet niet of ik haar goed kan beschrijven. Haar *Kapp* was heel anders dan die van hier, dus ik dacht dat ze ergens anders vandaan kwam, maar ik weet het niet zeker.' Ze zuchtte. 'Ik weet het helemaal niet, eerlijk gezegd.'

'En daarom wil je met pa's familie praten?'

Grace vroeg zich af waarom *Mammi* Adah zo veel vragen stelde. '*Ach*, u had moeten zien hoe mama tijdens het middagmaal opsprong om naar haar toe te gaan.'

'Dus je denkt dat er een verband is tussen die dag – en die vreemde vrouw – en het vertrek van je moeder?'

'Het lijkt erop.' Ze had het niet zo aarzelend willen zeggen, maar ze had niet verwacht dat haar grootmoeder zo'n ongelovige toon zou aanslaan.

'*Ach*, Grace, ik wil je niet ontmoedigen, maar ik zie niet in hoe dat mogelijk is.'

'Nou, ik wil mama vinden.'

'Ja, natuurlijk… dat willen we allemáál.'

De tengere trekken en het lichte haar van haar grootmoeder gaven haar een engelachtig uiterlijk. Ze leek tenminste op de tere plaatjes van engelen die Grace had gezien in een van de dichtbundels die mama van tante Naomi's boekenplank mee naar huis had genomen. Een van de vermiste boeken dus.

Grace krabde aan haar hoofd door haar *Kapp* heen. 'Dus u vindt het geen *gut* idee?'

'Ik vind dat we je mama met rust moeten laten,' klonk het verrassende antwoord.

'Misschien heeft ze gewoon rust nodig, *jah*?' opperde Grace. *Mammi* Adah kende mama per slot van rekening het beste… afgezien van pa.

'Tja, ik denk dat ze er niet op zit te wachten dat jij of iemand anders haar smeekt om naar huis te komen.'

Grace stond versteld. 'Dus u denkt dat ze uit zichzelf zal terugkomen?'

'Misschien… als ze er klaar voor is.'

Grace voelde een steek van angst en ze voelde zich zo beklemd dat ze haast geen adem kon halen.

Wat weet Mammi *Adah precies?*

Toen Grace weg was, ging Adah rechtstreeks naar de keuken. Bij de gootsteen liet ze koud water over haar polsen lopen, om haar hartslag tot bedaren te brengen. Waarom zou Grace, of wie dan ook, op zoek gaan naar Lettie? Er was hier toch meer dan genoeg te doen? En liep Grace niet het risico haar baan bij Eli's kwijt te raken?

Het koude water kalmeerde haar. Ze leunde tegen het aanrecht en staarde naar de schuur van twee verdiepingen aan de overkant van het erf. Heel langzaam begon ze tot rust te komen. Nee, al het werk hier was niet het sterkste argument tegen Grace' zoektocht naar Lettie. Helemaal niet.

Ze droogde haar handen aan een handdoek en bette haar gezicht. Ze riep Jakob, en toen ze naar boven ging, trof ze haar echtgenoot aan verdiept in *The Budget*, de krant van Sugarcreek. 'We zitten misschien met een probleem,' zei ze, en vertelde wat Grace' bedoeling was.

'Tja, ze is een dochter van Lettie, dus ze valt niet tegen te houden.' Jakob keek haar ongerust aan.

Ze nam plaats in de stoel naast hem en wenste dat Lettie thuisgebleven was. Dit maakte alles nog ingewikkelder. 'We moeten het Grace uit haar hoofd praten.'

'*Jah.*' Hij sloeg de krant dicht en vouwde hem dubbel. 'Je weet niet wat die arme Grace daar zou kunnen ontdekken.'

Ze hapte naar adem. 'Dus je denkt dat Lettie is teruggegaan naar Ohio?'

'Wij geloven dat ons leven belangrijk is, *jah?*' zei hij mild. 'En aangezien we dat inderdaad geloven… dan moet in Letties gedachten *alles* meetellen.'

Ze begreep het volkomen. En het was precies waar ze bang voor was… dat Lettie ineens vastbesloten was om haar verleden goed te maken. 'Denk je dat ze de zaken voor eens en voor al wil rechtzetten?'

'Wat voor verklaring kun je anders bedenken?' vroeg hij. Zijn borst ging in een hoog tempo op en neer.

Tot nu toe had ze niet beseft hoezeer ze zich richtte naar Jakobs mening. Hoe afhankelijk ze was van zijn evenwichtige standpunt... zijn behoedzame, weloverwogen manier van doen. Had ze maar beter naar zijn advies geluisterd bij de aanpak van Letties tienergrillen.

Als ze het over kon doen, zou Adah alles anders doen. Net zoals ze vreesde dat Lettie nu besloten had te doen.

God, help haar!

★

Grace ging naar buiten om te kijken hoeveel liedboeken nog moesten worden uitgeladen. Diep in gedachten verzonken botste ze per ongeluk op Mandy.

'*Ach*, Gracie?'

Ze keek haar aan.

'Zag je me niet?' Mandy's gezicht vertrok.

'Het spijt me, zusje.' Ze legde haar hand op Mandy's arm. 'Gaat het?'

'Eerlijk gezegd heb ik nog nooit...'

'*Ach*, Mandy.' Ze nam haar mee naar de veranda. 'Laten we even gaan zitten.'

Mandy koos mama's plek op de schommelbank en Grace ging tegenover haar zitten in de rieten stoel, *Mammi* Adahs favoriet. 'Zeg het eens, wat is er?'

'Wat is er *niet*?' mopperde Mandy zonder haar aan te kijken. 'Het is nog erger dan ik dacht. Iedereen heeft het erover dat mama is weggelopen met een andere man.'

Grace sloeg haar armen stijf over elkaar. 'Je moet niet alles zomaar aannemen,' zei ze. 'We moeten ons vasthouden aan wat we weten, Mandy. Denk daaraan.'

'Maar bijna iedereen zegt het.'

'Nou, *wij* niet... Wij weten dat het een leugen moet zijn.'

'Waar is ze dan?'

'De tijd zal het leren.' Grace ging verzitten. Ze wilde niet vertellen dat ze mama wilde gaan zoeken om haar mee naar huis te nemen. 'Intussen hebben we hier een heleboel te doen. Adam en Joe kunnen bijvoorbeeld best wat hulp gebruiken bij het ontwormen van de schapen.'

'Daar heb ik een hekel aan.' Mandy stond op en ging op de balustrade zitten. 'En de schapen hebben er ook een hekel aan.'

Grace onderdrukte een glimlach. Ze had gezien hoe pa en de jongens de schapen stevig vasthielden en hun best deden om de spuit in hun bek te steken. De schapen hadden ook een hekel aan scheren. Sommige vielen bijna flauw als het gebeuren moest en pa hield een emmer water in de buurt om ze weer bij te brengen.

Vroeger had mama altijd geholpen met het lammeren. Zo lang ze zich kon herinneren had mama elk jaar 's nachts op haar beurt bij de lammetjes gekeken of ze wel vaak genoeg gevoed werden. Ondanks een paar schoonheidsfoutjes hadden pa en zij altijd een poging gedaan om hun stille saamhorigheid daarin en in andere dingen te laten zien. Tot vorige maand tenminste.

Het leek erop dat haar zusje er voortdurend op gewezen moest worden dat het leven doorging, met of zonder mama, hoelang dat ook kon duren.

'Er is veel meer werk... nu mama er niet is,' zei Mandy sip.

'Tja, en we zullen allemaal ons deel moeten doen,' antwoordde Grace.

'Maar dat is toch niet eerlijk?'

'Soms is het leven gewoon niet eerlijk.'

'Ik dacht dat mama wel bericht zou sturen om ons te laten weten dat ze gezond en wel is,' zei Mandy gesmoord.

'We zullen blijven bidden voor haar veiligheid. Er zit haar iets dwars, dat is duidelijk.'

De sluisdeuren gingen open en Mandy verborg haar hoofd in haar handen en snikte alsof haar hart in duizend stukken was gebroken.

Grace snelde op haar toe en wreef over haar rug, zoals mama zou doen. En Mandy pakte Grace' hand en klemde hem vast of haar leven ervan afhing.

★

Toen Becky een handje kwam helpen met de organisatie voor de kerkdienst, voelde Grace zich ineens gespannen omdat het leek alsof ze alleen over mama's afwezigheid kwam te praten. Maar haar vriendin verraste haar door simpelweg liedboeken uit de bankenwagen naar binnen te dragen. Ook bracht ze het bericht dat haar moeder extra hulp had gezocht voor het taarten bakken voor de gemeenschappelijke maaltijd morgen.

'Dat is heel fijn,' zei ze tegen Becky terwijl ze de liedboeken langs het middenpad op de houten banken legden.

'We willen graag helpen.' Becky's ogen werden vochtig. 'Geloof me, heel graag.'

Grace gaf haar vriendin een lichte omhelzing en fluisterde: '*Denki*… heel erg bedankt.'

★

De melodie van 'Pocketful of Sunshine' begon te spelen op haar iPhone en Heather pakte hem om te kijken wie haar een e-mail had gestuurd. 'Don!' riep ze uit.

Nieuwsgierig opende ze de update vanaf de andere kant van de wereld. Uit Dons e-mail bleek dat Devon weer op de been was en binnenkort terugkeerde naar de basis. *Hij zal vast wel contact opnemen*, eindigde hij.

'En pap vindt dit allemaal maar primitief,' hoonde ze. Weer vroeg ze zich af waar haar vader was.

Haar duimen vlogen over het digitale toetsenpaneeltje terwijl ze vlug een antwoord typte. *Bedankt. Fijn om te horen!*

De telefoon piepte en het was haar vader. Ze nam op. 'Waar heb je gezeten?'

Hij lachte... lachte vrolijk, zoals ze een tijdje niet had gehoord. 'Je zult het niet geloven,' zei hij.

'Eh... wat?'

'Ik heb net een stuk grond gekocht midden in Amish land. Gek, hè?'

Ze gaf een gil. 'Wát?!'

'Je hoorde me wel.' Hij lachte nog steeds, ze moest erom glimlachen.

'Nou, waar dan?' Er waren talloze Gemeenschappen van Eenvoud in het land.

'Even ten noorden van Bird-in-Hand. Je moet het een keer zien,' zei hij. 'Ik zit nu in Lancaster County. Weet je nog van al die zomers hier?'

'Gaaf, pap!' Dit was al te toevallig. Ze kon het niet geloven. 'Waarvoor heb je die grond gekocht?'

'Ik weet het niet. Als hobbyboerderij of om groenten te verbouwen.'

'Pap...'

'Ik meen het.'

'Dus je gaat daarheen verhuizen?'

'Eerst zal ik er een huis op moeten zetten.' Hij vertelde dat hij een deel van de opbrengst van mams levensverzekering wilde gebruiken. 'Ik kan het land natuurlijk op jouw naam over laten schrijven, Heather... als bruidsschat.' Hij grinnikte door de telefoon. 'Net als de Amish.'

Ze lachte erom. *Pap met zijn rare ideeën...*

'Ik ben over een paar dagen thuis.'

En ik ga weg...

Ze stond nog steeds versteld dat hij vanuit Pennsylvania belde. 'Zeg, pap?' Moest ze hem vertellen dat zij er ook heen zou gaan?

'Hoor es, lieverd. Ik moet gaan. We spreken elkaar binnenkort.'

'Oké. Tot kijk.' Ze vond het allemaal erg verbazingwekkend. *Wauw, we zitten voor het eerst op dezelfde golflengte. Wat gek!*

Ze vroeg zich af of Don nog achter zijn computer zat en stuurde hem nog een bericht: *Zo fantastisch om van je te horen! Passen jullie goed op jezelf.*

In de hoop meer te horen, droeg ze haar telefoon de rest van de avond bij zich. Maar ze hoorde niets meer en voegde weer een paar pagina's aan haar scriptie toe.

★

Judah bracht een flink deel van de zaterdagavond door bij zijn lammetjes. Hij had Adam en Joe vrijgegeven voor de nacht; ze moesten slaap inhalen. En het was niet eerlijk om Grace en Mandy te vragen buiten te helpen, omdat ze al zo veel hadden gedaan om het huis en de schuur klaar te maken voor de kerkdienst van morgen.

Het was zijn verantwoordelijkheid om te zorgen dat de kersverse tweeling in leven bleef en niet werd afgewezen door hun moeder, hoewel hij daar nu al tekenen van zag. Minstens een van de pasgeboren dieren moest wellicht geadopteerd worden door een andere ooi, wat nog meer handenarbeid betekende. Hij wilde en kon het wel, maar het voortdurende slaaptekort was een afschrikwekkend vooruitzicht.

Hij dacht aan Letties rusteloosheid en vroeg zich af of haar neerslachtigheid soms voor een deel veroorzaakt was door uitputting. Judah zuchtte diep. Hij kon onmogelijk weten wat haar bezield had. Hij wreef over zijn pijnlijke nek en dacht terug aan de avond voordat zijn vrouw was weggegaan.

'Ik wil dat je het van mij hoort,' had ze gezegd, met haar ogen strak op hem gericht.

Wat moest hij horen? Dat ze van iemand anders hield?

Onmogelijk, dacht hij. Vanbinnen werd hij verteerd door een hartverscheurend verdriet.

'Was het omdat ze dacht dat u niet luisterde?' had Adam aan tafel vrijpostig gevraagd, waar zijn broer en zussen bij waren. En geen van hen, ook Grace en Mandy niet, had het voor hun vader opgenomen.

Als hij haar nu eens *wel* had laten uitpraten? Was Lettie dan nog hier? Hij schudde zijn hoofd. *Ik kan het verleden niet veranderen.* De gedachte gaf hem geen troost en hij werd radeloos van de zorgen om zijn gekwelde vrouw, die helemaal alleen de moderne en slechte wereld in was getrokken.

Hij hoopte maar dat ze in elk geval een beetje rust kreeg. Slaap, en de bewaring van God, konden wonderen doen.

Lang nadat de pasgeboren lammetjes klaar waren met drinken, bleef Judah slap van de slaap in het hooi zitten.

★

De haan van Andy Riehl kraaide en Judah schrok wakker. Het was de Dag des Heeren en hij stond op, veegde het stro van zich af en voelde meteen weer de stekende pijn in zijn bovenrug en nek. Maar hij kon niet rustig aan doen; net als op een doordeweekse dag lag er een berg werk op hem te wachten.

Haastig ging hij naar huis om Adam en Joe wakker te maken. Grace hoefde hij niet aan te sporen, die zou binnen korte tijd opstaan om aan het ontbijt te beginnen, en Mandy wekken als de maaltijd bijna klaar was. Zijn jongste dochter hield niet van vroeg opstaan. Daar had hij met Lettie weleens om geglimlacht.

Was zijn vrouw op en had ze zich aangekleed om naar de kerk te gaan, waar ze ook was? Hij deed het hek van het weiland open en liet de schapen naar buiten om te grazen, kijkend naar de dartele lammetjes die achter hun moeder aan sprongen. Over de kleintjes maakte hij zich de meeste zorgen. Hij had er soms een dagtaak aan om ze in leven te houden.

Adam en Joe kwamen vlug naar beneden zonder te lummelen. God had hem een stel beste zoons en dochters gegeven. En dat was maar goed ook, want er was een hoop werk te doen. Hij verwachtte deze lente wel een stuk of veertig lammetjes, aangenomen dat ze allemaal bleven leven.

Hij keek naar Adam en Joe die naar de schapenschuur liepen. Ze moesten het stro van de aanstaande moeders verversen. Hij hoopte dat geen van de ooien vandaag ging bevallen, nu de kerkdienst hier werd gehouden.

En dan had je nog de niet te negeren kwestie van prediker Josiah Smucker. Het vooruitzicht van de komende confrontatie putte hem uit en hij hoopte dat het niet te veel tijd kostte wat Josiah te zeggen had. Judah wist niets en hij had geen tijd. Hij overwoog morgen Martin Puckett op te bellen om te vragen of hij hem naar de smid wilde brengen, hoewel ze zeiden dat Martin op dezelfde dag was verdwenen als Lettie. Al die rare geruchten. Martin en Lettie?

Hij wilde zijn oordeel niet laten vertroebelen door de belachelijke roddels. Lettie en ook Martin waren natuurlijk onschuldig aan enig wangedrag. Misschien was het wel goed om de nietsvermoedende kerel te laten weten wat er over hem gezegd werd.

Hoofdschuddend pakte Judah zijn hooivork. *Des hot ken Verschtand!* Hij vroeg zich af of Lettie wel enig idee had van de storm van verontwaardiging die haar vertrek had gewekt.

Hoofdstuk 21

Soms keren onschuldige dingen die je uit vriendelijkheid doet zich tegen je. Dat overpeinsde Martin tijdens de autorit naar de kerk die Nancy en hij hun hele getrouwde leven hadden bezocht. Hij nog langer; hij was er lid geworden toen hij zeventien was. *Een mensenleven geleden.*

Met zijn handen aan het stuur vroeg hij zich af of er iets aan de hand was met zijn vaste Amish klanten. Ondanks dat hij een paar dagen de stad uit was geweest, had hij bij zijn terugkeer geen enkele boodschap gevonden met een verzoek om vervoer van de mensen in Bird-in-Hand. Zelfs degenen die verder uit het westen vandaan belden, uit Intercourse, en uit het noorden, uit Stumptown, hadden sinds afgelopen donderdag geen contact met hem gezocht.

Hij dacht opnieuw aan Lettie Byler... en aan Pete Bernhardts afstandelijkheid op het station. Had Pete iets te maken met de scherpe daling in werkzaamheden? Martin hoopte van harte van niet.

Hij reed het parkeerterrein van de kerk op, zag Victor Murray plaatsen aanwijzen, en zwaaide. Hij stapte uit en snelde om de auto heen om het portier aan Janets kant te openen.

Als Martin niet heel gauw iets hoorde van Andy Riehl of Judah Byler zelf, moest hij er maar eens heen rijden om een praatje te maken. De stilte was niet alleen verontrustend, maar hoogst oorverdovend.

★

Judah hield zich een beetje afzijdig van het huis en wuifde zich koelte toe met zijn strohoed. Vanaf het achtererf zag hij

hoe Adam en Joe met hun neven de leden van de Gemeenschap van Eenvoud begroetten die in hun rijtuig de oprijlaan
in kwamen rijden. Adam had een paar jongens aangewezen
om te helpen de paarden uit te spannen en naar de schuur te
brengen om water te drinken.

Judah was blij dat alles zo gesmeerd verliep, in aanmerking
genomen wat zijn zoons doormaakten. Op zulke momenten
keken de mensen recht door je hart heen en Judah zelf zou
blij zijn als deze dag achter de rug was. Weer masseerde hij zijn
nek; de pijn was nu haast ondraaglijk.

Daar kwam Josiah aan en wenkte hem. 'Kunnen we even
praten, Judah?' De prediker overrompelde hem op het erf waar
de mannen in de rij stonden om het huis binnen te gaan voor
de bijeenkomst op de Dag des Heeren.

'*Jah*, best.' Hij volgde de jongere man naar de schuur. Het
was belangrijk om bereidwilligheid te tonen, al was hij nu al
moe van de vragen. Hoeveel er ook gesteld werden, geen enkele kon Lettie terugbrengen.

Ze liepen naar de schapenkant van de schuur en prediker Josiah vroeg of hij de nieuwste lammetjes mocht zien. Er schoot
Judah een Schriftvers te binnen, een tekst die hij zo vaak had
gelezen dat hij hem vanzelf uit zijn hoofd had geleerd. *Dien
den* HEERE *verwachten, zullen de kracht vernieuwen… zij zullen
lopen, en niet moede worden.*

Judah raakte gespannen toen de prediker langer dan nodig
was een praatje maakte over het weer. Anders dan voor de
diaken was het niets voor Josiah om plompverloren over een
onderwerp te beginnen, liever dwaalde hij er met een omweg
naartoe. Dus Judah wachtte zijn tijd af en liep geduldig met
hem mee naar het weiland.

Judah zag dat op de oprijlaan de laatste paarden werden uit-
gespannen. De meeste leden waren gearriveerd. Ging de prediker hem als voorbeeld stellen? *Lastig in te denken van prediker
Josiah.*

Hij hield de lange passen van de prediker bij en eindelijk

kwam Josiah terzake. 'Sinds maart heeft je vrouw een paar keer de kerkdienst overgeslagen,' begon hij.

'*Jah*, twee keer.'

'Om gezondheidsredenen?'

De haartjes op Judahs armen prikten. 'Dat heeft ze me niet verteld.'

De ochtendzon wierp een flets licht over de grazende schapen. Vriendelijk legde de prediker een hand op Judahs schouder. 'Ik neem aan dat Lettie niet heeft gezegd waar ze naartoe ging?'

Judah schudde zijn hoofd.

Prediker Smucker keek naar de grond, schuifelde met zijn voeten en zette zijn strohoed af. 'Het is niet mijn bedoeling je in het nauw te drijven. Je hebt de geruchten gehoord over Lettie en een andere man.' Zijn stem klonk zacht. 'Zou je een reden kunnen bedenken waarom je vrouw weg zou gaan?'

Judah kwam in opstand tegen die vraag. Tot nu toe had hij geweigerd de mogelijkheid te overwegen. Maar stel dat de geruchten klopten?

Hij herinnerde zich hoe liefdevol Lettie en hij in het begin van hun huwelijk met elkaar omgingen, als ieder jong stel. Uit die passionele dagen waren vier gezonde kinderen voortgekomen.

Hij keek naar het huis, waar het gonsde van drukte. Hij haalde diep adem, zette zijn hoed af en hield hem voor zich. 'Ik ben tekortgeschoten tegenover mijn vrouw,' biechtte hij op. 'Niet zo attent geweest als ik had moeten zijn... in vertrouwen gezegd.'

Langzaam verschenen er rimpels in het voorhoofd van de prediker. 'Echtgenoten mogen zich niet aan hun vrouw onttrekken, en vice versa – behalve, zoals de Schrift zegt, "om u te wijden aan vasten en bidden".'

Judah zette al zijn stekels op. Ter verdediging had hij kunnen zeggen dat schapen fokken al zijn energie opslokte, al jarenlang. Hij was geen jonge vent meer. Natuurlijk, hij kon veel geldige excuses aanvoeren, maar geen zou standhouden in Josiahs ogen.

En in de ogen van God.

'Ik kan je verzekeren dat het niets voor Lettie is om af te dwalen,' kon hij slechts uitbrengen.

'Zo.' De prediker richtte zich hoog op. 'Als het waar is wat je zegt, dan zal ze stellig terugkeren. En dan zullen we dit zo nodig verder bespreken.'

Josiah stak zijn hand uit en Judah drukte hem.

De prediker zette zijn hoed op zijn dunner wordende haar. 'Ik zal hier niet met de broeders over spreken,' zei hij, met zijn blik strak op Judah gericht.

Judahs keel voelde aan als schuurpapier, zijn mond was te droog om iets te kunnen zeggen. Hij knikte dankbaar en keek de vriendelijke man na terwijl hij haastig naar huis terugliep.

Hij streek met zijn vingers over de rand van zijn hoed, opgelucht dat hij zijn overtreding had neergelegd voor de man van God.

Judah zette zijn hoed op en liep naar de schuur om nog een keer bij zijn zwangere ooien te kijken voordat de dienst begon.

Grace zag haar vader met afgezakte schouders terugkomen uit de schuur. Daarstraks had ze hem met prediker Smucker weg zien lopen, maar de man was een paar minuten geleden teruggekeerd bij de andere broeders, klaar om de dienst te beginnen.

Hij heeft het gehoord van mama. Ze slikte moeilijk. *Weet iedereen het dan?*

Ze zag Henry arriveren met zijn familie en toen hij haar kant opkeek, glimlachte hij zwakjes en gaf een snel, discreet knikje met zijn hoofd. Er was aan zijn behoedzame gebaren met geen mogelijkheid te zien of hij van streek was over het nieuws dat de ronde deed over mama's verdwijning, omdat Henry haar in de dienst altijd zo omzichtig begroette. Zelfs op zangavonden was hij ingetogen.

Zou hij nu nog wel met iemand van de familie Byler willen trouwen?

Een oprechte jongeman zou er vast nog eens over nadenken, vermoedde ze. Die knagende gedachte kon ze beter van zich afzetten, wilde ze de dienst goed kunnen volgen.

Grace keek over haar schouder en zag Henry in de rij staan om naar binnen te gaan. Zijn gezicht was verborgen.

★

Heather sliep zondagochtend uit, zich er vaag van bewust dat haar vader ergens na middernacht was thuisgekomen. Ze was even wakker geworden van het geratel van de garagedeur, maar ze was weer in slaap gevallen.

Ze droomde van een lang weekend met haar moeder in Amish land, en in de droom wees mama, weer helemaal gezond, op een paar prachtig bloeiende roze en gele planten. Er sijpelde vredig een stroompje water. Alles was goed… Heather en haar moeder waren ontspannen en gelukkig, eindelijk weer samen.

Toen ze wakker werd, vroeg Heather zich af of de droom bevestigde dat ze er goed aan deed naar Pennsylvania terug te keren om beter te worden.

Later aan het ontbijt, dat laat genoeg was om een brunch te zijn, zat ze tegenover haar vader en keek toe hoe hij zoals gewoonlijk cornflakes met veel suiker at, met een klein schaaltje appelmoes met kaneel erbovenop gestrooid. 'De hele handel,' zei hij. Hij had een marineblauwe trui aan en zijn donkere haar zat in de war. Hij nam een slok van zijn koffie en zette de beker neer naast zijn sinaasappelsap. 'Heerlijk om weer thuis te zijn.'

'Ik begon al te denken dat je op wereldreis was gegaan.' Ze boog zich naar voren en blies in haar koffie. 'Het klinkt alsof je gezwicht bent voor een impulsaankoop.'

Zijn slaperige ogen straalden toen hij het stuk grond beschreef dat de voormalige eigenaren met tegenzin van hun grotere landbezit hadden afgesneden. 'Ze hadden dringend geld nodig en ze hebben zo weinig mogelijk verkocht: maar ruim anderhalve hectare. Ik denk dat dat voor een boer te weinig is om veel mee te kunnen doen.'

'En wat ga *jij* ermee doen?' Ze haalde haar vingers door haar haar, dat nog vochtig was van de douche. 'Wil je serieus beginnen met een hobbyboerderij?'

Hij glimlachte zelfverzekerd. 'Ik neig meer naar aardappelen verbouwen. Het zou je verbazen hoe leuk dat kan zijn. Ik denk dat jij er ook plezier in zou hebben.'

'Vergeet niet dat ik een fobie heb voor vuil onder mijn nagels en veelpotige wezens die kunnen vliegen.'

'Nou, *ik* ben klaar voor het volgende hoofdstuk in mijn leven. Ik heb het bijvoorbeeld wel gehad met de zakenwereld en bovendien…' Hij zweeg zo lang dat ze dacht dat hij vergeten was wat hij wilde zeggen. 'Je moeder was dol op die streek. Ze heeft vaak gezegd dat ze daar haar oude dag wilde doorbrengen.'

Ze beaamde het. 'Ja, het was een obsessie voor haar…'

'Over een poosje ga ik beginnen een huis te bouwen.' Zijn gezicht straalde. 'Wil je me helpen een plan te bedenken voor een kleine, ouderwetse boerderij? Het soort huis dat uniek is voor het platteland?' Hij zweeg even, met een dromerige blik in zijn ogen. 'Het is onzin om in Amish land iets moderns te bouwen, hè?'

'Ja hoor, ik zal je helpen met het ontwerp.' Heather stond op om nog wat koffie in te schenken. Als ze bleef zitten, zou ze gaan huilen. En dat schoot niet op, vandaag niet. Nee hoor, voor het eerst sinds mams overlijden had pa zich op de toekomst gericht, en daar wilde ze absoluut niet tussen komen.

★

Grace waardeerde alle hulp van het vrouwvolk tijdens en na de gemeenschappelijke maaltijd. Marian Riehl en de tantes Lavina en Mary Beth liepen af en aan.

Grace zette de zijdeur naar de keuken open en drukte de deurstop eronder. Er hing een heerlijke, zoete geur in de lucht van de bloeiende seringen die ze vorig jaar samen met mama had geplant.

Ze keek in de richting van het koelhuis en zag Yonnie Bontrager met Becky staan praten. Het was een beetje raar om hen samen te zien op zo'n afgelegen plek, maar wie kon Yonnies aanstekelijke lach en vrolijke humeur weerstaan?

Ze wendde haar blik af om hun afzondering te gunnen en zag dat Henry met een paar andere jongens bij de houtschuur stond. En natuurlijk waren de roddels niet van de lucht nu iedereen met eigen ogen had gezien dat mama er niet was.

Er viel nog veel op te ruimen en schoon te maken na de grote maaltijd, er was een enorme opkomst geweest. Griezelig, eigenlijk. De droefheid en het ongeloof van bijna alle aanwezige vrouwen was overweldigend voelbaar.

Grace ging terug naar de keuken om te helpen de tafelbladen af te nemen, die elk uit enkele banken bestonden. Grace zag tot haar opluchting dat *Mammi* Adah met de moeder van diaken Amos stond te praten. Zij en *Dawdi* Jakob leken allebei stiller dan anders, ze zaten met de andere ouderen aan tafel en aten hun punten appeltaart. Becky, haar moeder en veel van hun familieleden hadden voor de gelegenheid veel taarten gebakken en Grace ging bedanken.

Een van de aardigste buurvrouwen die je je kunt indenken.

Ze droogde de tafels af, behalve waar de ouderen nog zaten en keerde juist terug naar de gootsteen toen Becky met een stralend gezicht achter haar verscheen.

Becky trok haar zachtjes aan haar mouw. 'Kom! Ik moet met je praten.' Haar vriendin nam haar mee naar buiten een eindje de oprijlaan af, langs de voorveranda en de brievenbus. Morgen zou Grace weer kijken of er bericht van mama in zat.

'*Ach,* kun je een geheim bewaren?' Becky's grote ogen twinkelden van blijdschap.

'Nou, je ziet er nogal gelukkig uit op deze Dag des Heeren,' zei Grace.

Becky pakte haar hand en trok haar dichter naar zich toe. 'Yonnie staat op het punt te besluiten met wie hij verkering wil.'

'Heeft hij dat ronduit tegen je gezegd?' Grace vond het arrogant.

Becky lachte en schudde haar hoofd. 'Zo is hij nu eenmaal. Ik heb eerlijk gezegd het gevoel dat ik misschien wel een van de meisjes ben die hij overweegt. O, Gracie... kun je het je voorstellen?'

'Nou, je weet al wat ik ervan vind.'

'Maar niet wat *Yonnie* ervan vindt.'

Grace lachte. 'Volgens mij zul je nog verbaasd staan als hij zijn keuze maakt. Wacht maar af, dan zul je zien of ik gelijk heb.'

'Je bent een schat.' Becky gaf haar een kus op haar wang. Toen trok ze een bezorgd gezicht. '*Ach*, ik moet niet zo doorratelen... nu jij...'

'Nee, niet zeggen. Ik ben heus erg blij voor je.'

'Gaat het wel met je?' vroeg Becky ernstig.

'*Ach*, welja.' Grace bedacht iets. 'Becky, kun je vlug even meekomen naar mijn kamer?' Ze snelden terug naar het huis en de trap op naar Grace' kamer. Ze liet haar de doos met kleurpotloden zien. 'Weet je nog?'

'*Jah*. Och heden, wat zijn ze prachtig...' Becky nam het lichtblauwe potlood uit de doos en hield het in haar hand.

'Ik wil dat jij ze krijgt.'

'O, Gracie... weet je het zeker? Het was tenslotte *jouw* verjaardagscadeau.'

Grace knikte en gaf haar de doos. 'Maak meer tekeningen van kolibries, als je wilt. Dat zou ik mooi vinden.'

Becky glimlachte en knipperde met haar ogen. 'Ik kan het haast niet geloven. *Denki*!' Ze gaf Grace een snelle omhelzing.

'Maar niet aan de meisjes Spangler vertellen, hoor.'

'Ik houd mijn mond, wees maar niet bang.' Becky keek haar onderzoekend aan. 'Weet je zeker dat het wel gaat?'

'Ik neem elke dag zoals hij komt.' Grace wilde sterk zijn. 'Maar het is echt iets voor jou om zo zorgzaam te zijn.'

Een uur later, nadat Becky was vertrokken om haar familie te zoeken en naar huis te gaan, besefte Grace dat ze was vergeten haar vriendin haar eigen goede nieuws te vertellen.

Ze glimlachte om Yonnies bijzonder merkwaardige aanpak in de zoektocht naar een levensgezel. Hoe raar sommigen het ook mochten vinden, er viel iets voor te zeggen om in deze kwestie de tijd te nemen. *Hij zal Becky vast en zeker heel gelukkig maken.*

★

Heather boog zich dicht naar het laptopscherm en probeerde te begrijpen wat ze las. Ze trok haar haar in een hoge paardenstaart en zuchtte. 'Dus Devon *was* helemaal niet ziek.'

Zoiets had ze kunnen vermoeden. Was dit niet precies waar ze diep vanbinnen bang voor was geweest? Ze las de e-mail opnieuw en schudde een paar keer met haar hoofd.

Hoe kan ik zo stom zijn geweest?

Als ze nu zelfs aan hun kleinste ruzietjes dacht, kon ze niets verzinnen wat hierop had kunnen wijzen. Waarom was ze zo naïef geweest en had ze hem haar gevoelens toevertrouwd? Hoe kon ze zo volkomen misverstaan hebben wie Devon Powers was?

Kennelijk was hij toch niet de man van haar dromen. In een oogwenk had hij iemand anders gevonden: *iemand van mijn eenheid. We waren het niet van plan, het gebeurde gewoon. Het is niet te geloven hoeveel we gemeenschappelijk hebben,* schreef hij.

'Ja, dat zal best!' Ze had zin om ergens mee te gooien. 'Dus nu kan ik ophoepelen?'

Ze had zin om door het computerscherm heen te springen. 'Krijg ik stank voor dank omdat ik je trouw gebleven ben?'

Ik vind het echt vreselijk om je dit aan te doen, maar zie het onder ogen, Heather… Ik zit aan de andere kant van de wereld en we hebben elkaar in geen maanden gezien. Je leven zal er heus niet door instorten. Hij ondertekende slechts met zijn naam.

Ze sloot haar laptop. 'Veel plezier met je soldatenmeisje,' fluisterde ze.

Van haar medestudenten had ze genoeg pathetische verhalen gehoord om te weten dat het bij sommige mensen zo ging; een nooit eindigende spiraal van nieuwe relaties en scheidingen. Voor sommigen was de spanning van een nieuwe relatie de kick.

Maar *zij* had een lange en toegewijde liefde gewild. Niet dat nonchalante gedoe van de campus.

En ik dacht dat ik die nu gevonden had…

Ze klikte haar telefoon aan omdat ze muziek nodig had. Hoe harder en agressiever, hoe beter. Alles om de eerste avond door te komen. Ze beende door het huis met toepasselijke muziek aan van een band van boze meisjes die een hekel hadden aan jongens.

Ze lachte gedwongen. Devon was gewoon een snertvent.

'Ik heb het verknoeid,' fluisterde ze door haar tranen heen, in het besef dat ze geen enkele schouder had om op uit te huilen. Niemand aan wie ze het wilde vertellen. Devon was haar beste vriend geweest, haar eerste en enige echte vriendje. Zo'n relatie was moeilijk te vinden, voor haar in elk geval.

Het was absoluut tijd om weg te gaan.

Lekker moment heb je gekozen, Devon, dacht Heather boos. *Je moest eens weten…*

Hoofdstuk 22

Ondanks haar persoonlijke gesprek met Adam toen ze limonade gingen drinken, kon Grace haar innerlijke zorgen over een bruiloft in de herfst niet van zich afzetten. Haar gepieker werd gevoed doordat ze haar vader langzaam zag wegkwijnen door haar moeders afwezigheid. Kwam het door het tijdstip van haar verloving met Henry, of deed de gedachte aan een huwelijk zelf haar huiveren?

Daar dacht ze over na tijdens de liedjes die gezongen werden op de zangavond, waar ze tussen de meisjes aan de ene kant van de lange tafels zat. Aan de overkant zaten bijna evenveel jongens.

Henry zat recht tegenover haar, alsof hij tegen zijn gewoonte in een signaal afgaf aan de andere jongens dat hij zijn keus al had gemaakt. Het was interessant dat Adam nooit in de buurt van Priscilla zat op zangavonden... vanavond ook niet. In plaats daarvan had hij zich tegenover Mandy neer laten ploffen en hij trok gekke gezichten tegen haar om haar op te vrolijken.

Misschien dáárom.

Priscilla Stahl zat een eindje verderop, omringd door zusjes en nichtjes. Becky Riehl zat naast Grace en boog zich nu en dan zorgzaam naar haar toe. Grace was blij met Becky's toewijding.

Yonnie Bontrager hield zich afzijdig aan de uiterste rechterzijde van de jongenskant van de tafel. Hij had een brede glimlach op zijn gezicht voor niemand in het bijzonder. Ze hoopte maar dat Becky niet gekwetst zou worden door deze jongeman met zijn ongewone manieren.

Ze keek naar haar vriendin. Het verbaasde haar niets dat

Yonnie en de andere jongens haar leuk vonden. Becky was tenslotte een spontane jonge vrouw met veel gevoel voor humor.

Toen ze weer voor zich keek, zag ze dat Henry naar haar zat te staren. Zijn zichtbare aandacht verraste haar en vlug wendde ze haar blik af.

Wat zou er in hem omgaan?

Terwijl haar kleinkinderen van zestien jaar en ouder met de andere jongeren zongen in de oude schuur, zat Adah met Jakob en Judah op de voorveranda te genieten van de stemmen die hun kant op zweefden. Adah dacht aan haar bezoek aan Marian Riehl, naar wie ze vanmiddag meteen toe was gegaan toen het huis opgeruimd was na de kerkdienst. Ze had de behoefte gevoeld om zich over Lettie uit te spreken tegen haar buurvrouw, die haar dierbaar was als een vriendin. Zoals te verwachten viel had Marian achterdochtig gekeken, maar dat had niet lang geduurd. En Adah had een poging gedaan om een einde te maken aan het onzinnige gerucht.

Althans aan dit gerucht, dacht ze nu.

Jakob bewoog nu en dan met zijn hoofd en zijn bovenlichaam mee op de melodie, en genoot duidelijk van de muziek die kwam uit de bovenverdieping van de schuur die in de helling van een heuvel was gebouwd.

'Klinkt *gut*,' merkte Jakob op, met een blik naar Judah, die knikte.

'De eerste keer in een heel poosje dat we weer een zangavond hebben,' zei Adah, in de hoop haar schoonzoon aan het praten te krijgen.

'Denk je dat onze Joe er ook bij is, al heeft hij nog geen verkering?' Jakob haalde zijn lange vingers door zijn grijzende haar.

Adah wachtte of Judah erop in zou gaan. 'Het zou me niets verbazen als Joe zich ergens verstopt heeft en hoog op de hooizolder toekijkt.' Ze zweeg even… Lieve help, Judah was nog stiller dan anders. *Maar dat was te verwachten.* 'Joe heeft grote bewondering voor Adam, hoor.'

Jakob knikte een paar keer bedachtzaam. 'Het zijn beste jongens, allebei.'

Adah zuchtte. Wat was het toch frustrerend om een gesprek gaande te houden met Judah; dat was ook een van Letties ergernissen. 'Grace is van plan op zoek te gaan naar Lettie,' zei ze. 'Wat vind jij daarvan, Judah?'

Hij plantte zijn ellebogen op zijn knieën en boog zijn hoofd. 'Ik word ziek van al dat gepraat over Lettie,' zei hij. 'Dat is wat ik vind.'

Ze sloeg haar armen over elkaar en tuurde naar hem over de rand van haar bril.

En daar heb je het nou.

Al hun gedraai om Lettie en Judah samen te brengen – voornamelijk door Jakobs toedoen – had zich nu tegen hen gekeerd.

Judah excuseerde zich en ging naar binnen. Hij liep meteen door naar de trap. Adam zou de lantaarns doven en de schuurdeur afsluiten als de zangavond afgelopen was. Krachteloos zocht Judah zijn weg naar zijn slaapkamer, nog uitgeput van de vorige nacht.

Het was een lange dag geweest, te lang. Het eindeloze gestaar, de zorgelijke blikken op de gezichten van veel vrouwen.

Ineens moest hij denken aan een bijzonder zorgeloos moment, toen de ogen van zijn vrouw waren opgelicht van blijdschap toen ze op een zondagmiddag nog niet zo lang geleden naar huis waren gereden. Lettie had gekeken naar hun *Englische* buren, de Spanglers, die buiten waren met twee neefjes in de peuterleeftijd. Ze lachten en speelden met hun blonde labrador retriever.

Kijken haar ogen op dit moment droevig of blij? vroeg hij zich af.

Hij dacht aan Letties haar, dat in blonde golven over haar

schouders viel als ze het losmaakte nadat het de hele dag in een stijve knot had gezeten. Hij had nooit de behoefte gevoeld om veel te praten met zijn vrouw. Haar aanwezigheid in huis was haast genoeg om hem voldoening te geven. *Voor haar kennelijk niet…*

Hij keek uit het raam en onderscheidde de hoge, puntige schaduwen van de beschuttende rij bomen. Hij schudde zijn hoofd. Ergerlijk zoals Letties moeder hem vanavond op de veranda schaamteloos had zitten uitvragen en zich in bochten had gewrongen om hem aan het praten te krijgen. Niet uit koppigheid had hij geweigerd, al kon het daar wel op lijken. Maar hij viel haast om van de pijn in zijn hoofd en nek. Het was weken geleden dat hij een nacht had doorgeslapen. Rust was een geschenk uit Gods hand, zoals in de Psalmen stond. *Hij geeft het Zijn beminden in den slaap.*

Vlug deed Judah de deur dicht en liep naar de ladekast om zijn pyjama te pakken. Toen hij die aangetrokken had, sloeg hij het dek terug en gleed in bed. Hij keek naar Letties kussen, pakte het en klemde het tegen zijn borst, terwijl de jeugdige stemmen hun weg bleven vinden van de schuur naar zijn open raam.

★

Na de zangavond nam Grace Henry's uitnodiging aan om met hem uit rijden te gaan in zijn mooie, zwarte rijtuigje. De oude stenen muur en de velden langs de weg waren nog zichtbaar in het wegstervende licht. De sikkel van de maan rees aan de ijle horizon in het oosten en wierp een grimmig licht over de nu zilverachtige akkers.

Ze stapte in het open rijtuigje en ging links van hem zitten. Ze had haar mooiste kastanjebruine jurk aan en had het verjaardagszakdoekje van *Mammi* Adah in haar zak gestopt. Tot nu toe was het nog geen kille avond, maar voor de zekerheid had ze haar wollen sjaal meegenomen.

Op de bank tussen hen in lag Henry's zaklantaarn, dezelfde die hun relatie tot dit punt had gebracht. Wat was ze snel vergeten hoe spannend het was geweest om hem afgelopen woensdagavond buiten te zien staan.

Vier lange dagen geleden!

Zodra ze op weg waren, pakte Henry haar hand. Omdat ze zelden veel spraken, maar liever in stilte van elkaars gezelschap genoten, was deze avond hetzelfde als alle andere.

De maan stond nu boven de rij eiken aan de oostkant van de weg, in de buurt van de Amish school die zich aftekende op Gibbons Road.

Ineens stuurde Henry het paard de berm in en hield halt voor het plein van de school die ze beiden hadden bezocht. Kon het zijn dat hij in een romantische stemming verkeerde? Dat vond ze moeilijk te geloven van Henry. Hij liet zelden zien wat er in hem omging.

Hij hielp haar uit het rijtuigje en naast elkaar liepen ze naar het kleine schoolgebouwtje met maar één lokaal. Zwijgend slenterden ze eromheen.

Na een tijdje liepen ze naar het terrein waar ze als kind honkbal hadden gespeeld. Maar Grace was niet erg jongensachtig en hield meer van touwtjespringen. Toen ze nog klein was, speelde ze het liefst met haar stoffen pop zonder gezicht.

Toen ze het idee kreeg dat Henry alleen van plan was om een wandelingetje te maken, kon ze zich niet meer inhouden. 'Je moet het gehoord hebben van mijn moeder,' waagde ze te zeggen.

'Ja.'

'Dan begrijp je waarom het de laatste dagen zo *verkehrt* gaat. Met mij… en met mijn familie?'

Hij knikte nauwelijks merkbaar.

'Het is een hele schok.' Ze zuchtte gefrustreerd. 'Alles staat op z'n kop.'

Hij keek haar aan. 'Maar het leven gaat door, *jah*?'

Ze rilde. Was dat het enige wat hij kon zeggen?

'Ze scheren de schapen, er worden lammetjes geboren?' zei hij ineens.

'We hebben het flink druk, *jah.*'

Ze liepen naar de schommels. 'En nog geen enkel bericht van haar?' vroeg hij.

'Nog niet, maar we zullen vast gauw iets horen.' Ze ging op een van de schommels zitten en Henry volgde haar voorbeeld. 'Ik weet niet wat jij ervan vindt,' zei ze, 'maar ik vraag me af of we het niet voorlopig moeten uitstellen.'

'Waarom?'

'Tot dit allemaal voorbij is,' legde ze uit.

'Dat hoeft toch niet?' Henry's snelle antwoord verraste haar. 'Je moeder komt vast en zeker op tijd terug voor de bruiloft. Het duurt nog zeven maanden totdat het november is.'

Dus hij denkt niet slecht over mij... Dat stelde haar enigszins gerust. Ze trok haar sjaal om zich heen en klemde de kettingen van de schommel vast. 'Goed, dan laten we het zo.'

Hij zweeg even, in het donker was zijn gezichtsuitdrukking moeilijk te onderscheiden. 'Denk erom, je bent niet zoals je moeder, Grace.'

Haar adem stokte even, ze wist niet wat ze ervan denken moest. Als hij haar een compliment had willen geven, pakte hij het volkomen verkeerd aan.

Henry voelde misschien dat er iets mis was, want hij stond vlug op en kwam naar haar toe. Hij pakte haar hand om haar van de schommel af te helpen. 'We moeten naar huis,' zei hij. En dat was dat.

★

Toen Henry haar afgezet had, zag Grace dat er nog licht brandde bij haar grootouders in de voorkamer. Ze wilde graag met *Mammi* Adah praten, zich in haar liefdevolle armen nestelen en in slaap gewiegd worden als een klein kind.

Maar ze was een volwassen vrouw en ze moest deze storm

doorstaan. Toch kon ze vanavond bij *Mammi* Adah misschien wat wijsheid en zelfs troost vinden.

Als ze nog op is.

Haar altijd meelevende grootmoeder zou begrijpen dat ze niet wist wat ze met haar verloving aan moest. Grace was blij geweest toen *Dawdi* en *Mammi* een paar jaar geleden in de drie verdiepingen hoge boerderij van haar vader waren getrokken. En al boterde het niet altijd even goed tussen mama en *Mammi* Adah, Grace' zeventig jaar oude grootmoeder was altijd bereid om te helpen. Maar meestal was ze druk in de weer met de zorg voor *Dawdi* Jakob, die de laatste jaren aanmerkelijk achteruit was gegaan. Zelden aten ze samen met de rest van de familie, behalve op verjaardagen en feestdagen, en die regeling leek pa en mama best te bevallen.

Grace liep zachtjes over het gazon, de treetjes op naar *Dawdi*'s achterdeur en liet zichzelf binnen. Er brandde nog een gaslamp, maar er zat niemand in de keuken of in de brede voorkamer, waar *Dawdi* en *Mammi* na het eten graag zaten om te praten en te lezen.

Ze zag de grote Duitse Biewel van haar grootvader op de sofa liggen, en *Mammi* Adahs frivoliténaald met een bijna afgemaakt zakdoekje. *Mammi* was vast vergeten het licht te doven, en ze wilde het juist doen toen haar oog viel op een brief die uit de Bijbel stak. Hij was geadresseerd aan mevrouw Adah Esh en juffrouw Lettie Esh, in een straat ergens in Kidron, Ohio.

Ze sloeg de Bijbel open en een nauwlettende blik op de envelop leerde haar dat hij beschreven was met een vaste versie van het handschrift van haar grootvader. De afzender was het voormalige huis van haar grootouders op Weavertown Road, waar ze gewoond hadden voordat ze hierheen verhuisden.

Nieuwsgierig probeerde ze het poststempel te lezen, maar ze kon het niet onderscheiden. Ze hoorde iemand op de trap, stopte de brief vlug weer in de Bijbel en sloeg hem dicht. Toen snelde ze naar de gang.

'*Ach*, Grace… ben jij het. Ik dacht al dat ik iemand hoorde.' *Mammi* Adah zag er vermoeid uit, haar haar viel als zijde om haar heen, helemaal tot haar knieën. 'Je bent vroeg thuis van een afspraakje, *jah*?' *Mammi* keek haar aan.

Grace knikte. 'Ik moest maar gauw naar bed gaan.'

'Maar nu je hier toch bent…' zei *Mammi*. 'Blijf je niet even zitten?'

'Nou ja, het is wel laat… zeker voor u.'

Mammi schudde haar hoofd, haar ogen werden zacht. 'Nooit te laat voor mijn Gracie.'

Ze kon het niet weerstaan en ging in *Dawdi*'s gestoffeerde stoel zitten terwijl *Mammi* plaatsnam op de kleine sofa, naast de Bijbel met die merkwaardige brief erin. Ze keek ernaar en wenste dat ze *Mammi* Adah ernaar durfde te vragen. Het vreemde adres in Ohio had vragen bij haar opgeroepen, maar *Mammi*'s merkwaardige reactie op Grace' idee om haar moeder te gaan zoeken deed haar aarzelen. Bovendien had ze vanavond een dringender kwestie op haar hart.

'Hebt u ooit iets gedaan waarvan u later wenste dat u het niet had gedaan?' vroeg Grace.

Adahs glimlach stierf weg en ze pakte haar frivolitéwerk op. 'Ik denk dat we allemaal zulke dingen doen… Vaak als we jong zijn… En ook nadat we volwassen zijn geworden.'

'Dingen die een ander kunnen kwetsen, al is dat onze bedoeling niet?'

Mammi knikte. 'Waarom vraag je dat?'

Grace wilde het stilhouden van Henry en haar, maar ze zat ook verlegen om *Mammi* Adahs advies. 'Kunt u een geheim bewaren?'

Mammi knikte. 'Je hebt mijn woord, kind.'

'Nou, mijn *beau* is het niet met me eens, maar ik vraag me af of we er goed aan doen onze bruiloft deze herfst door te laten gaan.'

Mammi glimlachte. 'Dus dat is het nieuws dat je aan je moeder wilde vertellen.'

'*Jah*, maar nu… tja, het voelt niet helemaal goed om verloofd te zijn… nu mama weg is.'

'Ik begrijp waarom je het zo voelt.'

Even later zei Grace zacht: 'Eerlijk gezegd ben ik er in het algemeen niet zo zeker van.'

'Wat trouwen betreft?'

Grace knikte. Ze dacht eraan hoe ze zich had gevoeld toen Henry vanavond haar hand had gepakt toen ze op hun oude schoolplein op de schommel zat. Soms geloofde ze dat ze er goed aan had gedaan ja te zeggen op zijn aanzoek. Maar de laatste dagen waren er zo veel twijfels opgekomen. Te beginnen met de avond dat mama met haar had gesproken over Henry's gereserveerde karakter.

De avond van mijn verjaardag… voordat Henry me ten huwelijk kwam vragen.

'Tja, ik zal de laatste zijn om te zeggen dat het vanzelf gaat,' zei *Mammi*. 'Het is niet makkelijk om als man en vrouw onder één dak te wonen en een gezin te stichten.'

Grace dacht na over die ongezouten woorden en dacht aan de verkeringstijd van haar grootouders. '*Dawdi* heeft altijd heel veel van u gehouden.'

'Ja, hoor. Maar liefde is heel anders als je elkaar net kent en verkering hebt. De liefde verandert en verdiept zich tot iets wat de stormen kan weerstaan, zie je… Iets wat het waard is om voor te vechten als je ouder wordt.' Ze zweeg even en keek op van haar frivolitéwerk. 'Of het groeit helemaal niet.'

Ze begrijpt het, ze begrijpt het helemaal.

Mammi vervolgde. 'Sommige mensen kunnen elkaar misschien opnieuw gaan waarderen, maar het kost tijd.' Ze handwerkte nu langzamer door. 'Maar in sommige huwelijken verdraagt men elkaar slechts,' besloot *Mammi* Adah fluisterend.

Grace staarde naar de gehaakte deken op de sofa, de deken die *Mammi* speciaal had gemaakt om *Dawdi*'s onvaste benen warm te houden. 'Wist u zeker… Ik bedoel, toen *Dawdi* u ten huwelijk vroeg, wist u toen…?'

'Dat hij de juiste was?'

'*Jah.*' Grace knipperde haar tranen weg.

'Jakob kon zijn ogen niet van me afhouden. Hij wilde altijd alles eerst aan mij vertellen. En we genoten van elkaars gezelschap. Er waren veel van zulke sterke signalen.'

Alles altijd eerst aan mij vertellen…

Ineens besefte Grace dat Henry niet de eerste was met wie ze de dingen wilde delen. Ze dacht er bijna nooit aan hem over iets in vertrouwen te nemen. En aangezien hij zich zelden uitsprak tegen haar, was zij kennelijk ook niet zijn eerste keus.

Net als mama en pa, dacht ze verdrietig.

Grace streek in gedachten verzonken met haar vingers over de rand van haar schort. 'Ik ben blij dat uw gaslamp nog brandde, *Mammi.*'

'*Ach*, lieve kind… ik ook.' Daarop stond haar grootmoeder met een glimlach op. 'Ik laat je nu maar met rust.'

'Tot morgenochtend.' Grace bleef zitten.

'*Jah*… en slaap lekker, kind.'

Als het lukt. Ze keek naar de Bijbel, nog steeds nieuwsgierig naar wat er tussen de bladzijden verstopt zat.

Hoofdstuk 23

Op de ochtend van wasdag nam Grace de tijd om elk nat kledingstuk zorgvuldig uit te slaan voordat ze de schoudernaad of tailleband tegen de waslijn drukte. Ze zette ieder stuk vast met houten wasknijpers. Vandaag had ze maar twee waslijnen nodig; mama's kleren ontbraken merkbaar.

Toen ze klaar was, snelde Grace langs de weg naar de telefooncel en draaide het nummer dat ze uit haar hoofd had geleerd. Bij de tweede bel nam Martin Puckett op.

'Hallo. Met Grace Byler.'

'Hé, hallo.' Hij klonk bijzonder aangenaam verrast. 'Wat kan ik voor je doen?'

'Ik heb vervoer nodig naar Orchard Road.'

'Hoe laat wil je opgehaald worden en waar?'

'Aan het eind van de oprijlaan graag,' zei ze tegen hem. 'En zo gauw mogelijk.'

'Is over twintig minuten gauw genoeg?'

'Dat is *gut. Denki.*'

'Goed, tot straks.'

Ze zei gedag en hing op, in de hoop dat er geen nieuwe golf van roddels zou losbarsten omdat ze alleen gezien was met de chauffeur die haar moeder 's ochtends in alle vroegte had vervoerd.

Haar wenkbrauwen fronsend om haar eigen cynisme snelde ze terug naar huis om Mandy instructies te geven voor het middagmaal, voor het geval dat Grace niet op tijd terug kon zijn. Maar thuis was Mandy nergens te vinden. Toen schreef ze haar maar een briefje en vloog naar de schuur, waar Mandy bleek te helpen bij een moeilijke verlossing van een lammetjesdrieling.

Gerustgesteld dat alles in orde was, haastte Grace zich naar de hal om haar sjaal te pakken en verliet opnieuw het huis. Toen ze langs de weg liep, ontdekte ze dat ze per ongeluk de omslagdoek van haar moeder had gepakt, maar ze liep door omdat ze Martin Puckett niet wilde laten wachten. 'Kon die omslagdoek me maar helpen begrijpen wat mama heeft gedacht,' fluisterde ze.

Ze stak haar hand in haar schoudertas, blij dat ze eraan gedacht had geld mee te nemen voor de chauffeur. Het was geen lange rit naar het huis van oom Ike, en hij zou wel verrast zijn om haar te zien. Ze hoopte maar dat ze hem thuis trof, zodat haar zuurverdiende geld niet verspild was. Het was niets voor haar om een rit te maken met maar één stopplaats.

Toen ze Martins busje zag, was ze er zeker van dat dit niet de auto was waarmee ze mama had zien weggaan. Als hij inderdaad haar moeder had vervoerd, waarom was hij dan in een auto gekomen?

'Goedemorgen.' Ze wachtte tot hij de deur aan haar kant open liet glijden.

'Wat een mooie dag.' Hij deed een stap opzij zodat ze kon instappen.

Ze knikte. Dolgraag had ze hem willen vragen of hij mama naar het treinstation had gebracht, zoals het gerucht ging. Maar ze wilde hem niet in verlegenheid brengen. Hoe giftig de roddels gewoonlijk ook waren, het was haar een raadsel hoe dit allemaal begonnen was.

'Waar wil je heen?' vroeg Martin. Ze gaf hem het adres. 'Aha, naar je moeders zwager.' Hij knikte. 'Dat huis ken ik wel.'

'Het zou fijn zijn als u me straks weer wilt komen halen,' voegde ze er vlug aan toe. 'Ik blijf maar een uurtje of zo.'

Hij keek vriendelijk in de achteruitkijkspiegel. 'Goed, hoor.'

Ze probeerde niet te denken aan wat ze wilde vragen door onder het rijden de vruchtbare velden en kabbelende beekjes in zich op te nemen. Er landde een roodborstje in een vogel-badje in de tuin van een buurman en het schudde zijn vleu-geltjes. Weer moest ze aan mama denken.

Ze reden een eindje door zonder te praten, tot Grace zich niet langer in kon houden. Ze moest het gewoon weten. '*Ach*, meneer Puckett, ik vind het vervelend om erover te beginnen, maar ze zeggen dat u afgelopen donderdag mijn moeder naar het station hebt gebracht,' zei ze. 'Weet u toevallig waar ze zo vroeg in de ochtend heen kan zijn gegaan?'

Weer ontmoette hij haar blik in de achteruitkijkspiegel. 'Je moeder was nogal van streek.' Hij keek weer naar de weg. 'Ik heb geprobeerd haar over te halen om hier te blijven, maar ze wilde beslist gaan. Ik heb geen idee waarnaartoe.'

Hij keek voorzichtig over zijn schouder, alsof hij niet meer durfde te onthullen. 'Ze vroeg me niets te zeggen.' Hij pau-zeerde. 'Dus ze is nog niet terug?'

'Nog niet… en we hebben ook geen van allen iets van haar gehoord.' Grace zuchtte, ze was te teerhartig om de geruchten over Martin en mama te noemen. *Dat hoeft niet*, dacht ze. Uit wat hij had gezegd, bleek duidelijk dat Martin nergens heen was gegaan met haar moeder, al begreep Grace niet waarom ze niet had gewild dat hij iets zei over haar reis.

'Ik hoop dat alles in orde is met haar,' zei hij diep bezorgd. 'Het beviel me eerlijk gezegd helemaal niet dat ze zo alleen op reis ging.'

'Ik bid dat God over haar waakt.' Ze keek weer uit het raam-pje en probeerde waardering op te brengen voor alle schoon-heid om haar heen: de heldere ochtendlucht, die zonneschijn beloofde. Maar de wereld leek nu koud en troosteloos.

Ze hoopte dat oom Ike iets wist wat haar naar mama kon leiden. 'Ik wil mijn moeder gaan zoeken en haar mee naar huis nemen,' verklaarde ze ineens.

Martin knikte. 'Voor jou en je familie hoop ik dat het je lukt.'

De boerderij van Ike Peachy kwam in zicht en voordat hij

uitstapte, beloofde Martin haar weer te komen halen. Grace wachtte tot hij was omgelopen om de zware deur voor haar open te schuiven. '*Denki*, heel erg bedankt,' zei ze.

Er is helemaal niets mis met Martin Puckett, stelde ze vast.

Martin reed achteruit en draaide voordat hij de weg weer op reed. Hij was opgelucht dat Grace Byler zo aardig tegen hem had gedaan. Letties verdwijning had duidelijk veel verwarring en verdriet bij haar dochter teweeggebracht; dat verraadden haar roodbehuilde ogen. Kon hij de pijn van dat gezin maar verzachten.

Ik had beter mijn best moeten doen om Lettie tegen te houden…

Hij reed naar Ronks, ten zuiden van snelweg 340, om een paar Amish dames op te halen die naar een grote stoffenwinkel in Paradise wilden gaan. Grace' verzoek om haar over een uurtje op te komen halen kwam goed uit. Hij verbruikte vandaag veel benzine met al die klanten, maar na een weekend zonder telefoontjes was hij blij dat hij het druk had. En aangezien Grace hem had opgebeld en ronduit met hem had gesproken over afgelopen donderdag, begon Martin zich minder zorgen te maken dat de rust van het weekend iets met Lettie Byler te maken had.

*

Judah kon het niet langer verdragen. Mismoedig verliet hij de geboortestal. Hij duwde de schuurdeur open en liep over het erf naar de weg. Samen met Adam had hij alles gedaan wat in zijn macht lag om het derde lam te redden. *Een drieling… het is toch wat.* Maar hoe langer hij peinsde over wat er mis kon zijn gegaan, hoe miserabeler hij zich voelde.

Zonder te letten op waar hij liep, mompelde hij in zichzelf: 'Als Lettie thuis was geweest, was het beter afgelopen.' Vanaf de eerste dagen van hun huwelijk was ze altijd zo vriendelijk en zorgzaam geweest voor de ooien. Urenlang had ze bij hem in de schuur gezeten of de pasgeboren dieren zelf gecontroleerd om hem af te lossen.

Wat is er in maart gebeurd waardoor ze zo veranderd is? Hij schudde zijn hoofd, hij wilde geen geërgerde gedachten koesteren over zijn vrouw, de prachtige bruid van zijn jeugd. Lettie was niet altijd als een last op zijn schouders geweest. Nee, er waren veel prettige dagen geweest.

Hoe lang was ze nu weg? Het leek al vreselijk lang. Hij voelde zich zo hulpeloos nu hij het kleinste lam had zien snakken naar lucht. Wat een sterke wil om te leven had het arme, kleine ding.

'Morgen, Judah!'

Andy Riehl was met twee van zijn oudste zoons maïs aan het planten. Judah zwaaide en zag Andy's neven in de akker ten oosten van hun huis mest verspreiden. Toen hij naar het huis van de Riehls keek, besefte hij dat hij in zijn versuffing linksaf geslagen was op de weg. Marian en Becky hingen de laatste broeken aan de waslijn.

Wasdag, dacht hij. *Waar is Grace?*

Met de zon warm op zijn pijnlijke nek en schouders liep hij langs het huis van de Riehls. De pijn werd erger en nam niet af zoals hij had gehoopt. Hij moest terug naar de schuur om Adam te helpen het dode lam op te ruimen, maar hij voelde zich er niet toe in staat. Zijn kinderen hadden nu ten minste één zelfverzekerde ouder in de buurt nodig. Misschien knapte hij een beetje op van de wandeling.

Ineens begreep hij iets van Letties behoefte om 's avonds laat te wandelen: het hielp haar om de rest van de dag haar hoofd omhoog te houden. Het hielp haar verbergen wat haar dwarszat.

Hij begon te rennen, zwaaiend met zijn armen. Zijn werklaarzen stampten over de weg... hij begon te hijgen. Helemaal naar het huis van prediker Smucker liep hij; meer dan een kilometer. Er ratelden rijtuigen op en neer over de weg, een paar mensen zwaaiden en riepen naar hem.

Laat ze maar denken wat ze willen.

Judah wist niet of zijn ogen nat werden door zweet of tranen, maar hij rende door zonder te kunnen stoppen.

★

Grace hoorde stemmen in het huis van oom Ike, dus ze nam niet de moeite om te kloppen maar betrad het huis via de zomerveranda, waar ze dikke spinnenwebben in een hoek zag zitten. *Dat had tante Naomi nooit goedgevonden.* Ze ging naar de keuken, waar oom Ike zat te ontbijten met gebakken gehaktbrood, eieren en toast. Twee bejaarde oudtantes van Grace zaten bij hem aan tafel.

Ze kuchte zacht, om hem niet te laten schrikken. Alle drie keken ze om. 'Nou, kijk eens aan… het is Gracie van Judah.' Ike stond half op uit zijn stoel, maar ging even vlug weer zitten. 'Kom… kom zitten en eet een hapje mee.'

De oude vrouwen glimlachten en knikten voordat ze hun aandacht weer op hun ontbijt richtten. 'Wat brengt jou hierheen?' vroeg de oudste, met haar vork halverwege tussen haar bord en haar mond.

'Ik wilde oom Ike even spreken.' Ze ging zitten waar tante Naomi altijd had gezeten, de stoel was nog leeg na haar overlijden. 'Mag het?' vroeg ze.

'Niet als je me gaat zitten aanstaren terwijl ik ontbijt.' Zijn ogen twinkelden ondeugend en hij reikte naar zijn koffie. 'Wat wil je eten?'

Ze had al gegeten en had niet veel trek. Maar als ze informatie wilde krijgen, moest ze eerst beleefd gaan zitten met een bord eten en een praatje maken. *Tenzij…* 'Mijn chauffeur komt me over een uur halen,' zei Grace, in de hoop dat hij een beetje wilde opschieten.

Ike keek naar het raam. 'Was dat niet Martin Puckett die je heeft gebracht?'

Ze schoot rechtop. 'Ja, dat klopt.'

'O. Waarom…'

'Er is toch niets mis mee dat mama Martin heeft gebeld om haar naar de trein te brengen?'

'Nou, het was toch wel verkeerd van haar om de stad uit te gaan, of niet soms?' zei Ike. Hij veegde zijn bord schoon met een korst geroosterd brood. Hij nam de laatste slok van zijn koffie, rees stijf overeind van zijn stoel en wenkte Grace om mee te komen naar de voorkamer.

Grace begon vlug over iets anders. 'Ik weet dat u het druk hebt, maar ik dacht dat u misschien een paar stukjes voor me kon invullen van een heel grote puzzel,' zei ze tegen hem.

'Wat voor puzzel?' Zoals bij veel boeren waren zijn wangen rood verweerd door vele jaren in de zon werken. Zijn gezwollen oogleden hingen bijna over zijn ogen; sinds Naomi's dood was hij een stuk ouder geworden.

'De puzzel van mama's jeugd.' Grace legde uit dat haar moeder de dichtbundels koesterde die van tante Naomi waren geweest. 'Heeft tante Naomi u weleens verteld waar die boeken vandaan kwamen?'

Het wit van zijn ogen begon te glinsteren. 'Ik wou dat ik je kon helpen, Grace, maar ik ben bang dat ik niets te vertellen heb. Naomi heeft nooit gezegd waarom ze die boeken had en ik heb er nooit naar gevraagd.' Hij zweeg even en keek haar onderzoekend aan. 'Denk je echt dat een paar oude dichtbundels zo belangrijk zijn?'

Grace aarzelde om haar oom te vertellen van haar vermoedens, omdat ze bang was haar moeder bloot te stellen aan nog meer kritiek. 'Ik begrijp gewoon niet waarom mama ze mee naar huis zou nemen als ze geen bijzondere betekenis voor haar hadden.'

Oom Ike zuchtte. 'Het spijt me dat je voor niets hierheen bent gekomen. Het zal wel lastig geweest zijn om weg te gaan nu je het thuis zo druk hebt.'

Grace knikte, ze bleef aan mama denken terwijl haar oom begon over de jonge lenteaanplant.

★

Het logement lag een stukje van de weg tussen een knus groepje bomen en zag er verrassend genoeg nog net zo uit als jaren geleden. Zelfs de verf aan de buitenkant had nog precies dezelfde kleur, herinnerde Lettie zich, maar de voorveranda was uitgebouwd.

Tegenwoordig werd het schilderachtige hotelletje gerund door een jong echtpaar, Carl en Tracie Gordon. Daar was Lettie dankbaar voor en ze was blij dat ze een kamer boven had gekregen, zodat ze geen laatkomers boven haar hoofd hoefde te horen stampen.

Vier dagen geleden vertrok de trein uit Lancaster, dacht ze vol vrees en verwachting. Zo lang had het geduurd om aan de hand van enkele aanwijzingen Samuels precieze huisadres te ontdekken. Het was begonnen met iemand die haar nicht Hallie kortgeleden genoemd had in een brief. Afgezien van het telefoonnummer van de hotelhouder en de chauffeur die hij had aanbevolen, had ze weinig nut gehad van de lijst met telefoonnummers die ze had meegebracht. De vrouw van de hotelhouder had vriendelijk geopperd dat Lettie Samuels adres sneller had kunnen vinden als ze het via de computer had geprobeerd.

Ze had verwacht dat het in zo'n klein stadje veel makkelijker zoeken zou zijn. Maar Samuel behoorde al jaren niet meer tot een Amish groep, sinds zijn familie langgeleden uit Bird-in-Hand was vertrokken.

Ze stond verbaasd hoeveel Samuel Grabers er in de streek woonden. Toen ze het telefoonboek had doorgewerkt, en met de telefoon van de Gordons het ene nummer na het andere had gedraaid, was ze ontmoedigd geraakt.

En ik had nog wel gehoopt dat ik zo bij hem voor de deur zou staan om aan te bellen!

Maar vandaag had ze een nieuw spoor en nieuwe hoop dat ze eindelijk haar vroegere *beau* zou zien, die na twintig jaar huwelijk onlangs weduwnaar was geworden.

Woorden van de bisschop van lang geleden galmden in haar oren: 'Neemt u deze man als uw echtgenoot, en belooft u hem nooit te verlaten totdat de dood u scheidt?'

Lettie duwde de herinnering weg en maakte haar bed op. Ze was blij met haar lichte hoekkamer, die niet veel verschilde van de kamer waarin ze vroeger had gelogeerd in dit historische logement. Ze was hier met haar moeder geweest op aanbeveling van goede vrienden, had mama haar op die bitterkoude winterdag uitgelegd. En ze waren maar kort gebleven, als haar geheugen haar niet in de steek liet.

Ze keek om zich heen. Het lichtgroen gestreepte behang was mooi, maar was losgeraakt bij de brede deurpost. Als het dezelfde kamer was geweest, had ze de kleur stellig herkend.

Ze liep naar de deur en keek om naar de kleine ladekast, waarin ze haar persoonlijke bezittingen had opgeborgen. Voorlopig had ze ruimte genoeg.

Hetgeen dan God samengevoegd heeft, scheide de mens niet...

Met een zucht ging Lettie voor het raam zitten in haar afgezonderde schuilplaats. Ze pakte haar geliefde dichtbundel en las op haar gemak de laatste bladzijden. Ze klemde het reepje papier in haar handen en staarde verlangend naar het adres. 'Mijn laatste hoop.'

Hoofdstuk 24

Heather veegde haar tranen weg en nam achteruit de bocht in de oprijlaan. Ze wierp een blik op de rode stenen van het koloniale huis van haar familie.

Ik doe het ook voor jou, pap. Ze keek omhoog naar haar raam boven de garage; dat gezellige, knusse plekje dat ze samen met haar vader voor haar alleen had ingericht.

Ze had amper tijd genomen om in te pakken en lukraak een berg kleren en persoonlijke spullen in de kofferbak en op de achterbank van de auto gegooid voordat ze op weg ging naar een zomer zonder stress. Kalmte was het eerste noodzakelijke ingrediënt voor gezondheid. Lancaster County, de tuin van de wereld, was uitstekend geschikt. Voor haar stonden tuinen gelijk aan rust... en rust aan heelheid. Niet dat ze dat hele Moeder-Aarde-gedoe in de armen wilde sluiten, maar de natuur was per slot van rekening de natuur.

Gelukkig had ze dat GPS-systeem op haar iPhone, zonder moeite zou ze haar weg vinden naar Pennsylvania. De kaart stuurde haar naar de snelweg via Baltimore en dan nam ze de snelweg naar Pennsylvania.

Heather luisterde naar muziek en begon zich nu al te ontspannen. Ze keek ernaar uit Marian Riehl te ontmoeten, die door de telefoon zo sympathiek had geklonken en zelfs had geopperd dat Heather per week betaalde. 'Als langdurig blijvende gast geven we je een aardige korting... en denk erom, de Dag des Heeren brengen we niet in rekening.'

Zo had ze de zondag nog nooit horen noemen en ze vond het charmant en intrigerend.

★

Uren later, toen ze van snelweg 30 de 340 opdraaide, vroeg Heather zich af of haar vader haar briefje al gevonden had. Ze keek op haar digitale klokje en besefte dat hij het nog niet op zijn bureau had zien staan.

Vier uur. Hij is nog aan het werk…

Hij hoefde echt niet de harde feiten over haar vertrek te weten, alleen dat ze vrijwillig op de vlucht was. Ze had duidelijk gemaakt dat ze contact zou houden en had op het laatste moment besloten haar telefoon mee te nemen. Ze kon zich niet voorstellen hoe ze moest leven zonder Twitter of sms of e-mail.

Een eerder concept van een e-mail die ze vorige week aan Devon had geschreven, waarin stond dat ze deze zomer wegging naar een heerlijk, exotisch oord, had ze snel gewist. Nu hij zijn bom had laten vallen, zou haar enige liefde nooit iets te weten komen van haar plannen en van haar ziekte.

Ineens zag ze voor haar auto een echt levend paard dat een schilderachtig, grijs rijtuig trok. Ze hapte naar adem en bedacht hoe wonderlijk ouderwets ze dat had gevonden toen ze hier als meisje voor de allereerste keer met haar familie op bezoek was. Nu ze de Amish wijze van vervoer van zo dichtbij zag, kwam het allemaal weer terug… de reden waarom ze hier weer had willen komen.

Verdwenen waren Heathers zorgen over haar gezondheid… verdwenen de verbijstering dat Devon iemand anders boven haar had verkozen. Op dit moment concentreerde ze zich helemaal op de ongelooflijke aanblik vlak voor haar ogen. Hoe vaak ze hier ook kwam, ze bleef het ontzagwekkend vinden. Dit was tenslotte de eenentwintigste eeuw, maar ze had het gevoel alsof ze tussen Virginia en hier in een tijdmachine had gezeten.

Heather keek naar de rode driehoek op de achterkant van het rijtuig en zag de dunne, wiebelende wielen aan weerskanten. *Geen enkele kans een hard rijdende auto te overleven.* Met kromme tenen kroop ze met vijftien kilometer per uur achter het rijtuig aan, helemaal naar Bird-in-Hand. Aan de achterkant gluurden een paar blonde kindertjes naar buiten. Ze keek in haar achteruitkijkspiegel. Er reed een hele rij auto's achter haar.

Ze stellen zich tevreden met die slakkengang, dacht ze.

De GPS gaf aan hoeveel meter er nog te gaan was voor de afslag. Grappig, die gave technologie terwijl ze met de auto achter paard en wagen reed. *Bijna bij de afslag...*

Weer keek een gezichtje haar aan door de opening in de achterkant van het rijtuig. Ze ving een glimp op van zijdezacht blond haar en grote ogen, en voelde een messteek van pijn in haar hart. Dokter O'Connor had gezegd dat ze nu wellicht nooit een eigen kind zou krijgen.

Een muur van angst rees op en torende boven haar uit. Was het wel verstandig dat ze reguliere medische behandeling had geweigerd?

Maar nee, ze moest in elk geval proberen de ziekte op haar eigen manier te overwinnen. Ze wilde niet twijfelen aan haar besluit.

Deze reis draaide alleen om haar... en om de weg die haar moeder wenste dat ze had gekozen. Heather kon het moment bijna aanwijzen waarop ze zo naar binnen gericht was geworden, of hoe noemde je dat. Er moest nu tenslotte iemand op haar passen. En als Heather het niet deed, wie dan?

Weer dacht ze na over Devons lompe e-mail. Als ze het niet als een totale tijdverspilling zou zien, zou ze bidden voor zijn nieuwe vriendin, en God vragen haar te beschermen tegen die hartenbreker.

Niet dat ze niet gelovig was opgevoed. Haar grootste hoop was de bodem ingeslagen toen God niet had geluisterd naar haar smeekbeden om mams leven te sparen. Hij was zeker te veel in beslag genomen door belangrijker zaken, en had het te druk gehad om mam te genezen door de behandelingen die volgens de artsen essentieel waren.

Uiteindelijk waren de behandelingen sterker geweest dan

haar moeder. *Ja hoor, ze werkten best. Of je een mug doodt met een kanon.*

Aangevochten draaide ze in noordelijke richting Beechdale Road op. Inderdaad, ze was weggevlucht, maar ze hoopte hier weer iets van vrede terug te vinden. Ook hoopte ze dat de natuurgenezer dokter Marshall optimistisch was over haar kansen op genezing.

Ze zag de oude, stenen boerderij die Marian haarfijn beschreven had. Langs de hele buitenkant van de voorveranda met zijn witte balustrade klom een wingerd. Heather zag meerdere kleine huizen die aan het grote huis vastgebouwd waren, iets wat ze in deze streek eerder had gezien. Over het erf aan de zijkant strekte zich een lange waslijn uit, net als jaren geleden bij haar grootouders thuis.

Een dikke kip stak de oprijlaan over en twee mollige meisjes met vlechtjes om hun hoofd jaagden het dier na.

Dit kan leuk worden. Ze opende het portier en ademde de frisse geuren van de boerderij in, doordrenkt met koeienmest. En ze lachte.

★

Blij met de doorverwijzing naar een chauffeur was Lettie op weg naar Fredericksburg, even ten zuiden van Kidron waar het hotelletje van de Gordons lag. Eindelijk ging het dan gebeuren.

Ze voelde een steek van schuld omdat ze Judah zomaar achtergelaten had.

Zou hij me ooit vergeven?

Ze dacht met spijt aan de spanning tussen hen en aan hun laatste teleurstellende gesprek. Was het niet veel beter geweest als ze gewoon haar mond had gehouden? Ze had de afgelopen maand totaal niets bereikt met haar herhaalde pogingen om met haar man te praten.

En Grace en Mandy? Ze dacht zo vaak aan het koken en

het andere huishoudelijke werk dat ineens op de schouders van haar meisjes terecht was gekomen. En Grace moest ook nog bij Eli's werken.

Mijn gezin zal nu niet mild over me denken…

★

Met bonzend hart controleerde Lettie nog een keer de nummers op de brievenbus voor de bungalow waar Samuel moest wonen. De voordeur stond open en toen ze het trapje van de veranda opklom, kon ze door de hordeur vaag naar binnen kijken.

Aan weerskanten van de deur stonden twee aardewerken potten met uitbundig bloeiende rode begonia's. *Samuel hield altijd van felle kleuren*, herinnerde ze zich, en in de hoek van de veranda tingelde aan een haak zachtjes een windklokkenspel.

Ze richtte zich op tot haar volle lengte, haalde diep adem en stak haar hand uit naar de bel… en aarzelde. Vandaag kon ze het niet verdragen een luide bel te horen. Daarom tikte ze zacht op de niet-afgesloten hordeur, die een beetje meegaf. Een vrouwenstem riep: 'Een ogenblik… ik heb mijn handen vol.'

Samuels tweelingzus Sarah? Ze wist het niet zeker en ze kon de vrouw niet zien.

Geduldig wachtend vroeg Lettie zich af of de vrouw per vergissing was omgelopen naar de achterdeur.

'Hallo,' zei een blonde *Englische* vrouw die haastig naar de deur kwam. 'Sorry voor het oponthoud… ik was net de planten aan het water geven.'

'O, dat geeft niet.' Lettie deed een stap naar achteren en de jonge vrouw deed open. 'Woont hier Samuel Graber?' Haar stem klonk hees.

De vrouw glimlachte. 'Hij is de stad uit, net gisteren vertrokken. Hij is een vriend gaan helpen met het vernieuwen van zijn dak.'

Lettie knikte diep teleurgesteld. Nu was ze zo ver gekomen…

'Kan ik iets voor u doen?'

'Weet u toevallig wanneer hij terugkomt?'

'Ergens in het weekend. Wilt u een boodschap achterlaten?'

'Nee… nee,' zei Lettie met een gedwongen glimlach. 'Ik kom een andere keer wel terug. *Denki*… eh, dank u.'

De dag leek ineens heel lang. Ze sjokte het pasgeverfde trapje weer af en keek om naar het mooie zitgedeelte op Samuels veranda.

Zouden we daar zitten als we eindelijk, eindelijk samen praten?

Lettie had zo'n persoonlijke ontmoeting tientallen keren in haar hoofd gerepeteerd. Maar nu was ze gedwongen langer te wachten voordat ze hem kon zeggen waar ze naar smachtte. Als ze tegen die tijd de moed niet verloren had.

Hoofdstuk 25

'Kom binnen… kom binnen. *Willkumm* in ons huis, Heather.'
De vrouw des huizes, Marian Riehl, was ruimschoots van
middelbare leeftijd, gokte Heather, maar ze stond erop de twee
stuks bagage in één keer naar binnen te dragen. Heather pro-
testeerde herhaaldelijk, maar Marian was vastbesloten om de
rode loper van gastvrijheid uit te leggen.

Heather bleef staan om de wijde lucht en het uitgestrekte
land in zich op te nemen; weelderige, groene akkers en majes-
tueuze zilverkleurige silo's die het landschap markeerden. De
omgeving was als een filmdecor; een windmolen, een houtschuur, een melkhuis en zelfs een handpomp bij de bron, niet
ver van de achterdeur. 'Verbazingwekkend,' zei ze tegen Marian terwijl ze achter haar aan het huis binnenliep. Als het huis
op internet had gestaan, had ze nooit een kamer gekregen, dan
waren de Riehls voor jaren volgeboekt.

'Heb je zin in warme chocoladekoekjes en frisse limonade?' vroeg Marian, terwijl ze Heather de ruime keuken liet
zien.

'Ik zou het echt niet moeten doen, maar… nou, goed!' Lachend nam ze een glas limonade aan en pakte een koekje van
de schaal met zelfgemaakt lekkers. Er lag een rood met wit
geruit zeil op de meterslange tafel midden in de grote ruimte.
Erboven bungelde een gaslamp.

'Doe alsof je thuis bent,' zei Marian. 'Zolang je hier bent, is
ons huis jouw huis.'

Opnieuw besefte Heather hoe volkomen verwijderd van de
echte wereld ze zich voelde. De moderne maatschappij was
verdwenen, vervangen door een ouderwetse omgeving en een
plezierige mate van gastvrijheid. Hoeveel bezoeken ze door

de jaren heen ook aan Lancaster County had gebracht, ze had nog nooit bij een echt Amish gezin gelogeerd.

'Hebt u weleens van dokter Marshall gehoord?' vroeg ze, terwijl ze Marians uitdossing in zich opnam: haar blote voeten staken onder de lange blauwe jurk met het effen zwarte schort uit.

'Jazeker. Mevrouw Marshall behandelt de vrouw van onze prediker.' Marians ogen lichtten op en ze haalde een schrijfblok en een potlood uit een lade. Ongevraagd begon ze vlug een plattegrond te tekenen. 'Haar praktijk is heel makkelijk te vinden, het is midden in het centrum van Lancaster.'

Heather glimlachte dankbaar. Marian was met haar eigenaardige spraak, twinkelende blauwe ogen en rozige wangen een heerlijke prentenboekfiguur.

'Ik breng je naar je kamer,' zei Marian nadat ze met een stralend gezicht twee andere gasten die de keuken binnenkwamen had begroet. 'Als je zover bent.'

Terwijl Heather achter haar aan liep, viel haar op dat er geen platen aan de muren hingen en dat er geen enkel stopcontact was. In een kleinere ruimte naast de keuken stond een hoge hoekkast en ze vroeg zich af of dit de eetkamer was zonder tafel, of gewoon een plek om meer theekopjes en schotels uit te stallen dan ze ooit had gezien. Op een houten richel langs de muur stonden decoratieve borden op hun kant.

Hoe vreemd het ook leek, Heather voelde zich nu al volkomen thuis in dit huis waarin ze nooit eerder een voet over de drempel had gezet.

Misschien was dit toch helemaal niet zo'n gek idee!

★

Adah genoot van de geur en de prachtige structuur van de koffiebroodjes. Ze haalde een grote bakpan uit de gasoven en glimlachte om het moderne gemak ervan. De keuken was doordrongen van de heerlijk zoete geur. Ze was half van plan

Jakob te roepen om hem te laten proeven, maar hij had zijn dagelijkse suikerlimiet al overschreven, met zijn neiging om 's morgens vroeg meteen een baksel in zijn koffie te soppen.

Maar Marian Riehl... die magere vrouw kon wel een paar pondjes extra gebruiken. Bovendien popelde Adah om naar buiten te gaan, zulk mooi weer was het. Dus als de broodjes een beetje afgekoeld waren, zou ze hun buurvrouw gaan verrassen, die vanmiddag een nieuwe gast verwachtte.

Stel je voor, altijd vreemden over de vloer...

Adah liep naar het raam aan de voorkant dat uitkeek op het oosten en keek naar de oprijlaan met de bomen erlangs van de Riehls. Ja hoor, daar stond een blauwe auto geparkeerd.

Omdat ze niet wilde toegeven dat het eerder uit nieuwsgierigheid was dan uit goedheid, verzamelde Adah genoeg koffiebroodjes om heel Marians grote gezin te voeden, evenals de verscheidene logerende gasten.

Aangekomen bij de achterdeur van de familie Riehl riep ze Marian, die vlug kwam opendoen. 'Hallo. *Wie geht's*, Adah... kom binnen om een poosje bij me te zitten.'

'Hoe gaat het?' Ze zette de mand met warme ontbijtbroodjes op tafel.

'Best,' zei Marian. Ze keek grinnikend naar al het lekkers. 'Dat had je niet moeten doen... maar het ruikt erg *gut*.'

Adah knikte en klapte het deksel van de mand omhoog. Marian boog zich diep om de verrukkelijke geur op te snuiven. 'Dan hoef je niet zo veel te bakken voor morgen, *jah*?'

Marian klapte het deksel weer dicht. '*Ach*, ik heb geen hekel aan bakken. Maar het is heel aardig van je.' Ze gebaarde dat Adah moest gaan zitten. 'Heb je zin in een kop thee?'

'Graag.'

'Ik wil je graag voorstellen aan onze nieuwste gast. Degene over wie ik je vorige week vertelde... weet je nog?'

Adah gaf niet toe dat ze gretig was om de jonge vrouw met de glanzende, blauwe auto te ontmoeten. Ze knikte slechts.

'Nou, je zult zien dat ze weer naar beneden komt tegen de

tijd dat wij onze thee op hebben.' Marians ogen straalden van blijdschap. 'Ik merk dat ze het hier nu al fijn vindt en ze is er nog maar net.'

'Nou ja, natuurlijk. Net zoals al jullie gasten van je warme gastvrijheid genieten.' Glimlachend streek Adah haar jurk glad en kruiste bevallig haar blote voeten onder de tafel.

Adah vond het raar dat ze zo om Lettie heen praatten. Marian vroeg naar Judah, Adam, Grace en de rest… zelfs naar Jakob, maar sprak geen woord over de *vermiste*.

Adah roerde suiker en een paar druppels room in haar hete thee toen de langste jonge vrouw binnenkwam die ze ooit had gezien. Tjonge, het meisje moest ruim één meter tachtig zijn. Ze had goudbruin haar en een glimlach waar alle jongemannen naar zouden omkijken.

Vlug stelde Marian haar voor. 'Dit is Heather Nelson uit Virginia.'

'Heel fijn je te ontmoeten, Heather,' zei Adah hartelijk.

'En Heather, ik wil je graag voorstellen aan mijn goede vriendin, die toevallig ook mijn buurvrouw is… Adah Esh.' Marian vroeg Heather bij hen te komen zitten. 'Wil je een kop thee?'

'Graag.' De jonge vrouw knikte glimlachend. Adah en Marian droegen allebei een donkergroene pelerinejurk met een bijpassend schort, en Heather nam het allemaal goed in zich op. 'Het ruikt heerlijk in uw keuken,' zei Heather terwijl ze aan tafel ging zitten.

'We moesten Heather maar wat van je heerlijke gebak aanbieden,' zei Marian terwijl ze de mand opendeed. 'Morgen zijn ze tenslotte niet meer zo warm… en niet meer zo vers.'

Heather lachte zacht – alsof ze zong – voordat ze een grote bol pakte die droop van de suiker.

'Niemand kan er maar eentje eten,' zei Adah meteen met een blik op Marian.

Heather beet in de bol en haar ogen werden groot. Ze knikte een paar keer, kennelijk niet in staat iets te zeggen. Toen het eindelijk ging, zei ze: 'Wauw. Daar kun je makkelijk verslaafd aan raken.'

'Waar of niet,' zei Adah.

'Eigenlijk zouden we niet zo veel vet en suiker moeten eten,' voegde Marian eraan toe.

'Wat we *moeten* en wat we *doen*, zijn vaak heel verschillende dingen,' zei Adah. Allemensen, daar had ze zichzelf verbaasd door ronduit te zeggen wat er in het diepst van haar hart leefde. *O, Lettie…* Opnieuw besefte ze hoe leeg Judahs grote huis moest zijn voor hem en de kinderen.

Zo ontzettend leeg. En even werd ze haast bang.

Heather zat bij Marian Riehl aan tafel en genoot van het wanordelijke taaltje van de Amish. Dingen als: 'gooi het paard over de stal wat hooi', of 'die ondeugende jongens moeten meer met de roede krijgen, gekastijd worden!' en 'het licht uiten'. En dan te bedenken dat ze in deze charmante omgeving de hele zomer ging doorbrengen!

Marian was een echte schat, maar de pit en de geestigheid van Adah Esh trokken haar meer aan. Zoals de oudere vrouw even zweeg voordat ze iets zei en met haar mond open scheen na te denken hoe ze zich het best kon uitdrukken, vond ze intrigerend. Ze zag voor zich hoe Adahs gedachten over elkaar buitelden… en wat een mooie, grijze ogen!

'Heet je Nelson van je achternaam?' vroeg Adah tijdens een korte stilte.

'Dat klopt.'

Marian bracht haar kopje naar haar mond. 'Die naam horen we hier in de buurt niet veel.'

'Weet je, ik heb gehoord dat een man die Nelson heet een eindje verderop een stuk land heeft gekocht.' Adah hield haar hoofd schuin. 'Kan dat iemand zijn die je kent?'

Dat had ze snel bedacht. 'Misschien mijn vader.'

De Amish vrouwen keken elkaar aan.

'Tenzij er in de buurt nog meer land te koop is.'

Marian schudde haar hoofd. 'Land is tegenwoordig erg in trek; je kunt het haast niet krijgen. Als het waar is, heeft je vader veel geluk gehad.'

'Hoe heet je vader?' vroeg Adah.

'Roan Nelson,' antwoordde Heather. 'Hij zei dat hij een boerderij in Amish stijl op die anderhalve hectare wil zetten.'

'O ja?' Marians ogen lichtten op. 'Komt er elektriciteit in huis?'

Heather lachte. 'Ik mag hopen van wel!'

'Nemen jullie dan ook een paar stuks vee of een paar melk-koeien?' vroeg Adah.

'Geen van beide, denk ik.'

Daar moesten ze hard om lachen en Heather begreep dat zij net zo veel belangstelling hadden voor haar als zij voor hen, zo niet meer.

★

Grace' jongste broer Joe kwam binnen om water te drinken en tegen het aanrecht geleund luisterde ze naar hem, toen hij vertelde over de nieuwste pensiongast van de familie Riehl. '*Mammi* Adah zegt dat ze allerlei spullen heeft meegebracht,' praatte hij druk.

'Wat voor dingen?'

'Stapels boeken vooral, zei *Mammi*.' Hij krabde op zijn hoofd. 'Je hebt vast al gehoord van dat meisje uit Virginia, *jah*?'

'*Mammi* vertelde me dat ze kwam.'

Joe sloeg een groot glas water achterover en kwam naar de gootsteen om meer. '*Mammi* zegt dat ze is gekomen om een poosje te blijven. Ze moet voor haar studie een scriptie schrij-ven of zoiets.'

Dat had Grace nog niet gehoord. 'Dan moet ze wel hoog-opgeleid zijn.'

'Interessant om nog een *Englischer* in de buurt te hebben, *jah*?'

Ineens dacht Grace aan Martin Puckett, die ook als *Englisch* werd beschouwd. 'Hoor es, Joe, ik wil dat je me helpt de roddels over mama en Martin Puckett uit de wereld te helpen. Goed?'

Hij knikte. 'Ik zat tijdens de kerkdienst hetzelfde te denken. Het is zo'n aardige man… altijd even behulpzaam voor ons.'

'*Gut* dan. Vertel iedereen dat je weet dat Martin thuiszit en dat hij er niet met mama vandoor is. En nooit is geweest.' Ze werd alleen door het te zeggen al een beetje onpasselijk.

Joe fronste zijn voorhoofd en wreef over zijn kin. 'Nou, dat kan wel een einde maken aan het geklets over Martin, maar mama is nog steeds weg. Dat is geen roddel!'

'Weg, *jah*.' *Maar daar kan ik hopelijk verandering in brengen.*

Hoofdstuk 26

De ochtend na haar aankomst werd Heather wakker van de ongewone stilte. In bed liggend drukte ze haar vingers zachtjes in haar oksels om de kleine knoopjes te vinden... Nog steeds geen pijn. Ze streek met haar hand langs haar ribbenkast. Ook daar waren tot haar opluchting geen veranderingen. Misschien bleek het wel heel therapeutisch te zijn dat ze was weggegaan. En bevrijd was van een bedrieglijke ellendeling van een verloofde!

Ontspannen rekte ze zich uit, zich prettig bewust van de aangename omgeving. Zuchtend bedacht ze dat Devon haar nooit meer in zijn sterke armen zou houden.

Waar is het misgegaan met Devon?

Maar ze wilde niet meer aan hem denken. Hij was door zijn eigen daden uit haar leven verdwenen. Was het niet beter zo, dan er vlak voor de bruiloft achter te komen... of erger nog, daarna?

Ze draaide zich om, vechtend tegen een wirwar van emoties – boosheid, verdriet en verbijstering – en pakte haar telefoon.

Rechtop gezeten bekeek ze of ze die nacht nog oproepen had gemist; ze liet haar telefoon nooit aanstaan als ze sliep en omdat hier geen elektriciteit was, moest ze haar batterij sparen. Ze was blij dat ze een paar vervangende batterijen had meegenomen voor haar laptop, maar doordat ze gisteren de GPS zo lang had gebruikt, was die van de telefoon bijna leeg. Ze moest hem ergens in een koffiehuis of zo gaan opladen, en misschien moest ze een oplader kopen die ze in haar auto kon gebruiken.

Als ik me weer vooruit kan branden, dacht ze ironisch, verrast door haar eigen tegenzin om zich buiten het afgelegen huis van de Riehls te wagen.

Op dat moment verscheen het mobiele nummer van haar vader en ze luisterde naar haar voicemail. 'Waarom zo'n cryptisch briefje, Heather? Waar ben je heen? Bel alsjeblieft.'

Het horen van zijn stem maakte dat ze onverwacht heimwee kreeg. Hij was nu alles wat ze had. Maar als hij eerlijk was, had hij talloze kantoorprojecten om naar om te zien; ook als ze gebleven was, zou hij weinig thuis zijn geweest. En wie weet? Als ze zich zo goed bleef voelen, zou ze woord houden en hem helpen met een plan voor zijn nieuwe huis. *Hier vlakbij...*

Misschien kon iemand van de familie Riehl haar aanwijzen waar pa's land lag. Of nog beter, haar meenemen in een rijtuig.

Grace schakelde haar telefoon uit om energie te sparen. Wie kon lang zonder verbinding met cyberspace? Zou ze het een paar maanden redden zonder alle toeters en bellen van het moderne leven?

Ze stapte uit bed, liep onvast naar het raam en liet zich overrompelen door het verfrissende uitzicht. Maar op een onverklaarbare manier verhoogde de schoonheid van het landschap de zeurende pijn die ze had gevoeld nadat ze Devons schokkende e-mail had ontvangen.

Ze wendde zich af van het raam en van de pracht van de akkers, lucht en bomen. Ze liep terug naar het bed en liet zich weer in de kussens vallen. 'Ik zit op het vredigste plekje van de planeet en wat ik nodig heb is een psychiater.'

Is het God die deze dingen laat gebeuren? Het verlies van mam, en van Devon? En dan hebben we het er nog niet eens over dat een of andere dokter heeft gezegd dat ik doodga als ik me niet laat behandelen. Maar als ik me wel laat behandelen, eindig ik misschien net zoals mam... zieker geworden door dat wat je had moeten redden. En vindt God dat allemaal maar goed?

Heather begroef haar gezicht in het kussen en probeerde zich te beheersen. Toen ze gedoucht had – in recordtijd, want ze moest een badkamer delen met drie andere gasten – was ze er redelijk zeker van dat haar ogen niet meer rood waren.

Toen ze haar vader belde, hoopte ze dat haar stem ook niet meer zo schor klonk. Ze kreeg meteen zijn voicemail, dus ze sprak een snelle boodschap in.

'Hoi, pap... ik ben ontsnapt naar een ander tijdperk.' Ze lachte zacht. 'Na het laatste semester had ik even rust nodig, zoals ik al schreef in mijn briefje. Misschien kan ik met paard en rijtuig op zoek naar het land dat je hebt gekocht. Nou, mijn batterij is bijna leeg en elektriciteit is hier verboden, dus we moeten later maar bijpraten. Doeg!'

Beneden aan het ontbijt werd ze verrast door de volgeladen tafel. Een luchtige omelet met vers gestoomde asperges en roomkaas, een grote schaal met worstjes, drie soorten zoet brood, elke jamsoort die je maar kan verzinnen, en dezelfde decadente koffiebroodjes waarvan Adah Esh haar gisteren een voorproefje had gegeven.

De andere gasten stonden eveneens versteld over het aanbod. Ze praatten en kauwden en gaven elkaar schalen door. Eén gast – een aantrekkelijke man van in de dertig – zocht haar blik voortdurend met zijn prachtige hazelnootbruine ogen en gaf haar zelfs een keer een knipoog toen ze hem de room doorgaf voor in zijn koffie.

Echte mannen gebruiken geen room!

Ze bleef Becky en haar moeder observeren... en de rij van zes broers en zussen van Becky. Wie kreeg *zo* veel kinderen in één leven? Ze had eens gelezen dat een gemiddeld Amish gezin acht kinderen telde, sommige hadden er vijftien of meer.

Becky Riehl was even leuk als haar moeder. Nadat Heather zich gisteren geïnstalleerd had in haar kleine, knusse kamertje onder het dak, met de kleine commode en nul kastruimte, wat een uitdaging vormde, had ze een rijtuigtochtje met Becky gemaakt. Ze waren langs het warenhuis en de boerenmarkt gereden, en langs nog een winkel waarvan Becky dacht dat die haar zou interesseren: Eli's Natuurvoeding. 'Bij Eli's vind je allerlei gezondheidsvoeding en supplementen,' had Becky met haar accent gezegd.

Nu ze de eerste hap nam van de verrukkelijke omelet was Heather dubbel blij dat haar vader hier in de buurt een huis wilde bouwen. Misschien kon Becky haar wel zo lekker leren koken!

Ze sneed een stukje van haar vleeskoekje en bedacht hoe dwaas het was om te denken dat Becky Riehl haar als vriendin zou willen hebben.

Niet als ze me goed kende…

★

Meteen na het ontbijt begon pa met schapen scheren. Toen de vaat was gewassen, afgedroogd en opgeruimd, snelden Grace en Mandy naar buiten om te helpen. Grace was vroeg opgestaan om de groentetuin te wieden en te schoffelen, omdat ze wist dat de rest van de dag gevuld zou worden met schapenhoeven kappen. Dat was vandaag het werk van Mandy, Joe en haar. Hun vader, Adam en oom Ike waren de sterke, gespierde mannen die de schapen in hun greep konden houden voor hun jaarlijkse scheerbeurt. Het was belangrijk om te scheren in de lente, als het zo warm was dat de schapen het zonder hun vacht konden stellen, maar voordat de hete zomerzon de kans kreeg om de schapenhuid te verbranden.

'Tien minuten per schaap,' had Mandy tegen haar gezegd. 'Dat wil pa ervoor uittrekken.'

'Toch zal het een lange dag worden.' Grace dacht eraan dat mama op zulke dagen altijd als een van de eersten buiten was en zachtjes prevelde tegen de jonge ooien terwijl ze bezig was.

'Wat denk je dat mama op dit moment aan het doen is?' vroeg Mandy, alsof ze voelde wat Grace dacht.

Grace hield haar blik op de schapenhoeven gericht. 'Dat hangt ervan af waar ze is.'

'Nou, waar denk *jij* dat ze heen is?'

'Zo ver weg dat ze met de trein moest,' antwoordde Grace.

Dat was alles wat ze erover zeiden. Mandy bewoog haar mond, alsof ze probeerde niet te huilen. Het hielp hen geen van beiden om stil te staan bij de negatieve kanten van hun leven. En Grace moest vandaag hard werken, zodat ze morgen tijd had om naar Bart te gaan. Misschien had ze daar meer succes dan met oom Ike, die geen licht had geworpen op de betekenis van de dichtbundels of iets anders wat verband hield met Grace' zoektocht naar mama.

Het is het proberen waard…

Tot haar opluchting zag Grace dat haar grootmoeder naar buiten kwam om verdwaalde kluiten wol in zakken te stoppen. *Vele handen maken licht werk*, zei mama altijd. En *Mammi* Adah – en heel eventjes *Dawdi* Jakob ook – hielp op deze manier, terwijl de lopende band van schapen, bekappers en scheerders doorstroomde.

Rond halftwaalf bracht tante Lavina twee grote pannen met een maaltijd die ze vaak gebruikten op een drukke dag als deze: hamblokjes en gesneden groenten met bladerdeeg en geraspte kaas erop. Het werk werd snel beëindigd en iedereen ging naar binnen om zich op te frissen. Grace en Mandy dekten vlug de tafel en zetten twee soorten broodjes op tafel, boter, aardbeienjam en appelboter. Ook was er een grote pot met koolsla en wat ingemaakte groenten – een heerlijk feestmaal, dankzij mama die vorige zomer druk was geweest met inmaken… en dankzij de zorgzaamheid van haar zus die de hoofdschotel had gebracht.

Later, toen de mannen weer aan het scheren waren gegaan en Lavina, Mandy en Grace in de stille keuken aan het opruimen waren, vroeg hun tante naar mama. 'Hebben jullie nog iets gehoord?'

'Nog niet, als u het beslist wilt weten.' Mandy was nooit zo scherp geweest tegen hun tante, noch had ze ooit zo bleek gezien.

'O, zusje,' zei Grace geërgerd.

'*Es dutt mir leed.*' Mandy keek eerst naar tante Lavina en toen naar Grace. Ze zuchtte. 'Ik voel me niet zo lekker.'

'Natuurlijk, kind.' Tante Lavina pakte een theedoek en begon de borden af te drogen. 'Ik had het niet moeten vragen.'

'Nee… nee, het is logisch dat u het wilt weten,' zei Grace. Ze stopte haar handen weer in het afwaswater.

'Ze is ook familie van *u*,' voegde Mandy eraan toe.

'Als… of *wanneer* we iets horen, zal ik het u meteen vertellen.' Voorzichtig legde Grace de glazen in het hete sop in de rechterbak van de dubbele gootsteen.

Er verscheen een bemoedigde glimlach op Lavina's ovale gezicht. 'Dan zal ik maar afwachten.'

Grace knikte en zei dat ze hoopte dat het niet lang meer duurde. Als er maar een einde kwam aan de onzekerheid.

Hoofdstuk 27

Later die middag stapte Heather in haar auto om de buurt te gaan verkennen. Met het tasje van haar digitale camera over haar schouder geslingerd, keek ze naar het kleine kippenhok. Een dezer dagen hoopte ze met Becky de hennen te voeren.

Ze genoot van het schouwspel en de geuren van het boerenleven en ze nam de akker met pas aangeplante maïs in zich op. In de bomen kwetterden vogels. Een mooie dag om een koffiehuis te gaan zoeken. Daarna wilde ze over de zijwegen rijden die ze in het verleden samen met haar ouders had verkend.

Ze wilde net in de auto stappen toen Becky op blote voeten en met zwaaiende rokken naar buiten kwam rennen. 'Wacht... Heather!'

'Ja?'

'Ik... tja, ik vroeg me af of je zin hebt om nog een ritje te maken.' Becky's ogen straalden van opwinding. 'Ik zou het leuk vinden om je mee te nemen.'

Dat had Heather niet verwacht; ze kon altijd later nog naar Lancaster rijden. 'Tuurlijk. Dat lijkt me super.'

'Kom, dan laat ik je zien hoe je het paard voor de wagen moet spannen.' Becky lachte. 'Als je het tenminste wilt zien.'

'Een rondleiding sla ik nooit af.' Ze deed het portier van haar auto dicht, zonder het op slot te doen. Vanmorgen aan het ontbijt had ze Marian aan de flirtende man horen vertellen dat niemand hier iets afsloot. 'Zelfs niet jullie huis?' had een van de andere twee vrouwelijke gasten gevraagd. Marian was haast beledigd geweest door de vraag.

Vormden buitenstaanders geen enkele bedreiging? Dat idee was haast even schokkend als de aardse geur die opsteeg uit de nabijgelegen mestput. Maar zelfs de vreemde geuren droegen bij aan haar zorgeloze gevoel; ze voelde dat ze leefde, ondanks alles wat zo volkomen mis was met haar leven.

'Kom, Heather!' riep Becky.

'*Jah*, ik kom,' fluisterde ze, glimlachend in zichzelf.

★

Judah was blij toen hij zijn buurman Andy Riehl door het weiland aan zag komen om te helpen met scheren. Hij had zich heen en weer gehaast tussen de pasgeboren lammeren, de drachtige ooien en het scheren, en was al bijna weer toe aan een flinke maaltijd... en een lekkere, lange dut. Maar het was pas drie uur en drie zenuwachtige ooien compliceerden de zaak door tekenen van vroeggeboorte te vertonen. Ze hadden zich afgezonderd van de kudde en weigerden te eten, meldde Adam toen hij bij de laatste nieuwkomers was gaan kijken.

Toen Andy en hij een tijdje later bronwater pompten om te drinken, begon Andy zelf over wat in de Gemeenschap de heersende opvatting was geworden. Judah werd meteen kwaad.

'Moet je es luisteren, Andy: ik wil niet dat je zo praat over mijn vrouw en Martin. Het zijn allebei keurige mensen. Je moet Martin blijven bellen als je vervoer wilt.' Hij schudde zijn hoofd. 'Het is niet goed als je dat niet doet.'

Andy zette zijn strohoed af. 'Maar...'

'Niks te maren. Ik ken mijn vrouw... en ik ken Martin. Laat de Gemeenschap hierover zwijgen, hoor je?' Judah beende weg naar het koelhuis. 'Wat is er in me gevaren?' mompelde hij.

Hij was nog nooit zo tekeergegaan tegen Andy... noch tegen iemand anders.

Ben ik zo, zonder Lettie?

★

Het verbaasde Heather hoe snel Becky Riehl paps stuk land gevonden had.

Ze stuurde het paard naar de zijkant van de weg zodat Heather beter zicht had. 'Ik vraag me af waar we zullen bouwen.' Heather liet haar blik over het weiland dwalen.

'Nou, ik zie meerdere mogelijkheden.' Becky wees de verschillende plekken aan. 'Maar het is mooi om het huis naar één kant van het land te verschuiven, daar misschien bij de bomen. Een goede beschutting tegen de wind. En als jullie iets aanplanten, moeten jullie de gewassen wisselen om de grond niet uit te putten.'

Heather lachte en verklaarde dat haar vader veel advies nodig zou hebben over dat soort dingen. 'Weet je... mijn moeder zou dit een goed idee van hem hebben gevonden.'

'Leeft je moeder niet meer?'

Heather schudde haar hoofd.

'*Ach*, wat erg.'

'Ja, dat vind ik ook. *Elke dag weer...*

'Is het kortgeleden?' Becky's gezicht stond somber.

'Het voelt wel zo.' Heather knikte. 'Ze is anderhalf jaar geleden gestorven.'

Becky scheen het te verwerken. 'Voor de een is verdriet zwaarder dan voor de ander,' zei ze bedachtzaam. Toen vroeg ze of Heather genoeg had gezien van haar vaders nieuwe land. 'We kunnen om Bird-in-Hand heen rijden als je wilt.'

'Ja, graag. En als het niet te veel moeite is, ik moet uitzoeken waar ik mijn telefoon kan opladen.' Ze moest er een beetje om lachen dat ze dat zei tegen een Amish meisje.

'Ik weet waar je wezen moet.' Becky pakte de teugels op en zette het paard aan tot draf.

Heather keek over haar schouder naar het stuk land en vond het ongelooflijk dat pap dit buitengewone avontuur was begonnen. Ze keek tot ze bijna haar nek verrekte en draaide zich weer om naar de weg. 'Ik heb het gevoel dat ik mijn hele leven iets heb gemist,' flapte ze er in haar emotie uit. 'Ken je dat?'

Becky haalde haar schouders op. 'Hier nemen wij het leven zoals het komt.' Ze keek haar aan. 'Maar dat bedoel je misschien niet.'

'Ik ben enig kind. Misschien daarom.'

Becky kreeg iets medelijdends in haar gezicht. '*Ach...* dan is het geen wonder.' Ze pauzeerde even. 'Je weet misschien dat wij in de Gemeenschap van Eenvoud omringd zijn door veel broers en zussen en familie, ook grootouders. En wij zorgen voor elkaar.'

Heather vroeg: 'Dus alles draait om de familie?'

'Zo'n beetje wel.' Becky glimlachte. 'En misschien nog wel meer om de hele Gemeenschap, al is familie heel erg belangrijk. De broeders houden toezicht op elk kerkdistrict en hun woord wordt via de gezinshoofden overgeleverd aan de familie. De mannen maken de dienst uit... de een vriendelijker dan de ander.'

Hoezo vrijdenkende vrouwen... Heather vond het ongelooflijk hoeveel dit systeem leek op het onderwerp dat ze behandelde in haar doctoraalscriptie: het patriarchaat van de koloniale tijd. Even wenste ze dat er tijd was om de rol van de Amish patriarch te bespreken, want hier bevond ze zich midden in haar eigen onderzoek.

'De oudste mannen in het kerkdistrict hebben het meeste te zeggen. "De grote jongens" zegt mama altijd met schitterende ogen.' Becky sloeg haar hand voor haar mond om een lach te smoren. 'Maar het is wel waar.'

'En de vrouwen dan... hebben die dan nog wel een vinger in de pap?'

Daar moest Becky om lachen. 'Als het gaat om wat?'

'Je weet wel, dingen als de kleur van de stof voor jurken of quilts, of naar wie hun kinderen genoemd worden.'

Becky's ogen lichtten op. 'Eerlijk gezegd staat mijn moeder erom bekend dat ze goed is in het verzinnen van namen voor baby's.' Ze vertelde dat haar moeder hun buurvrouw wat suggesties had gedaan toen haar eerste dochter was geboren. 'Mijn *gute* vriendin, die in het eerste huis ten westen van ons woont. Ze heet Grace. Ze was de eerste van vele kinderen voor wie mama een naam heeft verzonnen.'

Heather had geen idee wat Becky bedoelde. 'Dus… is er een soort ouderwets naamgevingsritueel in de Gemeenschap van Eenvoud?'

'Nou, ik zal je vertellen… Mama houdt de baby omhoog en draait hem drie keer rond. Dan knijpt ze haar ogen stijf dicht, zegt het alfabet achterstevoren op en…' Becky begon te lachen. 'Nee, ik zit je maar voor de gek te houden, Heather. Ze kijkt alleen maar naar een pasgeboren kind of een bepaalde naam passend is. Dat is alles.'

'Maar wie laat nou iemand anders zijn kind een naam geven?' vroeg Heather, in de hoop dat ze Becky niet slecht beïnvloedde met haar moderne gedachten.

'O, niemand. Maar de mensen vragen haar om ideeën. Lettie Byler was uit zichzelf nooit op Grace gekomen. Het is niet zo'n gangbare naam onder ons.' Becky keek haar aan. 'Sorry… we maken hier vaak grappen.'

Ze reden verder door het boerenland, met een overvloed aan wilgen en met een brede, stromende beek. Ze zagen tientallen grazende koeien en bespraken intussen op Heathers aandringen de combinatie gemeenschap versus individu. Ze wenste dat ze haar laptop had meegenomen om aantekeningen te maken toen Becky een interessante opmerking maakte: 'God heeft in het hart van Zijn schepping – in ons allemaal – de behoefte gelegd om bij elkaar te horen. Als man en vrouw, als familie en wij allemaal bij onze Hemelse Vader.' Becky zei het met zo veel overtuiging dat Heather niet wist wat ze ervan moest denken.

Algauw arriveerden ze bij een klein huisje langs de weg met een bord ervoor: *Emma's Kast*. 'Een nicht van mijn moeder heeft hier elektriciteit,' zei Becky. 'Emma is mennoniet. Ze zal je met alle plezier je telefoon laten opladen of wat je maar wilt.'

Heather was blij met deze kans, maar ze moest toegeven dat ze haar telefoon vandaag helemaal niet had gemist. Zeer tevreden met haar besluit naar Amish land te komen, liep ze achter Becky aan het schattige withouten huis met de zwarte luiken binnen.

★

Die avond zat Heather aan de lange keukentafel met Becky, die met kleurpotloden zat te tekenen. Drie kolibries in vlucht, van toenemende grootte.

Heather had besloten een handgeschreven verslag van haar reis te maken, met de bedoeling het later in haar kamer over te schrijven in haar dagboekbestand op haar laptop. Ze schreef over haar dag en de botsende emoties die ze had gevoeld toen ze in deze haast betoverende omgeving haar gevoelens over haar ziekte en Devon op een rijtje zette.

Het is de laatste dag van april en ik ben nu iets meer dan vierentwintig uur in Lancaster County. Mam kwam hier zo graag, maar toch mis ik haar hier minder dan thuis.

Nou, over mijn eerste dag terug in de Gemeenschap van Eenvoud. Ik heb duidelijke verschillen ontdekt tussen Emma, een mennonitische winkelier waar ik mijn telefoon mocht opladen, en Becky, met haar Amish gewoonten. Becky zou er niet over peinzen een auto te bezitten of te rijden, of iets te gebruiken wat op elektriciteit loopt.

Hoeveel ik ook houd van mijn high-tech speeltjes, het eenvoudige leven heeft een onmiskenbare aantrekkingskracht. En dat wil wat zeggen voor mij!

Maar ik vind het erg prettig dat ik in de moderne wereld ben geboren. Ik zou niet kunnen leven in deze volkomen door mannen overheerste gemeenschap. De helft van het jaar op blote voeten lopen lijkt me daarentegen wel lekker!

Natuurlijk heb ik ook mijn moderne kant uitgeleefd. In de twee-

endertig winkels van Kichen Kettle Village heb ik gewinkeld tot ik
erbij neerviel. Supergaaf!
Ik heb al drie dingen vastgesteld die ik graag wil doen. Ten eerste
de routes rijden die aangeboden worden door het mennonitisch
informatiecentrum; ten tweede een bezoek aan Central Market, op
het plein in het centrum van Lancaster. En ten slotte lijkt het Lan-
dis Valley Museum me heel boeiend. Ik ben er met mam en pap
geweest toen ik negen was, geloof ik. Toen vond ik het prachtig en
ik geloof vast dat ik er nu nog meer van zal genieten. Dit is beslist
wat de dokter heeft voorgeschreven. (Nou ja, niet precies!)

Heather keek over de tafel heen naar Becky, die haar tekening
bijna af had. Misschien was deze reis niet wat de arts in gedachten had, maar voorlopig was het precies het medicijn dat
ze nodig had.

★

Judah stond aan het voeteneind en keek naar Letties kant van
het bed. Zijn ogen dwaalden over haar kussen. Hoelang was
het geleden dat ze elkaar in de armen hadden gehouden? Hij
pakte zijn Bijbel en droeg hem naar de stoel bij de commode.
Kreunend liet hij zich neer. Hij sloeg Spreuken op en las: *Een*
zacht antwoord keert de grimmigheid af; maar een smartend woord
doet de toorn oprijzen.

De lantaarn op de kast scheen helder, maar erin zag hij zijn
toekomst, die er uitgesproken eenzaam uitzag. Als Lettie niet
terugkwam, zou ze uiteindelijk van de kerk worden afgesneden.

Geen wonder... zo raar als we toen begonnen zijn, bedacht hij.
Eerst was Jakob Esh een soort tussenpersoon geweest voor
Lettie en hem. Niet dat Judah niet al jaren daarvoor zijn oog
op haar had laten vallen en had vastgesteld dat ze bijzonder
was; een goede vangst en een natuurtalent met een honkbal-
knuppel. Toen had hij al achter haar aan willen gaan, maar ze

was nog maar veertien. Haar knappe gezicht – *ach, haar ogen* – hij droomde ervan. Hij had zijn zinnen op haar gezet als het meisje met wie hij wilde trouwen en een gezin stichten. Maar omdat hij twee jaar ouder was, had hij op haar gewacht zonder zijn bedoelingen bekend te maken.

Mijn eerste fout, had hij sindsdien vaak gedacht.

Het bleek dat Lettie haar eigen ideeën had wat jongens betreft. Judah had niet voorzien dat Samuel Graber met al zijn stadse neigingen hem vóór zou zijn.

Achteraf gezien heeft het hem weinig goed gedaan, dacht hij.

In de stilte van zijn kamer wist Judah nu dat het destijds niets had uitgemaakt als hij had geweten hoe lelijk Lettie in de toekomst zou gaan doen. Hij hield van haar ondanks haar nukkigheid en haar vastbeslotenheid om haar zin te krijgen. Bovendien, wat kon hij eraan doen nu ze getrouwd waren? Voor God waren ze verbonden tot de dood hen scheidde.

Hij veegde zijn voorhoofd af. Andy Riehl scherp toespreken en hem vermanen geen geloof te hechten aan roddels was één ding. De roddels bij de wortel afkappen was een heel ander verhaal.

Hoofdstuk 28

Heather trok haar spijkerbroek aan en keek langs de loszittende tailleband naar beneden. De laatste keer dat ze hem had aangehad paste hij goed, dus waarom zat hij nu een beetje slobberig, na al dat machtige Amish voedsel dat ze had gegeten sinds haar aankomst twee dagen geleden? Wijde broeken waren irritant.

Hoe was ze erin geslaagd een paar pond af te vallen – de wens van ieder meisje – terwijl ze zich volgepropt had met Marians verrukkelijke maaltijden? Was dit het bewijs dat er echt een ziekte in haar lichaam op de loer lag?

Beneden liep ze met Becky mee naar het kippenhok, waar ze toekeek hoe ze kippenvoer strooide. Heather stak haar hand in haar eigen emmertje en deed Becky na, genietend van de zwerm kippen om haar voeten. Sommige vlogen met veel geruis op in de lucht. 'Wauw, ben je uitgehongerd of zo?'

Becky lachte. 'Alsof ze nooit wat krijgen.' Ze vertelde dat ze als kind bang was geweest om de kippen water te brengen of voer uit haar schort toe te werpen. 'De kippen vlogen recht tegen me op,' zei ze. 'Ik viel zowat omver.'

Het waren beslist vraatzuchtige beesten. *Pik, pik*, deden ze uitbundig en heftig in het voer.

'Kom, nu gaan we de paarden water geven.' Becky wenkte Heather en keek naar haar smetteloze gympjes. 'Misschien wil je een paar oude schoenen aan of de werklaarzen van mijn broer?'

'Of op blote voeten lopen?' Heather kon het niet helpen, ze giechelde net als Becky. Ze probeerde niet te denken aan de angst die haar gewichtsverlies had veroorzaakt, in elk geval niet tot haar afspraak met dokter Marshall.

★

Donderdag was het altijd marktdag, maar Grace stond later die middag op het rooster om bij Eli's te werken. Omdat ze thuis nodig was om het middagmaal klaar te maken, kon ze het beste meteen na het ontbijt naar Bart gaan.

Op weg naar de telefooncel zag ze tot haar verbazing dat pa net de hoorn op de haak legde. Zijn haar was stralend schoon en hij had zijn strohoed niet op. 'U gaat zeker ook ergens heen,' zei ze.

'Martin komt over een paar minuten langs,' antwoordde hij.

'O, hebt u er bezwaar tegen als ik ook meerijd?'

Pa schudde zijn hoofd. 'Dat zijn twee vliegen in één klap.'

Ze keerden om en liepen langs de linkerkant van de weg terug naar huis, zoals vroeger als ze naar school liep. Dat leek de laatste tijd wel een mensenleven geleden.

Pa zei niet waar hij heen ging, dus ze besloot ook haar bestemming niet bekend te maken, tenzij hij er rechtstreeks naar vroeg. Ze vroeg zich af hoe hij zou reageren als hij het wist. *Hij zou waarschijnlijk helemaal niets zeggen.*

Het was soms zo ergerlijk dat haar vader nooit zei wat hij op z'n hart had. Mama had nagenoeg toegegeven dat zij dat ook vond. Net als alle andere getrouwde stellen hadden pa en zij weleens onenigheid gehad. Waarom kwamen hun problemen naar boven, als twee mensen eenmaal in het huwelijksbootje waren gestapt?

Grace had stiekem een liefdesgedicht gelezen in een boek van mama. Daar stond in dat huwelijksgeluk eenvoudig een kwestie was van bereid zijn jezelf volledig aan je geliefde te geven. Had mama dat ook gelezen?

Net zoiets als jezelf verloochenen, zoals God gebiedt?

Zwijgend liep ze naast pa over die dingen te peinzen. Zou ze over vele jaren net zo teleurgesteld zijn in Henry? Genoeg om hem te verlaten?

236

★

Weer stond Grace er versteld van hoe spraakzaam pa kon zijn als hij onder het rijden met Martin Puckett het landbouwseizoen en het weer besprak. Deed hij vanwege de akelige geruchten alle mogelijke moeite om hun chauffeur te paaien?

Ze was ook verbaasd over het korte eindje dat pa vandaag per busje aflegde. Normaal gesproken zou hij het paard voor het rijtuig spannen om naar de bank te gaan, zijn eerste bestemming. Hij vertelde Martin dat hij wat geld moest opnemen om zijn rekening te betalen bij de tuighandel, die zijn volgende halte was.

Martin stopte en parkeerde.

'Ben zo terug,' zei pa.

Ze zat weliswaar op hete kolen om naar Bart te gaan, maar Grace vond het niet erg om op haar vader te moeten wachten. Zijn boodschappen duurden niet lang en binnen de kortste keren zouden Martin en zij weer op weg zijn naar het zuiden.

Bij de bank was de rij langer dan anders, en Judah was er nog wel zo zeker van geweest dat hij de ochtenddrukte voor was. Thuis had hij zijn opnameformulier al ingevuld. Er stond een aantal andere mensen uit de Gemeenschap van Eenvoud voor hem, vooral jonge moeders met kinderen op sleeptouw.

Waar ben je nu, Lettie? vroeg hij zich af terwijl hij twee kleine meisjes gadesloeg die achter hun moeders lange rokken aan het spelen waren.

Toen hij naar het loket liep, overhandigde hij de bediende zijn opnameformulier met het gewenste bedrag en zijn rekeningnummer, samen met zijn identiteitsbewijs zonder foto; net als een soort rijbewijs zonder foto. De *Englische* stadsbewoners hadden die maatregel getroffen voor de vele Amish inwoners, en hij was blij dat hij daar tenminste niet over hoefde te strijden met de kerkordinantie. Er waren al genoeg zaken die uitgevochten moesten worden.

'Ik heb uw wachtwoord nodig, meneer Byler,' zei de bediende, terwijl ze hem een blanco papiertje toeschoof.

Vlug krabbelde hij de naam neer van Grace' geliefde paard *Willow* en gaf het terug aan de bediende. Ze telde de biljetten uit en overhandigde hem een ontvangstbewijs en een uitdraai van het saldo op zijn rekening.

Hij keek ernaar en het drong tot hem door dat er een fout was gemaakt. 'Neem me niet kwalijk,' zei hij. 'Het saldo is te laag.' Hij boog zich naar haar toe omdat hij geen scène wilde maken. 'Veel lager dan ik had verwacht.'

De bediende vroeg of hij een lijst wilde zien van transacties op zijn rekening, en hij knikte. Ze printte die voor hem uit en hij keek over zijn schouder naar Martins busje op het parkeerterrein. Hij wenste bijna dat hij maar met paard en rijtuig was gegaan, omdat hij Martin en Grace niet wilde laten wachten. Dat zou je natuurlijk altijd zien. De knagende pijn in zijn nek werd erger.

De bediende overhandigde hem het vel papier en wees naar de transactie van woensdag 23 april. Die dag was er vijfduizend dollar contant geld opgenomen.

Zijn adem stokte in zijn keel, maar hij slaagde erin de bediende te bedanken en zich van het loket af te wenden.

Lettie?

Hij keek naar de uitdraai en kromp ineen bij de gedachte dat zijn vrouw zonder te vragen geld had opgenomen van hun gezamenlijke rekening, en zonder het zelfs maar achteraf te vertellen. Bijna de totale som van wat ze vorig jaar zomer op de markt had verdiend, was op Grace' verjaardag verdwenen.

Dus Lettie heeft haar reis tot op de cent voorbereid, dacht Judah. Het zag ernaar uit dat ze inderdaad voorlopig niet naar huis kwam... als dat ooit nog zou gebeuren.

Toen pa doodsbleek in de deuropening van de bank verscheen, vroeg Grace zich af of er misschien een probleem was geweest. Maar hij ging vlug voorin naast Martin zitten zonder een woord te spreken over welk probleem dan ook.

Nee, natuurlijk niet, stelde ze vast. Maar het was wel vreemd dat er een einde was gekomen aan zijn gebabbel van daarstraks.

Tegen de tijd dat ze bij de tuighandel aankwamen, vroeg Grace zich af of haar vader soms ziek was. Toen Martin het parkeerterrein voor de tuighandel opdraaide, zei pa: 'Hoor eens, Martin, ik denk dat ik hier een tijdje in de buurt blijf.'

'Ik vind het best,' antwoordde Martin.

'Wat ben ik je schuldig voor Gracie en mij?'

Martin noemde het bedrag en voegde eraan toe: 'Het zal wel even duren voordat ik hier terug ben om je op te halen, als je dat uitkomt.'

'O, ik lift wel met een rijtuig mee naar huis.' Toen keek pa Grace aan. 'Tot bij de middagmaaltijd, *jah?*'

Dat was alles wat hij zei; hij vroeg niet waar ze heen ging. *Kan het hem niet schelen?*

Ze knikte en glimlachte gedwongen. Mama had altijd gezegd dat pa's eetlust een van zijn grootste zorgen was. Toen hij het portier sloot, werd ze overspoeld door droefheid.

Onder het rijden keek Grace naar het bekende landschap langs South Ronks Road… en langs Fairview Road en uiteindelijk reden ze door de hoofdstraat van Strasburg. Terwijl ze voor het rode stoplicht stonden te wachten, keek ze verlangend naar de ijssalon op de hoek. Vorig jaar aan het eind van de zomer had Henry haar daar mee naartoe genomen, toen ze net verkering hadden. Op een zaterdagavond waren ze helemaal hierheen gereden om een ijsje te eten. Hij was zo slecht op zijn gemak geweest en zo verlegen, hij had die avond amper een woord gezegd.

Zuchtend liet ze haar hoofd tegen het raam rusten. Ze wist niet wie haar de laatste tijd meer van haar stuk bracht: haar vader of haar verloofde.

Judah snoof de volle ledergeur op in de tuighandel. Alleen al daarom was het een van zijn favoriete plaatsen. Zich hevig bewust van de steeds erger wordende pijn in zijn nek, vroeg hij zich af of hij soms op het punt stond een beroerte te krijgen. Zijn oudtante had maandenlang aan zulke pijn geleden voordat een hersenbloeding haar uiteindelijk het leven kostte.

Soms wist hij niet precies wat hij nu eigenlijk voelde bij Letties vertrek. En nu dit. Het was ondenkbaar dat ze zo'n grote som opnam zonder het zelfs te bespreken. Had ze geld nodig en durfde ze hem dat niet te vertellen? En waarom had ze na haar vertrek geen contact gezocht met hem of iemand anders? Haar tergende zwijgen kwam zo gevoelloos op hem over.

Hij zocht in zijn zak naar een pijnstiller, maar vond er geen. Als die folterende pijn niet gauw minder werd, moest hij naar de dokter. *Daar had ik misschien al heen gemoeten*, dacht hij terwijl hij op zijn beurt wachtte bij de smid, die een paard besloeg.

Het is vandaag almaar haasten en wachten…

Achter zich hoorde hij zijn naam noemen.

'Judah Byler! Ik had gehoopt u deze week te zien.'

Judah keek om en zag een lange, blonde man van voor in de twintig. Hij was onopgemerkt binnengekomen.

'Yonnie Bontrager.' De jonge man schonk hem een innemende glimlach en drukte hem stevig de hand. 'Hebt u even voor me, meneer?' Hij vertelde dat hij van plan was geweest bij hem thuis langs te komen. 'Maar nu ik u hier toch zie…'

Judah knikte, hij wist niet wat de jongen van hem kon willen.

'*Gut* dan.' Yonnie grijnsde aanstekelijk. 'Ik wacht buiten bij mijn rijtuig.'

Toen de smid klaar was met zijn andere klant, ving hij Judahs blik en snelde naar achteren om Judahs gerepareerde paardentuig te halen. Hij kwam er algauw mee terug en legde het neer op de lange tafel. 'Je zult blij zijn te horen dat het minder duur is uitgevallen dan we hadden afgesproken. Dat hoor je niet vaak, *jah*?'

Judah knikte en pakte zijn portemonnee. *Alle kleine beetjes helpen... en zeker nu*, dacht hij. Terwijl hij het bedrag uittelde, dacht hij aan de klerk die deze zelfde biljetten voor hem had uitgeteld. En het gevoel dat hij door de grond zakte toen hij begreep dat Lettie zo veel voor zichzelf van de rekening had gehaald.

Hij slingerde het tuig over zijn schouder en ging naar buiten. Yonnie stond bij zijn paard en open rijtuigje.

'Ik zal u even helpen.' Yonnie nam het tuig over en droeg het naar zijn eigen rijtuig, waar hij het in legde. 'U kunt wel een lift naar huis gebruiken.' Hij liep om naar de koetsierskant en sprong in het rijtuigje. 'Tenminste, als u geen bezwaar hebt tegen mijn nieuwe vervoer.'

Een lift sla ik niet af, met welk vervoer dan ook, besloot Judah en stapte in.

Yonnie pakte de teugels op en keek hem nu ernstig aan. 'Als het niet te brutaal is, zou ik u graag iets willen vragen.'

'Ga je gang,' zei Judah afwezig.

Yonnie reed de weg op en liet het paard een eindje draven voordat hij verderging. 'Zou het te veel gevraagd zijn... tja, om mij uw zegen te geven om uw dochter Grace het hof te maken?'

Zoiets had Judah nog nooit gehoord. Zeker, onder de behoudender mennonieten werd van de potentiële bruidegom verwacht dat hij de vader van het meisje om haar hand vroeg, maar pas als ze wilden trouwen. 'Ik geloof dat Grace al bezet is,' zei Judah, terwijl hij Yonnie aankeek.

'Och! Dus ik ben te laat?'

'Jij hoort beter te weten dan ik wie met wie gaat op zangavonden.'

Yonnie trok zijn wenkbrauwen op. 'Maar als Grace bezet is, is ze er zo te zien niet al te gelukkig mee.'

Judah kromp ineen. Grace zag er inderdaad uit of ze het gewicht van de hele wereld op haar schouders droeg, maar niet om de reden die Yonnie dacht. 'Weet je wat: ik zal je niet in de weg staan als Grace je wil hebben. Wat zeg je daarvan?'

Yonnie klopte op zijn hoed en uitte een juichkreet. Hij klakte met zijn tong en het paard ging van draf bijna over in galop.

Die jongen is flink verliefd, dacht Judah, en hij dacht terug aan zijn eigen verkeringstijd.

Het had heel wat beroering gewekt onder de plaatselijke jeugd toen Samuel Graber vóór de vastgestelde tijd op zang-avonden begon te verschijnen. Hij was pas vijftien, of mis-schien nog niet eens, toen hij voor het eerst kwam en hoog op de strobalen zat toe te kijken hoe de jeugd zong. Hij staarde hen strak aan, zeiden sommigen. Hij loerde naar hen, zeiden anderen.

Toen zich stelletjes begonnen te vormen, dwaalde Samuel rond door de schuur, altijd met een boek onder zijn arm en een potlood achter zijn oor. Sommige meisjes dachten dat hij ideeën opdeed voor gedichten, maar Judah wist niet wat hij ervan moest denken. Soms begon hij een praatje met een stelletje of met een paar meisjes, andere keren slenterde hij gewoon door de schuur. Na een tijdje ging hij dan weer zit-ten en maakte tekeningen van gezichten en profielen in zijn notitieboekje, of schreef hij stukjes op rijm.

Er gingen genoeg praatjes rond om te weten dat Samuel erg vreemd was. En Samuel scheen te weten dat hij niet echt geaccepteerd werd door de andere jongeren, maar daar liet hij zich totaal niet door ontmoedigen. Hij bleef buiten zijn boekje gaan door alle jongerenbijeenkomsten bij te wonen.

Rond de tijd dat Lettie Esh de bijeenkomsten begon te be-zoeken, kwam Samuel ineens niet meer. Later werd er gezegd dat hij Lettie in het geniep zag bij haar thuis, volgens twee zussen van haar tenminste. Het was bekend dat Samuel daar een paar keer per week heen ging, en dat was ongehoord. Maar Lettie leek dat allemaal van geen belang te vinden en de twee werden 's zondags na de gemeenschappelijke maaltijd regelmatig samen gezien. Hun hoofden raakten elkaar bijna als ze met hem achter de schuur zat en toekeek hoe hij in zijn zogenaamde dichtbundel schreef.

Intussen was het tot Judah doorgedrongen dat hij getreuzeld had en niet snel genoeg had gehandeld. Omdat hij meer een waarnemer was dan een doorzetter, was hij Lettie kwijtgeraakt – en aan Samuel nog wel. Samuel, die niet veel aanstalten maakte om God te volgen in de heilige doop, en om het vereiste onderricht tot zich te nemen om lid van de kerk te worden. Sommigen zeiden dat hij zijn best deed om Lettie zover te krijgen dat ze 'ook het licht zag' en andere storende opmerkingen maakte over de kerk.

Als het zo'n kerel was, zou Lettie ook wel hard op weg zijn om randlid te worden, had Judah gedacht. Daarom begon hij met andere meisjes uit te gaan, in de hoop een vrome, hardwerkende vrouw te vinden onder de groep die was overgebleven.

Maanden verstreken, en tegen de tijd dat hij hoorde dat Lettie Esh en haar moeder een poosje naar Ohio waren gegaan om een ziekelijke tante bij te staan, was Samuel Graber met zijn dichtbundels allang verdwenen.

Intussen had Judah verkering met een ander meisje, dat niet half zo knap was als Lettie. Veel later kwam Jakob Esh op een ochtend bij hem aankloppen en ze spraken met elkaar van man tot man. Hoewel hij het destijds ongebruikelijk had gevonden dat een vader zo'n rol speelde, was Judah nog steeds buitengewoon geïnteresseerd in een kans om Lettie het hof te maken. Hij was zelfs maar al te bereid; hij was haar nooit vergeten. En al was hij heel anders dan Samuel, hij hoopte dat ze van hem ging houden. Judahs talent was werken met zijn handen en in het zweet van zijn aangezicht; nooit had hij een gedicht voorgelezen aan een meisje of zelfs maar aan zichzelf, laat staan dat hij er eentje had geschreven. Al vanaf zijn achttiende werkte hij hard op het land en verzorgde schapen.

Toen hij de zeventien jaar oude Lettie serieus het hof begon te maken, was hij zo beleefd niet over Samuel te spreken. Zij van haar kant noemde ook nooit zijn naam. Niet opzettelijk tenminste.

Maar er waren periodes dat Lettie soms Samuels naam fluisterde als ze lag te slapen. Judah weigerde zich er iets van aan te trekken. Hij wist even goed als iedereen dat veel jongelui niet trouwden met de eerste op wie ze verliefd werden.

Het belangrijkste was dat Lettie ermee ingestemd had met *hem* te trouwen. En bijna tien maanden later baarde ze hem een knappe, gezonde zoon. God was goed voor hen geweest, Hij had hun vier prachtige kinderen gegeven en een huwelijk van drieëntwintig jaar.

Tot nu toe…

★

Bij de achterdeur van het huis van de familie Stoltzfus werd Grace hartelijk begroet. Nicht Rose sloeg zelfs haar armen om haar heen. 'O, wat heerlijk om je te zien!'

'Insgelijks!' Ze was blij toen Rose voorstelde een eindje te gaan lopen langs de weg, die heel anders was dan hun eigen drukke straat. De onverharde weg leek meer op een particuliere laan en met de zon op haar gezicht begon Grace zich te ontspannen terwijl nicht Rose erop los babbelde. Grace was blij verrast toen ze besefte dat de roddels over mama zo ver nog niet gekomen waren. Dat maakte het een stuk makkelijker.

Eindelijk vroeg Grace aarzelend naar mama's vriendin bij de schuurbouw. 'Herinner je je die vrouw? Ze was niet van hier uit de buurt, dacht ik.'

'Lieve help, ik geloof dat ik inderdaad weet wie je bedoelt,' zei Rose. 'Dat was Sarah Graber, op bezoek uit Ohio, maar ik weet niet precies uit welke stad. Misschien Wayne County.'

Rose wuifde zich koelte toe met een zakdoekje. 'In elk geval woont ze daar ergens.'

'Is ze familie van jou… of van mama?'

'Van mij niet, nee. Ik hoorde dat ze in de stad was om de baby van haar achternicht te zien.' Ineens verscheen er een frons op Rose' bolle toet. '*Ach…* je weet misschien niet wie Sarahs tweelingbroer is.'

'Nee.'

'Nou, dat is je moeders eerste *beau*, Samuel Graber. Toen je moeder en hij verkering kregen, was hij al op weg om van de kerk af te raken.' Rose zweeg even en zuchtte. 'Ze zeiden destijds dat hij hunkerde naar stadse, moderne boeken; gedichten en zo. Hij had er zelfs een paar geschreven. Dat meen ik me te herinneren… het is zo lang geleden.'

Dat verklaarde de boeken die mama had opgehaald bij oom Ike; die moesten van Samuel geweest zijn. *Maar wat vreemd dat mama ze wilde houden.* Grace knipperde met haar ogen en probeerde het nieuws te verwerken. 'Waarom zijn ze niet getrouwd?'

'Tja, zoals ik al zei had Samuel niet veel zin om lid te worden van de kerk. En je moeder wel.'

Mama was inderdaad met iemand getrouwd die God en de kerk was toegewijd. 'Mijn leven lang heeft ze er belang aan gehecht naar de kerk te gaan.' *Alleen de laatste tijd niet meer zo erg,* dacht Grace. Ze wist niet wat ze van dit alles moest denken. Ze had mama nooit een woord over haar eerste *beau* horen zeggen, maar toch had ze de dichtbundels willen houden… ze had er zelfs een paar meegenomen op reis!

Rose vroeg omzichtig naar Grace' relatie met haar ouders en Grace doorzag het. Ongetwijfeld vroeg Rose zich af waarom Grace helemaal hierheen was gekomen om iets te vragen waarop haar eigen moeder antwoord had kunnen geven.

'Je moeder was zonder Samuel beter af, lijkt mij,' voegde Rose eraan toe. 'Sommige mensen noemden hem een onruststoker.'

Grace wist dat ze gauw weer op weg naar huis moest. '*Denki* hartelijk, nicht Rose, maar ik moet weer eens gaan. Ik moet eten klaarmaken.'

Nu keek Rose haar verbaasd over de rand van haar bril heen aan. 'Is je moeder te ziek om te koken? Je kunt gerust bij ons blijven eten, hoor.'

Ze had zich flink versproken. 'Een andere keer misschien,' zei Grace vlug. 'Mijn chauffeur komt zo terug. Aardig van je dat je met me hebt willen praten. Nogmaals hartelijk bedankt.'

'Graag gedaan, Grace.' Rose veegde haar hals af met haar zakdoek, haar gezicht was rood van de warmte. 'Doe je familie de groeten van ons allemaal hier. We missen de zondagse bezoekjes.'

Grace knikte en vertelde hoe druk ze het nu hadden in de lammertijd. Ze hoopte dat Rose niet weer met name naar mama zou vragen en die wond zou openrijten.

Algauw kwam het busje van Martin Puckett langzaam aanrijden over de smalle laan. *En net op tijd.*

★

Grace kon in de verste verte niet begrijpen waarover haar moeder en de tweelingzus van mama's eerste *beau* tijdens die lange wandeling gepraat konden hebben. Ze peinsde er de hele weg naar huis over. Het leek erg gênant.

Heeft mama door de jaren heen contact gehouden met Sarah? Zou dat mogelijk zijn?

Het leek bijna ongepast.

Ze staarde naar de lucht, blij dat ze achter Martin zat terwijl hij reed. Zo zou hij zich niet vrij voelen om te praten tijdens de rit, noch om haar aan te kijken in zijn achteruitkijkspiegel. Er was nu zo veel om over na te denken, haar hoofd zat vol met vreemde namen en merkwaardige omstandigheden. Het was een schok geweest om over Samuel te horen, vooral omdat Joe had gezegd dat mama in de dagen voor haar vlucht steeds in de buurt van de brievenbus had rondgehangen.

Van wie verwachtte ze iets te horen... en had het te maken met haar vertrek?

De vage opmerking van tante Lavina over mama's eerste *beau* stond Grace nog helder voor de geest. Ze wilde absoluut niet dat Martin Puckett haar gezicht nu kon zien. Ze was bang dat de verwarring in haar hart erop te lezen stond.

Hoofdstuk 29

Martins vrouw belde hem op zijn mobiele telefoon en vroeg of hij zin had om thuis te komen lunchen. 'Ik heb een lekkere schaal met kipsalade gemaakt,' zei ze om hem te lokken met een van zijn lievelingskostjes.

Hij sprak af meteen te komen. En meteen dacht hij weer aan Judah Bylers opgewekte stemming van vandaag, in tegenstelling tot de somberheid van zijn dochter Grace. Hij kon er niet over uit dat ze zo'n eind had willen reizen voor zo'n kort bezoekje, maar dat maakte hem niet uit. Hij was blij met de gelegenheid om weer aan het werk te gaan, want vooral van de Amish in Bird-in-Hand kreeg hij nog steeds minder telefoontjes dan anders.

Janet had de ronde tafel in de eethoek gedekt klaarstaan toen hij thuiskwam. Hij gaf haar een kus en ging zijn handen wassen bij de gootsteen.

'Trekken de zaken aan?' vroeg ze.

'Tot nu toe maar twee passagiers.' Hij pakte de handdoek en droogde zijn handen af.

'Dat zouden weleens de laatste twee kunnen zijn,' zei ze zacht, 'naar wat ik gehoord heb in de schoonheidssalon.' Janet had een gezichtsbehandeling gekregen en had twee vrouwen horen praten over een raar gerucht, dat tot een enorm verhaal was opgeblazen.

'Wel, allemensen!' Bedrukt trok hij zijn stoel naar achteren en ging zitten.

'Het lijkt meer op het geroddel van bekrompen bemoeials dan van een typische Amish gemeenschap.' Janet pakte haar servet en legde hem op haar schoot.

'Roddelen doen ze overal.'

Janet zat hem aan te kijken. 'Het is verleidelijk om iets door te vertellen wat je op een station hebt gezien, denk ik.'

Hij perste zijn lippen op elkaar. Dus er deed een verhaal de ronde dat absoluut afkomstig moest zijn van Pete Bernhardt. 'Nou ja, niet *alles* is waar.'

Ze boog zich over de tafel naar hem toe en pakte zijn hand. 'Je bent toch niet weggelopen met een Amish vrouw?'

Hij lachte. 'Tenzij *jij* Amish bent.'

Ze leunde achterover en zuchtte. 'In aanmerking genomen dat we die dag voor een lang weekend zijn vertrokken, had ik dat al bedacht.'

'Kennelijk vindt iemand het lollig.' Hij schudde zijn hoofd. 'Ten koste van mij.'

'En van Lettie Byler. Hoe moet haar man zich wel niet voelen?'

Martin dacht beslist niet dat Judah Byler iets van die roddels geloofde. Hij was vandaag op weg naar de bank zo vriendelijk geweest.

'Het zal wel met een sisser aflopen,' zei Martin. 'Maar het is een feit dat ik Lettie Byler naar Lancaster heb gebracht, zoals je weet.' Hij vertelde dat Lettie een briefje met een aantal telefoonnummers had laten liggen, dat hij haar achterna had gebracht. Over de tafel heen gaf hij Janet een kus op haar wang. 'Je hebt niets te vrezen, lief.'

Ze glimlachte terug. 'Wat kunnen we doen om hier een eind aan te maken?'

'Een eerlijk leven leiden, precies zoals we doen.'

Ze reikte naar het zoutvaatje. 'Heb je eraan gedacht de geruchten met haar man te bespreken?'

Hij had het overwogen, maar het was niets voor Judah om ergens drukte over te maken. En Judah vertrouwde Martin met Grace, dus waarom niet met Lettie? Nee, het leek duidelijk dat Judah Byler de geruchten niet geloofde. *Hij is te verstandig om naar roddels te luisteren.* 'Als hij erover begint, zal ik Judah mijn kant van de zaak vertellen, goed?'

Janet sprak hem niet tegen en ze zetten hun lunch voort met een gesprek over de plannen van hun getrouwde zoon om volgende week op bezoek te komen. Later vertelde Janet met een stralend gezicht over haar gezichtsbehandeling van een uur. 'Ik zou best elke maand willen gaan,' voegde ze eraan toe. 'Als ons budget het toestaat.'

Martin knikte en probeerde manieren te bedenken om zijn Amish klanten terug te krijgen. *Janets schoonheidssalon houdt me aan het werk!*

★

Grace had mager rundergehakt op het aanrecht laten liggen om te ontdooien terwijl ze in Bart was. Toen ze in de keuken kwam, zag ze tot haar blijdschap dat Mandy al bezig was de ingrediënten te verzamelen voor het gehaktbrood. Ze bleef staan in de deuropening tussen de grote zitkamer en de keuken, en keek toe hoe haar zus de eieren, havermout, mosterd, uien, ketchup en tomatensap door elkaar roerde en door het vlees mengde, en op het punt stond om een berg te vormen van het mengsel.

'*Ach*, wat doe je dat goed,' zei ze toen ze eindelijk de keuken betrad.

Mandy keek glimlachend op. 'Je was toch van plan om vandaag gehaktbrood te eten?'

'Dat is best,' zei Grace terwijl ze wat kievitsbonen uit de bijkeuken haalde. Ze genoot ervan zij aan zij met haar zusje bezig te zijn. Grace deed de bonen in een pan met wat rookvlees, bruine suiker, mosterd, uien, ketchup, azijn en andere kruiderijen om een bijgerecht te maken.

Zoals mama ze altijd maakt.

Toen ze de bonen in de oven had gezet, ging ze naar boven om een oude, grijze werkjurk aan te trekken. Als het tijd was om naar haar werk te gaan, zou ze zich weer verkleden in de nettere blauwe.

In haar kamer ging ze op de bank bij het raam zitten en las opnieuw mama's brief. Het knaagde aan haar dat ze die arme Mandy minstens een deel van wat mama had geschreven moest vertellen. Maar ze was bang dat haar zusje daar alleen maar verdrietiger van zou worden, zoals zij allemaal.

'Is pa er verdrietiger van geworden?' fluisterde ze uit het raam starend.

Het was haast onmogelijk te begrijpen hoe haar vader zo geanimeerd met Martin Puckett had kunnen praten, zo kort nadat hij zijn eigen dochter praktisch had genegeerd toen ze terugkwamen van de telefooncel. Ze had haast liever dat hij treurig rondhing zoals Mandy, met al die pijn in haar ogen. Eerlijk gezegd voelde zij zich net zo, maar ze hield haar droevigste emoties verborgen omwille van haar familie.

Ze stopte de brief weer in zijn bergplaats en besloot wijze raad te vragen aan haar grootmoeder. *Mammi* Adah wist wel wat het beste was.

Ook was Grace de oude brief in *Dawdi*'s Bijbel niet vergeten. Waarom ter wereld hadden *Dawdi* en *Mammi* hem bewaard?

Beneden schilde en kookte Grace een berg aardappels om puree van te maken. Daarna maakte ze de bruine jus af. Ze snelde naar de koude kelder en koos een inmaakpot met gemengde groenten en rode biet om hun maaltijd af te maken.

Vlak voor het middaguur zag ze pa en haar broers uit de schuur komen. Ze bleven buiten staan praten, ze had geen idee waarover. 'Denk erom dat je brood en boter op tafel zet,' zei ze tegen Mandy terwijl ze de warme schotels op tafel zette.

'Pa houdt veel van appelboter, hè?' vroeg Mandy.

'Hij houdt gewoon veel van eten.' Grace draaide zich om naar het aanrecht en wierp haar zusje een zijdelingse blik toe. 'Wat zou je ervan zeggen om om beurten te koken?'

'Eigenlijk heeft pa daarstraks in de schuur geopperd dat ik je meer moest helpen. Heb jij misschien iets gezegd?'

Grace schudde haar hoofd. 'Geen woord.' Ze was oprecht

verbaasd dat haar vader had gezien hoe moeilijk ze het had.

'Nou, ik ben best bereid vaker een handje toe te steken.' Mandy begon brood te snijden op de grote snijplank. 'Ik wou alleen dat ik meer kon doen om pa te helpen. Onder ons gezegd vind ik dat hij er ellendig uitziet.'

'Dat vind ik ook.'

Mandy vervolgde. 'Ik ben echt een paar dagen afgemat geweest, Gracie. Ik kon haast niet meer op mijn benen staan, zo verdrietig was ik.' Mandy stapelde de boterhammen op een schaal. 'Maar weet je wat? Ik heb besloten niet meer zo mistroostig te zijn,' zei ze. 'Ik begrijp niet waarom mama is weggegaan, en ik vind het heel erg. Maar als ze niet wil dat wij weten waar ze heen is en waarom, dan moet ze daar een goede reden voor hebben.'

Grace keek haar zusje aan. Dat was een interessant gezichtspunt. Zijzelf kon mama's vreemde gedrag niet zomaar van tafel vegen, noch dat ze hen in de steek had gelaten. 'Het is moeilijk te begrijpen wat mama denkt,' zei ze.

'*Jah*, maar als we er te diep over nadenken, worden we allemaal gek, hè?'

Grace had zich 's nachts door smartelijke momenten heen gevochten als ze dacht dat het hele huis wakker zou worden als ze toegaf aan haar snikken. 'Ik ga maar eens vragen of *Dawdi* en *Mammi* vandaag met ons mee willen eten,' zei ze.

'*Jah*. Ze zouden elke dag bij ons moeten eten,' beaamde Mandy. 'Het is raar dat ze onder hetzelfde dak wonen als wij en maar een enkele keer mee-eten.'

Dat is door toedoen van mama, dacht Grace, maar tegen haar zusje zei ze: 'Dat is een wonder-*gut* idee, Mandy.' Daarop snelde ze door de zitkamer om de gang over te steken naar de kant van hun grootouders.

Tijdens de heerlijke maaltijd merkte Grace dat Mandy weer meer zichzelf was. Ze had vast en zeker met plezier gezien hoe lekker iedereen zat te eten.

Later hielp Grace *Dawdi* Jakob terug naar de overkant naar zijn lievelingsstoel in de zitkamer. Toen hij zat, wenkte *Mammi* haar mee naar de keuken om haar een nieuw koekjesrecept te laten zien.

'Ik kreeg het in een rondzendbrief van een vriendin van mijn nicht,' zei *Mammi* Adah tegen haar.

Grace bekeek het recept en glimlachte. 'Een gezond koekje?' Ze had ze bij Eli's gezien, verpakt in cellofaan in de buurt van de kassa. Ze had er zelfs eentje geproefd.

Mammi Adah vroeg wat ze ervan vond agavenectar te gebruiken in plaats van suiker, zoals het recept vereiste. 'Je hebt er bijvoorbeeld minder van nodig... en de structuur lijkt meer op die van cake,' vertelde Grace.

Maar hoe interessant het recept ook was, Grace wilde graag andere dingen bespreken. En zodra *Mammi* het recept op het aanrecht legde, zei Grace: 'Ik heb mama's brief aan mij bij me gehouden, omdat ik niet wist wat ik moest doen.' Ze vertelde van haar onzekerheid, dat ze bang was dat de gevoelige Mandy diep getroffen zou zijn. 'Maar pa heeft hem gelezen.'

Mammi fronste haar wenkbrauwen. 'Verklaart dat waarom je vader denkt dat je moeder niet terugkomt?' Haar stem klonk neutraal.

'Misschien. Maar het is moeilijk te zeggen.'

Mammi Adah keek somber. 'Heb je er bezwaar tegen dat ik hem lees?'

'Nou, alleen als u er niet neerslachtig van wordt. Ik zou het vreselijk vinden als...'

'Nee... dat moet je niet denken.' *Mammi* stak een hand uit. 'Je bent een lief kind, Grace.'

Ze werd verlegen, maar gaf *Mammi* een kneepje in haar hand. 'Ik heb nog iets anders op mijn hart, *Mammi*.'

'*Jah*?'

Langzaam en zorgvuldig haar woorden kiezend, begon ze te vertellen wat ze had gehoord van pa's nicht Rose over mama en haar *beau* van vroeger. 'Nu ik weet wie Sarah Graber is, sta ik er nog steeds versteld van dat mama zo blij was dat ze haar zag bij die schuurbouw.'

Haar grootmoeder zuchtte zacht en algauw gleden er dikke tranen over haar gerimpelde wangen.

Grace kreeg een knoop in haar maag. 'Dus wilde ik u vragen… waarom zou mama zo blij zijn geweest dat ze de zus van Samuel Graber zag?'

Adah moest oppassen met wat ze Grace onthulde over haar moeder en Samuel. Het laatste wat ze wilde was haar kleindochter in enig opzicht beïnvloeden. Nee, Grace mocht haar moeder niet minder achten om haar jeugdige belangstelling voor de wereldlijke jonge Samuel.

Grace wachtte met wijd opengesperde blauwe ogen op antwoord. Ze kruiste haar benen en boog zich aandachtig naar haar toe, een blote voet stak uit onder de zoom van haar werkjurk.

'Mijn lieve kind, ik heb geen idee waarom je moeder zo blij was om Samuels zus te zien.' Adah was zich scherp bewust van het bonzen van haar hart.

'Wat vreemd, hè?'

Adah streek haar schort glad en dwong zich kalm te blijven. 'Ik wou dat ik kon zeggen dat je moeder viel voor een vrome jongen, die zich in de kerk wilde laten dopen. Maar helaas zou Samuel haar van de kerk hebben afgetrokken.' Ze bette haar gezicht met een zakdoekje. 'Gelukkig had een bejaard familielid van *Dawdi* Jakob – een oudtante van je moeder – in Ohio inwonende hulp nodig. Je moeder en ik gingen erheen om haar een paar maanden te helpen… totdat de vrouw stierf.'

'Maar was het ook om mijn moeder bij Samuel weg te krijgen?'

'Nou, tegen de tijd dat we weer thuiskwamen, waren Samuel en zijn familie ineens verhuisd. Je moeder was er volkomen kapot van, maar je *Dawdi* en ik waren opgelucht.' Adah veegde haar tranen weg. 'Niemand keurde het goed dat Samuel onze Lettie het hof maakte, ook *Dawdi* en ik niet.'

'Dus in de Gemeenschap van Eenvoud wisten ze dat ze verkering hadden? Het was geen geheim, zoals we het tegenwoordig geheimhouden als we verkering hebben?'

'O, het was natuurlijk de bedoeling dat het geheim was, maar de paar mensen die wisten hoeveel tijd Samuel elke week met je moeder doorbracht, waren ongerust.'

Grace keek verbaasd. 'Wie wisten het nog meer?'

'De broeders hadden bijvoorbeeld bericht gekregen.'

'Heeft *Dawdi* Jakob het hun verteld?'

Adah boog haar hoofd. Dat had zij gedaan, wist ze nog. Een pijnlijke herinnering. 'Ik vind dat we genoeg over het verleden hebben gepraat, kind.'

Grace stond op en liep met een vastberaden blik de hele keuken door. Ze keek naar de zitkamer.

Adah nam aan dat ze keek of Jakob in slaap gedommeld was in zijn stoel. '*Ach*, Grace, je moet er niet zo over in zitten.'

'Ik moet iets opbiechten,' zei Grace ineens.

Adahs hoofd kwam met een ruk omhoog. 'O?'

'Toen ik laatst helemaal ontmoedigd bij u op bezoek kwam, zag ik een envelop uit *Dawdi*'s Bijbel steken. Weet u nog?'

'*Jah*.' Adahs hart begon nog harder te bonzen.

'Ik wil mijn neus niet in andermans zaken steken, *Mammi*, dus ik vraag eerlijk om toestemming om de brief te lezen die *Dawdi* Jakob aan u en mijn moeder stuurde in Kidron.' Grace knipperde snel met haar ogen. 'Mag dat?'

'Waarom, kind?'

Grace haalde haar schouders op. 'Er moet een reden voor zijn dat *Dawdi* en u hem bewaard hebben, *jah*?'

Adah zuchtte. 'Het is beter van niet, Gracie.' Ze probeerde haar emoties in bedwang te houden, maar Grace drong veel te sterk aan.

Hoofdstuk 30

Judah ontwaakte uit een onrustige slaap, blij dat zijn inwendige klok hem niet in de steek had gelaten. Het was zijn beurt om bij de lammetjes te kijken. *Ik mag er niet nog eentje verliezen,* dacht hij, in het donker tastend naar zijn badjas.

Hij wankelde de trap af naar de hal en ging op de diakenbank zitten om zijn werklaarzen over zijn blote voeten aan te trekken. Versuft sjokte hij naar de schuur en naar de lammerbox. Daar bekeek hij hoe de twee dagen oude tweeling het deed, die woensdagmiddag geboren was toen hij met Andy Riehl de andere schapen aan het scheren was. Gelukkig hadden Adam en Joe de wacht gehouden over de ooi met barensweeën en er waren geen complicaties geweest.

Niet in staat zijn gevoelens van zorg en onrust te bedwingen, knielde Judah neer in het hooi. De pijn in zijn nek was uitgegroeid tot een constante kwelling, een blijvende herinnering aan zijn verlies. Het schuldgevoel drukte hem onontkoombaar.

Wat Judah niet overhad voor een beetje rust... een diepe, herstellende slaap om de herinneringen te laten wegzinken en de voortdurende pijn te verlichten.

Laat ons afleggen alle last, en de zonde, die ons lichtelijk omringt...

Hij raapte de energie bijeen om de twee overgebleven lammetjes van de drieling ook te inspecteren; waarvan het ene regelmatig met de fles gevoed moest worden. Daarna schoof hij de schuurdeur open, sloot hem weer en sjokte terug naar het huis. Hij schopte zijn vuile laarzen uit, pakte de leuning stevig vast en hees zich de trap op naar zijn kamer.

Bijna te moe om zich nog te bewegen viel Judah met zijn

badjas aan in bed. Zijn voeten bungelden aan Letties kant uit het bed.

Lieve vrouw van me…

★

De zon gluurde over de groene heuvels in de verte en Heather was wakker genoeg om haar telefoon aan te zetten en haar e-mail te checken. Verscheidene studiegenoten hadden een berichtje gestuurd. Ze wilden haar overhalen om terug te komen voor de zomerpret.

Even wenste ze dat ze een zus had. Het zou opluchten om iemand in vertrouwen te nemen, over Devon of over haar diagnose en de aanstaande afspraak met de natuurgenezer. Niet dat ze twijfelde aan haar beslissingen; maar ze voelde zich zo alleen op de wereld.

Toen er aan haar deur werd geklopt, legde ze haar telefoon opzij. Als ze alle berichtjes gelezen had, moest ze vandaag echt aan het werk met haar scriptie.

Ze deed de deur open en daar stond Becky, keurig aangekleed in een donkergroene jurk met een bijpassend schort. 'Wil je me komen helpen chocoladewafels maken, Heather?' vroeg ze met stralende ogen.

Gisteren had Heather laten merken dat ze daar wel zin in had, maar nu meteen? Ze smachtte ernaar om even alleen te zijn. Ze had genoten van Becky's gezelschap, maar zoals altijd met potentiële vriendschappen was ze teruggedeinsd, hoewel ze aanvankelijk zo'n sterke band met Becky Riehl had gevoeld.

'Heather?' herhaalde Becky.

'Een ander keertje misschien.'

Becky's glimlach stierf weg.

Heather voelde zich schuldig; ze had de gevoelens van het jongere meisje niet willen kwetsen. 'Ik moet gewoon aan het werk.' Zelfs in haar eigen oren klonk het als een slap excuus.

'Dan roep ik je wel als het ontbijt klaar is.'

'Dank je. Fijn.' Heather deed de deur dicht.

Ze schudde haar hoofd. *Waarom doe ik dat toch altijd?*

Heather kroop weer op het bed met de beste vriend die ze op dit moment in de wereld had: haar laptop.

★

Toen ze tot haar verrassing zag dat pa's slaapkamerdeur wijd openstond, keek Grace naar binnen. Hij lag nog te slapen. Ze was bij hem gaan kijken nadat Adam en Joe gevraagd hadden waarom hij niet zoals gewoonlijk meteen bij het krieken van de dag naar de schuur was gegaan.

Hij lag dwars over het bed en ze had het hart niet om hem te wekken. *Hij heeft zeker daarstraks al bij de lammeren gekeken.* Ze vond het beter om hem maar met rust te laten, hij was de afgelopen week zo moe geweest. Zachtjes deed ze de deur dicht en liep op haar tenen naar beneden om het ontbijt op tafel te zetten.

Dawdi en *Mammi* kwamen vandaag zonder te vragen... en ze waren heel vrolijk. Kennelijk waren ze helemaal vóór Mandy's voorstel om als één grote familie de maaltijden te gebruiken.

'Pa is niet lekker,' zei Grace toen ze zaten. Toen bogen ze hun hoofd en wachtten tot *Dawdi* Jakob om een zegen had gevraagd.

Grace legde haar linkerhand op mama's lege stoel en vroeg God over haar te waken. Pa had hun opgedragen mama in hun gebeden te gedenken. De verleiding was groot om ook te bidden om een veilige en snelle terugkeer.

Na het bidden keek *Mammi* Adah naar pa's lege stoel en begon over aanstaande zondag, wanneer er geen kerkdienst werd gehouden. Ook *Dawdi* Jakob deed mee aan het gesprek. 'Hebben jullie een voorstel bij wie we op bezoek kunnen gaan?' vroeg hij. 'Heeft jullie vader iemand genoemd?'

Adam en Joe schudden het hoofd.

'Tja, we passen niet met z'n allen in één rijtuig,' zei *Mammi*, 'maar Adam kan de meisjes meenemen in zijn open rijtuigje.'

'Dat lijkt me leuk,' zei Mandy, met haar vork tussen haar vingers.

'Het is een hele tijd geleden dat we pa's nichten in Bart hebben bezocht,' opperde Joe.

Grace' adem stokte. 'Maar... zonder mama?'

Adam keek Grace strak aan. '*Jah*... die nichten zijn op dit moment misschien niet de juiste keuze.'

'Dan komt er nog meer opschudding dan er al is,' beaamde *Dawdi*, terwijl hij de kruimels uit zijn grijze baard veegde.

'De ouders van pa dan, in de buurt van Ronks?' vroeg Joe. 'Die kunnen we bezoeken... en daarna misschien nog naar de familie Bontrager.'

'Twee families op één middag.' Mandy keek lachend van Grace naar Joe.

Grace keek haar jongste broer onderzoekend aan. Wat voerde hij in zijn schild? Was hij soms verliefd op Yonnies jongere zusje Mary Liz?

Adam stelde voor af te wachten wat pa wilde. 'Hij is toch niet ziek, Grace?' vroeg hij met een frons.

'Alles in aanmerking genomen, is hij volgens mij helemaal uitgeput,' antwoordde ze.

Daarop knikten ze allemaal eensgezind. Ze zag aan hun ogen dat ze zich allemaal zorgen maakten over pa, die zo'n verdriet had om mama.

★

Halverwege de ochtend kwamen Jessica en Brittany Spangler langs met drie banaan-notenbroden. Zoals altijd waren ze vriendelijke en zorgzame buren. 'Ik dacht dat jullie wel wat extra brood konden gebruiken,' zei Brittany met een veel te ernstig gezicht.

Grace nam aan dat ze onderhand gehoord hadden dat mama weg was. Dat kon niet anders. Al werd er niets over gezegd, ze moest wel blind zijn om de veelbetekenende glinstering niet te zien in hun opgemaakte ogen. 'Kom een keertje langs, Grace!' drongen ze aan voordat ze afscheid namen.

Dus het nieuws was zelfs tot buiten de Gemeenschap van Eenvoud doorgedrongen. Het was vast en zeker het opmerkelijkste kletspraatje dat ze in de afgelopen jaren in de streek hadden meegemaakt.

Grace liep door de keuken en de gang om naar boven te gaan naar *Mammi* Adahs naaikamer. *Mammi* had Grace gevraagd haar te helpen meterslange draden garen te knippen voor een quilt, en Grace had toegestemd. Ze begroette haar grootmoeder en ging tegenover haar aan de werktafel zitten. Ze had iets op haar hart. 'Ik hoop dat u weet dat ik mama die nacht niet zomaar heb laten gaan,' zei ze ten slotte. 'Ik heb haar geroepen. Nou, gesmeekt eigenlijk.'

'Natuurlijk heb je geprobeerd haar tegen te houden.' *Mammi* zuchtte, haar boezem rees langzaam. 'Vast en zeker, kind, dat had ik ook gedaan.'

'Er is nog iets,' zei Grace bijna fluisterend.

Mammi keek op, schaar en draad in de hand.

'Ik ben in de nacht op zoek gegaan naar uw brief,' zei Grace slikkend. 'Het was verkeerd van me… het spijt me.'

Mammi zette grote ogen op.

'Ik moet almaar aan mama denken. Als de brief die *Dawdi* aan u en mama schreef kan helpen… waarom mag ik hem dan niet lezen?' Grace begon te huilen. 'O, *Mammi*… ik dacht alleen misschien… *Ach*, het spijt me zo.'

'Rustig maar, lief kind.' *Mammi* Adah legde over de tafel heen haar hand op de hare.

Ze huilde zachtjes en kon niet ophouden. Na een tijdje veegde ze haar ogen af en snoot haar neus. 'Zou het kunnen dat mama nu verblijft op het adres op de envelop?'

Mammi Adah knikte langzaam. 'Ik kan je niet zeggen hoe

vaak ik me dat heb afgevraagd sinds ze weg is.' Ze friemelde zenuwachtig met haar vingers.

'Als het zo is, kan pa er gewoon heen gaan om mama naar huis te halen.'

'Als ze daarheen is gegaan, kan ik je vertellen dat ze niet wil dat iemand van ons haar volgt.' *Mammi* haalde hoorbaar adem en begon weer te meten en te knippen. 'We kunnen de dingen het beste aan God overlaten.'

Grace dacht erover na en strekte het meetlint uit langs de draad. Ze kon zich niet tevredenstellen met wat *Mammi* opperde. Maar wat als pa op reis ging naar Ohio en afgescheept werd zoals Grace toen mama vertrok?

Ineens riep *Dawdi* Jakob onder aan de trap. '*Ach*, de broeders zijn gekomen om Judah te spreken!' en *Mammi* excuseerde zich meteen zenuwachtig.

Grace' hart bonsde, maar ze bleef stil zitten in de rustige kamer waar haar moeder soms zat te werken. *Mammi*'s oude trapnaaimachine stond in de hoek als een oude vriend.

Ze dacht aan de Psalm die ze vanochtend had gelezen: *Wentel uw weg op den HEERE, en vertrouw op Hem.*

Ze boog haar hoofd om te bidden.

Judah was met een schok wakker geworden, verbijsterd dat hij op dit late uur nog in bed lag. Hij was vlug naar beneden gegaan om te douchen en zich aan te kleden en kwam net de badkamer uit toen Adah hem naar de achterdeur wenkte. 'De broeders zijn hier voor je, Judah.' Ze deed een stap opzij en verliet met een vaartje de keuken.

Altijd wat...

Hij haalde diep adem en zette zich schrap voor wat hem wachtte. Hij liep naar de deur en daalde langzaam de treetjes af omdat hij zijn benen niet vertrouwde. Ondanks de onbedoeld lange rust waren ze onbetrouwbaar als rubber.

'Morgen, Judah,' zei prediker Smucker, de eerste die hem begroette.

Judah knikte, maar deed geen poging om iets te zeggen. Hij bewaarde zijn energie voor wat er verder aan de orde werd gesteld. En er wachtten vast en zeker moeilijkheden met alle vier de broeders op zijn erf: de bisschop, twee predikers en diaken Amos.

De bisschop nam de leiding. 'We zijn gekomen om hulp aan te bieden,' zei hij met een blik naar de schuur. 'Als je wilt proberen je vrouw te vinden.'

Ze wil niet gevonden worden, dacht hij bitter.

Judah zag dat Joe zijn neus om de hoek van de schuurdeur stak. Hij wierp hem een boze blik toe en Joe verdween meteen naar binnen.

'Ik heb veel nieuwe lammeren…' De broeders snapten toch wel dat hij zijn levensonderhoud op het spel zette als hij nu vertrok.

'Toch zou je misschien meer kunnen doen om haar te vinden,' opperde diaken Amos.

De wenk klonk Judah ongevoelig in de oren en hij had moeite om rechtop te blijven staan.

'Prediker Smucker zegt dat het je niet duidelijk is waar ze naartoe is. Klopt dat?' De bisschop keek hem met gefronst voorhoofd aan. Hij was de oudste van de groep, zijn baard was lang en piekerig en wit als gewassen wol.

Het koude zweet brak Judah uit en hij mompelde dat hij niets wist van Letties verblijfplaats of motieven. En de opmerking van de diaken maakte dat hij nog meer in verlegenheid werd gebracht; twijfelde Amos aan zijn huwelijk? Zij allemaal soms?

Hij had geheimen voor hen gehad, en voor zijn gezin ook. Maar had iemand er iets mee te maken dat Lettie geld van hun rekening had opgenomen? Daaruit kon hij opmaken dat ze niet van plan was spoedig naar huis terug te keren, ook niet als ze gevonden werd.

'Judah?' De bisschop wachtte op een antwoord.

Judah deed zijn mond open en het erf begon te tollen alsof

hij alleen gevangenzat in een windmolen.

Hij snakte naar adem en stak een hand uit naar Amos om steun te zoeken. Maar hij greep mis en ineens waren zijn benen te zwak om hem te houden. 'O...' Hij struikelde achterwaarts en viel op de grond. De lucht was een werveling van blauwgrijs. Boven hem zweefden vier baarden, vier gezichten en vier strohoeden, die allemaal deel uitmaakten van de kolkende achtergrond.

'Judah, wat is er?' vroeg prediker Josiah Smucker.

'Weet ik niet...' Hij uitte woorden die onbegrijpelijk waren, alsof iemand anders voor hem sprak.

Uit zijn ogen vielen grote druppels, over zijn gezicht en in zijn dichte baard. Hij kruiste zijn armen over zijn borst terwijl zijn verdriet en verwarring naar buiten stroomden.

'Ik kan niet meer...' zei hij ademloos. En hij snikte.

'Hij heeft rust nodig,' klonk de vriendelijke stem van prediker Josiah, dat hoorde Judah nog wel. Maar verder bevatte hij nauwelijks dat de mannen hun armen in elkaar haakten, hem optilden en zijn huis binnendroegen.

Hoofdstuk 31

Door het raam van de naaikamer zag Grace hoe haar vader omringd werd door de broeders. Het leek erop dat alleen de bisschop en de diaken het woord voerden. Onverwacht wankelde pa naar links en wilde zich aan Amos vastgrijpen voordat hij naar achteren struikelde en in het gras viel.

'O... pa, nee!' riep ze ontzet.

Snel waren de broeders om hem heen. Toen tilden ze hem met grote zorgen in hun armen en droegen pa gezamenlijk naar de deur.

Grace vloog de trap af hen tegemoet terwijl ze haar trillende vader de voorkamer binnen brachten. Ze legden hem op de enige sofa in de kamer, zijn voeten hingen over de rand.

Prediker Josiah snelde weg om hun buurvrouw mevrouw Spangler te waarschuwen, die verpleegkundige was. Na zijn vertrek opperde diaken Amos een ambulance te bellen, maar de bisschop zei dat ze moesten wachten wat de verpleegkundige daarvan vond, omdat hij er geen *Englischers* bij wilde betrekken als het niet beslist nodig was.

Grace knielde neer en voelde haar vaders voorhoofd. 'Ik ben bij u, pa,' fluisterde ze dicht bij zijn gezicht. 'Ik, Grace, ben bij u.'

Toen ze besefte dat ze alleen was met haar vader – de anderen stonden ongetwijfeld buiten te wachten tot prediker Josiah terugkwam met mevrouw Spangler – tilde Grace de zoom van haar schort op en bette zacht zijn geliefde gezicht, dat nat was van het zweet. Haar arme, door verdriet getroffen vader had zijn smart in stilte gedragen, en nu... 'Slaap maar,' zei ze, terwijl ze zijn wang streelde met de rug van haar hand. 'Ga maar slapen.'

Zijn oogleden trilden, maar ze gingen niet open. Even tilde hij zijn hand op en ze klemde hem in haar eigen beide handen. 'Grace... *denki*,' bracht hij uit.

Ze legde haar hand voor haar mond om niet weer te gaan huilen. Gebroken van geest had pa hun gevraagd te bidden voor mama's veiligheid en dat had ze gedaan. Maar nu moest iemand haar vaders grote nood bij de Almachtige brengen.

O God, zie neer op pa hier... en geef hem gezondheid en vrede.

Ze stond zachtjes op om hem geen verdere onrust te bezorgen, liep achteruit de kamer uit en vloog weg om Adam en de anderen te gaan zoeken.

★

Onder Grace' toeziend oog bleef pa urenlang slapen. Mevrouw Spangler had hem onderzocht en vastgesteld dat hij waarschijnlijk leed aan pure uitputting en ernstig overspannen was. Dat laatste vertrouwde ze alleen zachtjes aan Grace toe.

Mammi Adah droeg Mandy op om haar voorlopig te helpen met het bereiden van de maaltijden. En Adam en Joe hadden van de broeders en andere Amish buren hulp gevraagd bij het lammeren en het werk in de schuur.

Het nieuws dat hun vader was ingestort, verspreidde zich snel. Om onnodige storing te voorkomen, hing Mandy briefjes op de voordeur en de keukendeur om bezoekers te waarschuwen niet te kloppen of hun stem te verheffen. En bezoek kwam er, met warme ovenschotels, ingemaakt fruit, vlees en zelfs giften.

Toen pa voor de eerste keer wakker werd, vroeg hij of ze hem naar boven naar bed wilden helpen en zijn zoons ondersteunden hem aan weerskanten. Grace hield de hele weg haar adem in en volgde hen op de hielen.

Ach, mama, als u eens wist...

Adam hielp hem met uitkleden terwijl Grace en Joe wachtten in de gang en ongeruste blikken wisselden. Toen Adam met een zorgelijk gezicht weer verscheen, vroeg Grace of hij dacht dat ze naar binnen moest gaan.

'Kijk maar of hij nog iets nodig heeft.' Adam klemde zijn kaken op elkaar, vechtend tegen zijn tranen.

Ze legde haar hand op zijn arm en bedankte hem, al voelde het raar. Zij was tenslotte net zo ongerust als hij. Maar nu was ze vastbesloten om toezicht te houden op pa's herstel en de rustgevende, genezende slaap die hij nodig had door niets te laten verstoren.

Ze trok een stoel naast zijn bed en vroeg wat hij wilde drinken. 'Vroeg of laat zult u iets nodig hebben.' Hij had nog niets gegeten.

'Alleen water...' Hij worstelde om zijn ogen open te houden, maar toen werd zijn hand slap en het drong tot haar door dat hij alweer aan de slaap had toegegeven.

Grace haalde een gequilte sprei uit *Mammi's* dekenkist en spreidde hem voorzichtig over haar vader uit. Ze liep stilletjes naar de deur en na nog één blik op hem, glipte ze de kamer uit.

★

De late middagzon spreidde een gouden licht over pa's grasland, waar zes nieuwe lammetjes achter hun moeder aan dartelden. Grace moest frisse lucht hebben en keek toe hoe de jongste, speelse lammetjes over het donkergroene weiland sprongen, dat binnenkort een zee van paardenbloemen zou zijn.

Voor haar luidde de lente altijd de nadering van nieuw leven in. En het was haast onmogelijk om het glooiende landschap te zien zonder opnieuw te beseffen hoe het volkomen meeveranderde met de seizoenen.

Tijd en natuur waren met elkaar verbonden. Ze had een keer gelezen over de overgang van winter naar lente... dat die de macht had om menselijke emoties overhoop te halen. Ze

vroeg zich af of de schapen die pa fokte daar ook door beïn-
vloed werden.

Grappig dat de dieren zo schuw reageerden op vreemden.
Ze deinsden vlug achteruit en alleen een van de oudere ram-
men was dapper genoeg om voorzichtig naar voren te komen
als er een onbekende verscheen.

Uit de richting van het huis van de familie Riehl zag ze
over de weg een jonge vrouw – een *Englischer* – aankomen.
Ze snufte en streek met haar vingers over haar ogen. Grace
vroeg zich af of dit de gast was die de hele zomer bij de Riehls
logeerde.

De vrouw begon hard te rennen en Grace hoorde haar snikken. Ze scheen zich te beheersen, minderde vaart tot ze weer
gewoon liep en sloeg haar armen om haar middel. Weer bracht
ze haar hand omhoog om tranen weg te vegen, haar schouders
rezen en daalden.

Grace' hart ging uit naar het in spijkerbroek geklede meisje.
En ze wenste dat ze haar kon helpen.

★

In het grote bed draaide Judah zich om en pakte Letties kussen. Hij was zich er nauwelijks van bewust hoe laat het was en
gaf zich snel weer over aan de verlokkende troost van de slaap.
Hij merkte het maar half als Grace nu en dan binnenkwam
met een glas koud water of om zijn pols te voelen. Dacht ze
dat het met hem gedaan was?

Het was de Dag des Heeren, de tweede ochtend na zijn
instorting, en Judah kroop de trap af naar beneden om zich te
wassen en te scheren. Maar niet om aan te kleden.

Grace was in de keuken met Mandy en kwam naar hem toe
om hem gerust te stellen dat hij niet bij de dieren hoefde te
gaan kijken. 'We hebben hulp in overvloed.' Ze zei niets over
een bezoek aan familie of vrienden op deze speciale zondag,
en het speet hem dat hij een domper zette op de familiedag.

Voorzichtig klom hij zonder hulp de trap weer op, trots op zijn kleine prestatie. Langzaam maar zeker keerden zijn krachten terug. Genietend van de kleinste vooruitgang ging hij in zijn stoel voor het raam zitten. De zon scheen naar binnen.

Hij sloeg de Bijbel open en zocht op waar hij gebleven was. *Ik was verstomd door stilzwijgen, ik zweeg van het goede; maar mijn smart werd verzwaard.* De toepassing van wat hij las trof hem en Judah voelde aandrang om te bidden, God en zijn gezin dankbaar voor hun liefdevolle zorg voor hem.

Kort daarna bracht Grace zijn middageten boven en zette het blad naast hem neer. Hij overwoog haar te vertellen hoeveel haar zorgzaamheid voor hem betekende, maar de woorden waren ergens diep vanbinnen verloren gegaan.

★

Weer sliep Judah en hij werd wakker toen de avond begon te vallen, verbaasd door de stilte in zijn anders van drukte gonzende huis. Wat hadden zijn kinderen gedaan om zo'n rust te scheppen?

Voor het eerst sinds zijn instorting dacht hij aan Letties ouders. Zorgde Grace ook voor hen?

Hij kwam overeind en schoof naar de rand van zijn bed. Hij had zin om zijn broek aan te trekken, te weten hoe goed het voelde om weer volledig aangekleed te zijn. 'Morgen,' beloofde hij zichzelf.

Hij stond op en wandelde door de lange gang zonder iemand te zien. Toen werd de stilte verbroken door voetstappen.

'O, pa, wat fijn om te zien dat u op bent en loopt,' zei Grace, die even bij hem kwam kijken. Haar lieve gezicht lichtte op door een brede lach.

'Eindelijk werken mijn benen weer mee.' Het verbaasde hem toen ze haar arm door de zijne haakte en met hem mee terugliep. 'Ik denk dat ik gewoon een beetje rust nodig had.'

'En een beetje liefdevolle zorg.' Ze wendde haar blik af, maar hij had haar tranen gezien. 'U hebt ons vreselijk laten schrikken, pa.'

Hij zuchtte vermoeid en zakte neer op zijn stoel. 'Hoort het geen ochtend te zijn in plaats van avond?' Hij keek naar de donker wordende hemel en strekte zijn benen voor zich uit.

'Hebt u trek?'

Hij knikte naar haar en zijn dochter liep naar de deur. *Ach, ze straalt goedheid uit.* 'Je bent een beste verpleegster, Gracie.'

Ze glimlachte weer; hij had Letties koosnaam voor haar gebruikt, en het viel haar op. 'Wilt u taart of koekjes en ijs als toetje?'

'Ik eet alles wat je me voorschotelt.' Hij wendde zich weer naar het raam. Het vogelbadje dat Lettie had uitgekozen voor de zijtuin was haast onzichtbaar in de grijze schemering.

Hij boog zich dichter naar het raam toe en zag zijn eigen spiegelbeeld in de ruit, vaag maar herkenbaar. En plotseling werd hij overspoeld door een golf van opluchting. Hij werd beter.

★

Terwijl ze haar haren losmaakte, werd Lettie overvallen door de gedachte dat ze gewoon niet langer meer kon wachten. Ze was die middag in een diepe slaap gevallen, vol dromen. Dromen over haar gezin, vooral over haar kinderen. Wakker geworden voelde ze de sterke drang om hun te laten weten dat ze in veiligheid was.

Vlug wond ze haar haar weer in een geïmproviseerde knot, stak het vast en snelde naar de gemeenschappelijke ruimte beneden, waar een telefoon ter beschikking was voor de gasten. Ze had een telefoonkaart met beltegoed meegebracht en had hem sinds haar vertrek van huis nog maar één keer gebruikt.

Martin Puckett beloofde dat ik hem altijd mocht bellen, dacht Lettie. Ze wilde Marian Riehl niet bellen op haar schuurtelefoon... bang dat haar buurvrouw en vriendin de gelegenheid te baat zou nemen om tegen haar tekeer te gaan. Dat kon ze nu niet verdragen.

Ze liep naar de stoel naast de haard en pakte de hoorn van de haak.

Martin hoorde de telefoon overgaan. Hij was blij dat Janet opnam en hem naar het nieuws liet kijken. Met zijn voeten op de bank leunde hij achterover in zijn leunstoel en genoot van een schaal popcorn die Janet op de ouderwetse manier had gemaakt: in een braadpan op het fornuis.

'Martin,' riep ze met een gespannen stem. 'Het is Lettie Byler. Het lijkt wel of ze huilt.'

'Wat krijgen we nou dan?' Hij nam de draadloze telefoon van de bijzettafel. 'Hallo?'

'*Ach*, Martin. Ik vind het vervelend om je zo laat te bellen. Het spijt me erg.'

'Dat geeft niks... geeft niks.' Hij zweeg om niet te laten merken hoe het hem opluchtte om iets van haar te horen. 'Is alles goed?'

'Ik... ik...' Ze snufte even. 'Zou het te veel gevraagd zijn om een boodschap aan mijn gezin door te geven – vooral aan Judah?'

'Geen enkele moeite, Lettie. Wat wil je dat ik zeg?'

Janet was de tv-kamer binnengekomen en bleef hem in de deuropening staan aankijken met een vragende uitdrukking op haar gezicht.

'Wil je gewoon tegen hem zeggen dat ik veilig ben?' vroeg Lettie.

'Anders nog iets?' vroeg Martin. Ze klonk nu even gespannen als op het station en hij wachtte af of er nog meer kwam. Iets wat houvast gaf... haar verblijfplaats misschien... wanneer ze van plan was terug te komen.

'Zeg tegen mijn man dat ik later contact met hem zal zoeken.'

Haar afstandelijke toon verbijsterde hem. 'Ik zal morgen-ochtend vroeg meteen je boodschap afleveren.'

'*Denki*, Martin. Nogmaals, ik hoop dat ik je niet gestoord heb.'

'Pas maar goed op jezelf.'

Ze zei gedag en hing op.

Hij legde de telefoon neer. 'Alles is goed met haar.'

'Zo klonk het anders niet.' Janet fronste haar voorhoofd. 'Waarom belt ze hierheen?'

'Haar familie heeft geen telefoon, dat weet je toch.'

'O ja, dat is waar ook.'

'Toen ik haar naar het station bracht, heb ik gezegd dat ze mij moest bellen als ze hulp nodig had. Dat leek me goed.'

'Ja, natuurlijk.' Janet ging op de bank zitten en legde haar hand op zijn knie. 'Je bent een goed mens, Martin.'

Hij pakte de afstandsbediening. 'Ze moet bij iemand op bezoek zijn.'

'Heeft ze er niets over gezegd?'

'Toen ze wegging had ze een lijst met telefoonnummers bij zich en ze zei dat iemand haar kwam afhalen.'

Morgen moest hij Letties boodschap aan Judah doorgeven. En uitleggen waarom ze contact met hem had gezocht en niet met iemand van haar eigen volk.

★

Grace had Martin Puckett talloze keren de oprijlaan in zien draaien, dus ze had er geen gedachten bij toen hij maandag kwam. Ze was net klaar met was ophangen. Ze nam aan dat Adam vervoer nodig had, want zij had Martin niet gebeld en pa was niet in een toestand om ergens heen te gaan.

Martin stapte uit het busje en liep om naar de zijdeur.

'Lieve help, wat een service,' zei ze terwijl ze hem naar binnen wenkte.

'Ik blijf maar heel even.' Hij stapte de keuken binnen, maar keek om naar de deur. 'Vanwaar dat briefje? Is er iemand ziek?'

Ze legde uit dat pa ziek was geweest, maar dat hij aan de beterende hand was. 'Maar hij ontvangt nog steeds geen bezoek. Het zal hem spijten dat hij u niet gezien heeft.'

Martins bezorgde blik was aanleiding voor haar om hem een stoel aan tafel en wat koekjes aan te bieden, maar hij sloeg het af. 'Ik ben gekomen om nieuws te brengen van je moeder,' zei hij. Zonder antwoord af te wachten vervolgde hij: 'Ze wil je vader laten weten dat alles goed is met haar.'

Grace deed haar mond open, maar ze kon niets zeggen.

'Wil je de boodschap doorgeven?' Ze knikte en hij verklaarde dat hij en zijn vrouw gisteravond opgebeld waren. 'Ik weet niet waarvandaan ze belde, het nummer was afgeschermd.'

Grace slaagde erin hem te bedanken. 'Ik zal pa vertellen dat u langs geweest bent.'

Mama zegt dat ze in veiligheid is. Maar waar?

Haar ergernis groeide; waarom had haar moeder niet gezegd waar ze was? Moest ze nou altijd zo geheimzinnig doen?

Grace kon maar één manier bedenken om haar intense woede te onderdrukken.

★

Terwijl haar stevige groentesoep op een laag pitje stond, zag Grace haar kans schoon om even een eindje te gaan wandelen. Het begon warmer te worden, het was al de vijfde dag van mei. Een lichte bries deed de boomtoppen ruisen en de windmolens in de verte waren constant in beweging. Ze genoot van de frisse lucht op haar gezicht na het haasten om het ontbijt op tafel te krijgen. Daarna had ze *Mammi* Adah geholpen met wat stukwerk voor een quilt, nadat ze de slaapkamer van haar vader had schoongemaakt en een wasje had gedaan.

Pa had verklaard dat hij sterk genoeg was om naar de schuur te gaan. Adam en Joe hielden hem nauwlettend in de gaten. Het deed haar goed om te zien dat hij weer kleur op zijn wangen kreeg. Ze waren allemaal flink geschrokken.

En mama zal het misschien nooit weten, dacht ze boos.

De weg was nu even verlaten als op dat donkere uur dat ze achter mama aan was gerend... en ondanks haar smeekbeden genegeerd was. Grace keek om zich heen om precies de juiste plek te vinden.

Ze vouwde haar handen, boog haar hoofd en sprak het gebed uit dat ze had bedacht toen ze pa kapot van verdriet voor de voeten van de broeders neer zag vallen.

'Ik ben mijn bitterheid moe, God. En ik wil vergeving vragen.' Ze zweeg even. 'Nee, dat is niet helemaal goed...'

Ze worstelde met de frustratie die zich in haar had opgebouwd. 'Ik wil mijn mama vergeven,' zei ze terwijl ze haar ogen opsloeg. In gedachten zag ze haar moeder weer zeulen met de lijvige koffer vol met bijna alle kledingstukken die ze bezat. 'Ik vraag U mijn boosheid weg te nemen, God. En de wrok die ik voel als ik aan dat vreselijke moment denk.'

Ze huilde nu en kon niet stoppen. 'Ik heb spijt dat ik die lelijke gevoelens in me heb gekoesterd.' Ze hield op met bidden en leunde tegen het schapenhek. 'O, mama, ik begrijp niet waarom u weg moest gaan. Maar met Gods hulp zal ik die bitterheid in me niet langer toelaten.'

Ze droogde haar natte gezicht af met de zakdoek die ze in de mouw van haar jurk had gestopt en keek zuchtend om naar pa's grote huis in de verte.

Tot haar verrassing voelde ze zich al een heel stuk lichter.

Vergeven.

Ze dacht aan de tekening van de kolibrie die Becky gisteren onder de zijdeur door had geschoven. Lief van haar vriendin, nu ze wist dat Grace aan haar vaders bed zat. Mandy had de tekening naar boven gebracht en zonder iets te zeggen alleen maar gewezen op Becky's prachtige handenarbeid. Speciaal voor haar gemaakt met de mooie verjaarsdagspotloden die Grace haar vriendin had gegeven.

Geen wonder dat mama dol is op kolibries. Ze zijn ongebonden en vrij.

Weer dacht ze aan haar eigen worsteling. Alleen door dagelijkse vergeving kon ook zij vrijheid vinden. *Zoals mama me heeft geleerd...*

Ze draaide om naar huis. Hoeveel ze ook begreep van vergeving, Grace wist dat het tijd kostte voordat er genezing kwam.

Ze naderde de oprijlaan toen ze Henry en zijn zus Priscilla samen in de marktwagen zag zitten. Zodra Priscilla haar zag, begon ze opgewonden te zwaaien. Grace zwaaide terug, blij dat ze hen zag.

Maar Henry bleef stijf rechtop zitten, met zijn handen aan de teugels, en glimlachte slechts vaag.

Meteen voelde ze zich terneergeslagen. *Waarom kan hij niet wat meer op zijn zus lijken?* vroeg ze zich af toen ze langsreden. *Is hij niet blij om me te zien?*

Mama had een keer tegen haar gezegd: 'Pa houdt van ons, al zegt hij het niet.'

'Net als Henry?' barstte Grace uit. Bij zijn huwelijksaanzoek had hij niet eens gezegd dat hij van haar hield.

Op dat pijnlijke ogenblik overvielen haar alle teleurstellingen van de afgelopen maanden. Was dit de reden dat ze de ochtend na Henry's aanzoek wakker was geworden met zo weinig blijdschap om hun verbintenis? Had ze onbewust geweten dat ze op weg was naar een huwelijk zonder vreugde... net als mama?

Ze had excuses voor zichzelf verzonnen en ook voor Henry. Ze had aanvankelijk gedacht dat haar middelmatige gevoelens voortkwamen uit de ontgoocheling van mama's vertrek. Maar ze wist dat er meer aan de hand was. En nu ze Henry zojuist had gezien en hij dwars door haar heen had gekeken, kwam er een uitbarsting van onderdrukte gevoelens los.

274

Op de een of andere manier was ze erin geslaagd vanaf hun eerste afspraakje zijn verlegen aard door de vingers te zien, in de hoop dat hij mettertijd zijn hart zou openstellen. Veel mannen waren zo, pa ook. Maar zoals ze zich nu voelde, moest ze er niet aan denken dat ze haar leven moest leiden met een echtgenoot zoals haar vader. *Onmogelijk.*

Grace schopte een steentje weg en sloeg de oprijlaan in. Eerlijk gezegd vond ze er geen greintje plezier in om met Henry Stahl verloofd te zijn. Eigenlijk werd ze er een beetje paniekerig van.

Hoofdstuk 32

In Ohio viel wasdag op dezelfde dag als thuis, maar hier had Lettie geen toegang tot een wringer of een waslijn. Daarom bood ze Tracie Gordon aan te betalen voor het gebruik van de automatische wasmachine en de droger van het logement.

'Ik zou er niet over peinzen u iets in rekening te brengen,' zei de jonge vrouw. 'Gaat uw gang. Er staan ook een strijkijzer en een strijkplank, als u die nodig hebt.'

Lettie was ervan uitgegaan dat de voorzieningen in gebruik zouden zijn om het vuile linnengoed en de handdoeken van het hotelletje te wassen. Maar toen ze later haar eigen kleren uitzocht, hoorde ze van de huishoudster dat zij de enige doordeweekse gast was. Ze had het keurige waskamertje voor zich alleen.

Toen haar wasgoed was opgevouwen en gestreken, ging ze terug naar haar kamer en streek haar haar glad bij de middenscheiding. Toen nam ze een bad en trok een schone jurk en bijpassend schort aan.

Ze was de hele ochtend al een beetje misselijk van de zenuwen. Samuel was kortgeleden weduwnaar geworden en misschien was hij te erg door verdriet overmand om blij te zijn met haar bezoek. Ze had geen idee hoe het tussen hen zou gaan. Ze hadden zo veel om elkaar gegeven. Maar dat was lang geleden.

Lettie hoopte dat haar tweede autorit naar Fredericksburg niet tevergeefs zou zijn. De chauffeurs waren hier even duur als in Lancaster, maar dat was niet de enige reden dat ze Samuel Graber dit keer thuis hoopte te vinden.

Haar hart bonsde haast uit haar borst toen ze voor het logement op haar vervoer stond te wachten. Wekenlang waren haar emoties rauw geweest, maar nu ze dacht aan wat ze op het punt stond te gaan doen, voelde ze zich eerder kwetsbaar dan bedroefd. Er gleden tranen over haar wangen en de straat met bomen erlangs werd wazig voor haar ogen.

Hoe zal Samuel me ontvangen?

★

De middagzon wierp een zacht licht over de smalle straat toen de chauffeur twee deuren voor en tegenover het huis van Samuel stilhield. In de voortuin zag Lettie een man onkruid wieden en haar adem stokte in haar keel toen ze besefte dat het inderdaad Samuel was.

Gekleed als Englischer, dacht ze ademloos.

Zijn stadse kleding was niet het enige wat sinds hun verkeringstijd was veranderd. Zijn gezicht was wat voller en zijn lichtbruine haar was grijs bij de slapen.

Ze betaalde de chauffeur en stapte uit het busje. Haar hart bonsde als een razende toen ze door de straat liep, ze voelde haar gewicht bij elke stap op de stoep drukken terwijl ze de voortuin naderde. Opnieuw bewonderde ze het uitstekend onderhouden huis en ze bad om moed.

Ik ben nu zo ver gekomen…

Intussen was Samuel naar de veranda gegaan en onbewust van haar aanwezigheid kneep hij verdroogde bloempjes uit de begonia's in de identieke potten. Zwijgend bleef ze onderaan de trap staan, ineens te verlegen om zich bekend te maken.

Ach, wat heb ik gedaan?

Net toen ze dacht dat ze beter gewoon kon weggaan, draaide hij zich om en zag haar staan. Ze vormde ongetwijfeld een onverwachte aanblik. Ze droeg per slot van rekening haar Amish kleding en haar haar zat in de traditionele knot.

'Hallo, Samuel,' zei ze met een glimlach.

Hij kneep zijn ogen tot spleetjes en richtte zich op. Toen

zette hij ineens grote ogen op en een glimlach van herkenning spreidde zich uit over zijn gezicht. 'Lettie? Ben jij het?'

Ze knikte glimlachend. '*Jah*, ik ben het.'

'Lieve help, wat een verrassing!' Zijn lach deed veel liefdevolle herinneringen opnieuw ontwaken. 'Tjonge, jonge!' Hij deed een stap naar achteren en nam haar van top tot teen op.

'Leuk om je weer te zien, Samuel.' Ze voelde zich wat zelfverzekerder nu hij zo opgetogen was.

Hij verontschuldigde zich voor zijn manieren. 'Alsjeblieft… wil je niet binnenkomen?' Hij wees naar de deur en hield hem voor haar open.

'*Denki.*' Het ontglipte haar.

Binnen haalde ze langzaam en diep adem. *Eindelijk ben ik er.*

'Doe of je thuis bent,' zei hij met een merkwaardig lachje.

Ze keek rond en nam de comfortabele kamer in zich op. Het leek een kleine bibliotheek of misschien een studeerkamer, zoals ze gehoord had dat stadse mensen zo'n kamer noemden. Ruim genoeg voor twee gestoffeerde stoelen – een zachtgroene en een zachtgele – met een eiken tafel voor de lamp ertussenin. De stoelen stonden gekeerd naar een kleine ingebouwde haard en op de planken die tot het plafond reikten stonden tientallen boeken.

Samuel wachtte tot ze zat voordat hij het sierkussen uit zijn stoel haalde en met een stralend gezicht ook ging zitten. 'Tjonge, hoelang is het geleden?' vroeg hij, haar strak aankijkend. 'Twintig jaar, denk ik.'

'Minstens.' Maar ze wist het precies. Een meisje vergat nooit haar eerste liefde.

Hij leunde achterover. 'Wat brengt jou naar Ohio? Zaken of plezier?'

Mijn bezoek aan jou, dacht ze.

Haar hoofd – nee, haar hart – tolde. Er was zo veel te zeggen. 'Nou, ik ben om diverse redenen in de buurt,' bracht ze uit, verlegen met zijn geconcentreerde aandacht.

'Ben je alleen gekomen?'

Ze knikte. '*Jah.*'

'Je woont zeker nog in Bird-in-Hand?'

Ze beaamde het. 'Ik ben met Judah Byler getrouwd,' voegde ze er vlug aan toe.

'Judah?' Hij keek nadenkend naar het plafond. 'Och ja... nu weet ik het weer. Een beetje gereserveerde knaap, hè?'

Ze knikte vaag, ze wilde – moest – het ergens anders over hebben. 'Ik hoorde van Sarah dat Emmie overleden is, toen je zus een paar weken geleden in Bart op bezoek was. Wat erg voor je.'

Hij bedankte haar en zei dat het overlijden van zijn vrouw eigenlijk een zegen was, omdat ze zo lang had moeten lijden. Toen vervolgde hij: 'Nou ja, zeg... ik had geen idee dat Sarah daar was. Wanneer was dat?'

'In maart... ze was er om de nieuwe baby van een familielid te zien.'

'O ja, ons achternichtje.' Hij krabde op zijn hoofd. 'Ik heb geloof ik niet eens een kaart gestuurd. Emmie handelde dat soort dingen af, zie je.' Hij lachte. 'Ik heb een hoop in te halen.'

'Woon je al lang in Fredericksburg?' waagde ze.

'Drie jaar nu,' zei hij. 'Ik heb altijd al graag een lasserij willen hebben en toen deze nog geen zes kilometer verderop te koop kwam te staan, heb ik mijn kans gegrepen.' Hij stond ineens op en liep naar zijn boeken toe. 'Hier heb je nog een droom van me die is uitgekomen,' zei hij met een gebaar naar de planken met boeken. 'Wil je er een paar zien?'

'Poëzie?'

'Wat anders?' Hij lachte en het geluid maakte haar blij. 'Emmie zei altijd dat ik nooit zonder dichtbundels kon, maar dat was maar een grapje.' Toch was hij duidelijk gehecht aan zijn mooie verzameling Browning, Frost, Dickinson en andere dichters van wie ze nog nooit had gehoord.

Hij bracht haar Alfred Lord Tennyson en trok zijn vingers

langs de lijst met gedichten op het eerste blad. *Audley Court, The Beggar Maid, The Blackbird, The Charge of the Light Brigade...*

"'Honderd zomers! Kan het zijn?'" citeerde hij uit *The Day-Dream.*

O, ze was weer zestien... en joeg vliegen weg van haar gezicht terwijl ze hoog op de hooizolder zat en aandachtig luisterde naar de melodie van zijn stem en de biologerende manier waarop hij elke strofe uitsprak. Alsof hij geboren was om voor haar en haar alleen poëzie voor te lezen.

'Emmie zei dat ik een dichotomie was: automonteur en rijmelaar.' Hij keek naar het raam, kennelijk met zijn gedachten bij haar. 'Geen idee hoe ze daarop kwam.'

'Rijmelaar?' vroeg Lettie.

Hij knikte. 'Het zal wel vreemd zijn, maar voor mijn overleden vrouw heb ik nooit een gedicht geschreven. Ik was er niet goed in, denk ik.'

Hij was eigenlijk meer een vertolker van gedichten, herinnerde ze zich, hoewel hij wel geprobeerd had ze zelf te schrijven.

'Eén keer heb ik een fatsoenlijk gedicht geschreven,' zei hij zacht. Zijn blik vond die van haar. 'Op de dag dat mijn vader ons vertelde dat we weggingen uit Lancaster County.'

Ze zuchtte diep, ze wist wat hij ging zeggen.

'Dat gedicht heb ik voor jou geschreven, Lettie.' Hij wreef met zijn handen heen en weer over de leuningen van zijn stoel. 'Ik had geen idee hoe ik contact met je kon zoeken,' zei hij. 'Niemand scheen te weten waar je heen was gegaan of waarom.'

'Ik was hier, in Ohio... met mijn moeder, om een heel zieke tante van mijn vader te helpen.' Ze haalde diep adem. 'Maar dat was niet de enige reden dat we erheen gingen, Samuel.'

Ditzelfde ogenblik had ze zich meer dan een maand voorgesteld, ze had zelfs de woorden geoefend. Ergens in Samuels eetkamer tikte een klok. En op de aardige veranda tinkelde het windklokkenspel, het spookachtige geluid dreef door de raamhor naar binnen.

Samuel keek nadenkend.

Ach, wat hield ik van hem.

Ze perste haar lippen op elkaar en stortte zich over de waterval van het verleden naar beneden. 'De reden dat ik hier ben, is dat ik iets moet opbiechten. Iets wat ik jaren geleden al had moeten doen.'

Ze zag de rimpels in zijn voorhoofd, zweeg even en voelde de afstand van de jaren dat ze uit elkaar waren geweest.

'Lettie?' Hij boog zich met zijn handen op zijn knieën naar haar toe. 'Wat is er?'

Ze slikte moeilijk en dwong zich de moed bij elkaar te rapen. 'Ik had je nooit moeten verlaten, Samuel. Niet zonder je de waarheid te vertellen.'

Zijn vingers speelden met de omzoming langs de rand van de stoel.

'*Ach*, maar ik ben zo oneerlijk geweest. En ik heb er zwaar voor geboet. En… het spijt me heel erg.'

Hij fronste teder zijn wenkbrauwen. 'Wat je ook te zeggen hebt… alsjeblieft, voel je vrij om het te zeggen, Lettie.'

Samuel had het haar altijd makkelijk gemaakt om zich uit te spreken. Recht uit haar hart. 'Ik heb een baby gekregen,' zei ze zacht. '*Onze* baby.'

Hij bleef bewegingloos zitten en zette grote ogen op. 'Wij… hebben een kind?'

Ze boog haar hoofd en staarde naar haar gevouwen handen. 'Het was verkeerd van me om het je niet te vertellen.' Ze was bang dat ze ging huilen. 'Ik was bijna vijf maanden heen toen *Mammi* en ik naar Kidron gingen… waar ik bevallen ben.'

'O, Lettie, had ik het maar geweten.'

Ze schudde haar hoofd en haalde oppervlakkig adem. 'Het was niet mijn idee om het geheim te houden… En om de baby op te geven.' Ze haalde een zakdoekje uit haar mouw. '*Ach*, dit heeft me zo lang bezwaard.'

Zijn gezicht was bleek en strak. 'Wie wisten het nog meer?'

'Eerst alleen mijn ouders.' Ze zuchtte diep. 'En mijn zieke oudtante natuurlijk. Veel later heb ik het mijn liefste zus Naomi toevertrouwd, maar zij is een paar jaar geleden overleden.' Ze vertelde hem dat ze toen in hetzelfde hotelletje had verbleven als nu, en dat ze daar de baby had gekregen.

'Een jongen of een meisje?' vroeg hij aarzelend.

'*Mammi* nam een Amish vroedvrouw aan en samen besloten ze dat het beter was dat ik het niet te horen kreeg. Ik heb de baby niet eens te zien gekregen of vast mogen houden,' zei ze droevig. 'Maar ik had sterk het gevoel dat ik een zoon had gebaard.'

'Wat is dit schokkend.' Samuels gezicht was vertrokken. 'Zie je, Emmie en ik hebben altijd kinderen willen hebben. Heel graag,' zei hij zacht. 'We hunkerden naar eigen kinderen, maar Emmie is een groot deel van ons huwelijk niet goed geweest. En nu zeg je dat ik al die tijd een kind had.' Hij drukte zijn vingers tegen zijn slapen. 'En ik heb het allemaal gemist, al die kinderjaren.'

'Ik weet het, Samuel. Ik weet het…'

Onder het wandelen had Sarah haar het droevige nieuws verteld dat het huwelijk van Samuel en Emmie kinderloos gebleven was. 'Dat is een van de redenen dat ik naar je op zoek ben gegaan,' zei ze. 'Mijn hart brak voor je, Samuel, toen Sarah zei dat je je vrouw verloren had… en dat jullie nooit kinderen hadden gekregen.'

Hij keek nadenkend naar het raam. 'Ons kind moet onderhand bijna vierentwintig zijn.'

Ze veegde haar tranen weg en knikte. 'Op 29 april van dat jaar is het geboren.'

Zes dagen na Grace' verjaardag… en maar twee dagen na Naomi's sterfdag. De tranen stroomden over Letties wangen.

Hij keek haar onderzoekend aan. 'Heb je enig idee waar hij of zij zou kunnen zijn?'

Ze legde uit dat ze had gehoopt in Kidron de vroedvrouw te vinden, maar tevergeefs. 'Ik wilde eerst ons kind vinden voordat ik naar jou toe kwam.'

Een poging om de kloof tussen hen te dichten, had ze gedacht. Hun scheiding had zijn tol van haar geëist. En nadat ze de zus van Samuel was tegengekomen, had Lettie zich ten doel gesteld om zowel Samuel als hun kind te vinden, om alles recht te zetten. Lange nachten had ze rondgedwaald, biddend voor haar kind en voor Samuel. Diep in gedachten verzonken had ze gezocht naar een manier om hun kind te vinden, maar ze had geen idee waar ze moest zoeken. Afgezien van Kidron, Ohio.

'Dat was erg attent van je... en ook erg grootmoedig,' zei hij.

'Nou, ik ben nog steeds op zoek naar de vroedvrouw. Of wie dan ook die iets zou kunnen weten, maar ik heb gemerkt dat er veel hindernissen zijn.' Lettie deed haar ogen dicht en stelde zich opnieuw de vragen die haar voortdurend kwelden. *Weet mijn kind hoeveel er van hem of haar gehouden wordt? Is mijn zoon of dochter gelukkig? Gezond?*

'Ik zou je geholpen hebben de baby groot te brengen... met je getrouwd zijn.' Samuels stem klonk gespannen. 'Dat was mijn bedoeling, Lettie, dat weet je wel. Maar ik was jong en mijn vader ging met ons verhuizen in een mislukte poging om zijn afgedwaalde zoon bij de kerk te houden,' zei hij. 'Het is waardeloos excuus, ik weet het, maar ik woonde destijds onder mijn vaders dak.'

Ze begreep het. 'Ook ik werd beheerst door mijn ouders.' Ze snikte even. '*Ach*, Samuel, geloof me, ik wilde de baby houden, maar mijn ouders – *mijn moeder* – dwongen me om het kind weg te geven.'

Hij schudde bedroefd zijn hoofd.

'Nadat de vroedvrouw die dag de baby had meegenomen, is er een privéadoptie geregeld door een plaatselijke arts.'

'Ik vind het zo erg,' zei hij. 'Wat jij hebt moeten doorstaan... in je eentje.'

'Het was ook nog een gesloten adoptie en daardoor heeft dit veel langer geduurd dan ik had verwacht. Nadat ik je zus Sarah had ontmoet, ben ik meteen begonnen met contacten leggen.' Ze zweeg even. 'Ik heb geen idee hoeveel tijd het zal kosten.'

Samuel viel weer stil en ging op in gepeins.

Er heerste een langdurige stilte; toen stond hij op en ging bij de boekenplanken staan. 'Ik heb gebruik van je gemaakt, Lettie... toen we jong waren. Daarvoor bied ik mijn excuses aan.'

'We hadden allebei wijzer moeten zijn.'

Hij liep naar het raam, met zijn handen in zijn broekzakken. 'Ik zou graag willen helpen met je zoektocht,' zei hij. 'Maar ik zit hier vast door mijn werk. Misschien kan ik ten minste helpen met je reiskosten.'

'Erg aardig van je, maar dat is echt niet nodig.' Ze dacht aan het geld dat ze had opgenomen om haar zoektocht te betalen. 'Bovendien zou mijn man het niet goedvinden.'

Zijn wenkbrauwen schoten omhoog. 'Is Judah dan niet met je meegekomen naar Kidron?'

'Het is lammertijd.' Ze gebruikte haar beste excuus omdat ze niet wilde toegeven dat ze Judah onwetend had gelaten van de reis. En van het grotere geheim: haar buitenechtelijke kind. 'Nou, ik zal je niet langer ophouden.' Ze stond op en liep naar de deur.

'Lettie, laten we alsjeblieft contact houden.' Hij volgde haar naar de veranda. 'Hoe kan ik je bereiken?'

Ze noemde de naam van het hotelletje. 'Maar ik blijf daar niet lang meer. Dus het is beter als ik contact zoek met jou, goed?'

Hij knikte en glimlachte bedroefd. 'Bedankt voor je komst.' Hij pakte haar elleboog. 'Je hebt er vast wel aan gedacht, maar je moet beseffen dat altijd de mogelijkheid bestaat dat ons kind niet gevonden wil worden.'

'Zulk nieuws kan iemands leven beslist op z'n kop zetten,'

beaamde ze. 'Hij of zij kan vreselijk van streek raken en het zelfs ontkennen.'

'En… stel dat het kind niet weet dat het geadopteerd is? Het is een enorm risico.'

'*Jah.*' Boven hun hoofd hing het windklokkenspel opmerkelijk stil. 'En ik kan niet voor onbepaalde tijd bij mijn gezin weg.' Ze was thuis nodig, voor de tuin en de inmaak… en voor het bruiloftsseizoen in de herfst.

Voor Adams bruiloft. En voor Judah.

O, wat had ze haar man veel te vertellen. Hij was niet makkelijk om mee te praten, maar hij was een goed mens en door de jaren heen had hij haar wisselende stemmingen doorstaan. Judah had geen idee van het bestaan van de baby die ze met Samuel had gekregen. Het was haar gekoesterde geheim.

Ik ben Judah ook excuses schuldig…

'Nou, ik moet echt gaan.' Ze liep naar de trap.

'Ik kijk ernaar uit iets van je te horen,' zei hij. 'Pas goed op jezelf, Lettie.'

Ze draaide zich om en zwaaide. Toen zag ze haar chauffeur aan de overkant geparkeerd staan en ze snelde naar het busje. Ze kon nu weer opgelucht ademhalen. Ze had volbracht waarvoor ze was gekomen.

De eerste van veel moeilijke stappen.

*

Die nacht droomde Lettie van Judah en zag ze zijn geliefde gezicht weer. Hij droeg een lammetje in zijn armen en voedde het met een babyfles.

Jullie vader is zo'n goede herder, had Lettie een keer gezegd toen ze met z'n allen aan tafel zaten, al werd hij eigenlijk als schapenboer beschouwd. Adam had geknikt en Grace een snelle blik toegeworpen.

Toen ze wakker werd, voelde ze de bekende steken van heimwee. Maar haar lange reis was nog maar net begonnen. Ze zou op zoek gaan naar haar eerstgeborene, het kind dat haar veel te vlug was afgenomen. Het was van haar losgescheurd, uit haar leven weggerukt.

Ze huilde om het kind dat ze verloren had. *Mammi* had haar een blik op dat lieve bundeltje onthouden. 'Het zondige gevolg van een verboden liefde,' had ze zo vaak gezegd dat Lettie had geloofd dat ze nooit meer welkom was in de hemel.

'Ik moet *Mammi* ook vergeven,' zei ze. 'En vader.'

Er waren ogenblikken dat ze zich in alle eerlijkheid afvroeg of haar man en kinderen haar nog wel terug wilden hebben... als ze haar geheim kenden. En als ze niet gauw terugging, zou er beslist over de *Bann* worden begonnen. Ze kon makkelijk in wanhoop vervallen als ze dacht aan alles waar haar familie nu in haar afwezigheid mee te kampen had. En niet alleen door de hoeveelheid werk die haar vertrek meebracht. Nee, ze moesten zich vreselijk afgedankt voelen en zich ongerust afvragen waar ze was en waarom ze hen in de steek had willen laten.

Maar aan de andere kant was Lettie merkwaardig opgelucht, alsof er een heel zware last van haar afgenomen was. Ze stond zich niet toe stil te blijven staan bij troosteloze gedachten en zette het raam open om de warme meiochtend te verwelkomen. Een briesje deed het gordijn fladderen.

Zo ver ben ik gekomen!

Vlakbij tsjirpte op een boomtak vrolijk een winterkoninkje. Lettie wendde zich af van het raam en begon haar kleren te verzamelen om bij het vrolijke lied van de kleine vogel te gaan inpakken. Ze was vastbesloten de Amish vroedvrouw te vinden. Het moest lukken.

Een lievelingstekst van Judah kwam haar in gedachten; uit de profeet Jesaja, in het Oude Testament. *En de* HEERE *zal u geduriglijk leiden.*

Ze boog haar hoofd en vroeg God om precies dat te doen.

Hoofdstuk 33

Grace hoorde het gedempte geluid van de stemmen van de zangavond toen ze omliep naar de achterkant van de schuur van diaken Amos. Ze leunde tegen een boomstronk en keek uit over het maïsveld. De schors was nog warm van de zon, het was een mooie zondag geweest. Maar ook een moeilijke.

Zuchtend vermande ze zich. Ze was de schuur uitgegaan zonder Henry, die rondliep tussen een groep vrijgezelle jongens, die nog niet verloofd waren of serieuze verkering hadden. Verrassend genoeg had Yonnie Bontrager er ook bij gelopen. *Becky en hij zullen toch wel een paartje vormen, zoals gewoonlijk?* dacht ze, blij dat ze achter de schuur een ogenblik rust had gevonden op de plek waar de broeders soms in een groepje stonden om kerkelijke kwesties te bespreken.

Ze drukte haar hand tegen de ruige bast van de boom. Het was onmogelijk om niet na te denken over de moeilijke avond die haar wachtte... die *hun* wachtte. Ze had een paar keer naar Henry gekeken terwijl ze meezongen met de rest van de groep, en erover nagedacht hoe ze het beste kon doen wat ze wist dat ze moest doen. Ze had al te lang gewacht en ze vroeg zich af wat hij van haar zou denken als het allemaal achter de rug was.

Henry heeft geen passie voor het leven, dacht ze. *Geen passie voor mij...*

Ze staarde naar de avondlucht en liet haar blik dwalen over het wijde uitspansel van sterren en de duisternis daarachter. Met haar hele hart had ze gewild dat hun relatie wederzijds liefdevol zou zijn. En ze had gewacht tot hij de eerste stap in de richting van een huwelijk deed. Al die maanden nadat ze serieuze verkering hadden gekregen, had ze gehunkerd naar zijn huwelijksaanzoek. En dan te bedenken dat mama intussen aldoor in stilte had geleden onder haar eigen relatieproblemen.

De sterren leken vanavond veel verder weg dan anders en ze bracht haar hand omhoog om met haar vingers een bijzonder heldere te omlijsten. Sommige sterren waren zes miljoen lichtjaren weg, had ze in een schoolboek gelezen. Omringd door de majesteit van Gods schepping voelde ze zich nu zo klein.

Ach, mijn wensen lijken nu onbeduidend.

Ze wilde tevreden zijn met haar aanstaande lot, want het uitmaken met Henry Stahl betekende beslist dat ze *Maidel* werd.

'Een gereserveerd man kan moeilijk zijn om mee te leven,' had mama gezegd. De herinnering gaf Grace moed. Mama zou er voorstander van zijn dat ze het uitmaakte met Henry.

Op dat moment hoorde ze stemmen aan de zijkant van de schuur. Meteen wist ze dat het Adam was met zijn verloofde Priscilla. Grace gluurde om de boom heen en luisterde met ingehouden adem.

'Je zat *wel* naar me te gapen,' ging Priscilla tekeer. 'En je keek helemaal niet blij.'

'*Ach*, kom, Prissy...'

Grace hoorde haar snuffen. 'Je vindt de kleur van mijn jurk natuurlijk niet mooi,' vervolgde Priscilla. 'Is het dat, Adam?'

'Dat heb ik nooit gezegd.'

Ze hoorde geruis, alsof een van hen een paar meter van haar schuilplaats door het hoge gras liep.

Maken ze zo'n ruzie... om een jurk? Ze vroeg zich af of Adam al vaker zulke vervelende aanvaringen had gehad.

Kortgeleden had Grace haar zus Mandy met een nieuwe *beau* gezien, een neef van Becky Riehl. Mandy was zo op haar gemak geweest, zo blij. Vanavond nog had Grace toen het zanggedeelte van de bijeenkomst voorbij was diverse gelukkige stelletjes gezien, die samen praatten en lachten.

Grace schudde haar hoofd, geërgerd dat haar broer zo'n kattig meisje had gekozen. Adam verdiende beter.

De gedachte aan al die relaties waarmee iets mis was drukte haar en ze snelde weg van haar plekje om Henry te zoeken voordat ze de moed verloor.

Meer dan een halfuur later wachtte Grace nog steeds op Henry. Hij nam de tijd. Zat hij soms met de andere jongens over het werk te praten? Ze had overwogen gewoon lopend naar huis te gaan, maar ze dwong zichzelf vlak naast de schuurdeur te blijven staan.

In de loop van de avond stroomden tientallen paartjes naar buiten. En het was zo'n mooie avond... nog zwoel van de warme dag. Mandy en haar *beau* kwamen hand in hand lachend de open schuurdeur uit.

Terwijl ze met al het geduld dat ze bij elkaar kon rapen wachtte, zag Grace Yonnie Bontrager in zijn eentje naar buiten komen. Dat was merkwaardig, want ze was gewend hem met Becky te zien. Over haar schouder zocht ze naar haar vriendin, ze had haar daarstraks nog gezien in de lange rij meisjes. Maar Becky was nergens te vinden.

Onverwacht keek Yonnie haar aan. Er spreidde zich een glimlach over zijn gezicht en even hield hij met zijn ogen haar blik vast. Toen knikte hij met een glimlach en liep naar de oprijlaan. *Lopend, zoals altijd*, dacht ze, nog steeds verbaasd dat hij alleen was.

Vlug zette Grace zijn blik en al te brede glimlach van zich af en ze dwaalde naar Henry's open rijtuigje, maar al te verlangend om de avond achter de rug te hebben.

★

Heather klikte het veiligheidsslotje van de armband van haar moeder open en liet hem over haar arm glijden. Licht in het hoofd van urenlang werken aan haar scriptie ging ze naar buiten, blij dat ze vijf nieuwe bladzijden had geschreven. Ze had wel een rustpauze verdiend. Ze begon zich opgesloten te voelen en was nieuwsgierig naar het leuke eethuisje dat ze laatst had gezien, dus ze besloot ernaar op zoek te gaan. *Hopelijk is het nog open…*

Haar vader had opnieuw een bericht ingesproken dat hij haar wilde zien. 'Om je inbreng te vragen over een paar ideeën over die boerderij die we gaan bouwen,' had hij lachend gezegd. 'Over een paar weken kom ik jouw kant op, als ik dit project heb afgerond. Vind je dat wat?'

Het was misschien niet zo'n slecht idee als hij hierheen kwam. Dan kon ze om geld bedelen, want geen enkele broek paste meer goed. Nu de zomer eraan kwam, kon ze natuurlijk ook een paar korte broeken en hemdjes kopen in de outletwinkels die hier in de buurt zo talrijk waren als de eieren in het kippenhok van de Riehls.

En nu ze de afgelopen dagen had gezien hoe Andy en Marian Riehl omgingen met hun grote gezin, vroeg Heather zich ook af of ze niet voorzichtig eerlijk moest zijn tegen haar vader en hem vertellen wat de echte reden was voor haar vlucht.

★

Grace haalde diep adem toen ze Henry eindelijk door de schuurdeur naar buiten zag komen, naar weerskanten om zich heen kijkend. *Op zoek naar mij,* dacht ze, verdrietig ineens.

Het zou lang duren voordat ze weer naar een zangavond zou gaan, meende ze zeker te weten. Waarom zou ze de moeite nemen om naar die vrolijke bijeenkomsten te gaan als ze zich allesbehalve vrolijk voelde?

'Henry?' riep ze zacht. Ze stond in de buurt van zijn rijtuig. 'Ik ben hier.'

Te bedenken dat ze hem pijn ging toebrengen zoals mama pa had toegebracht. Ze kromp ineen en bedacht dat het niet verstandig was om vanavond met Henry uit rijden te gaan, zelfs niet voor één laatste keertje. Nee, ze moest nu met hem spreken en hem alleen naar huis laten gaan.

'Henry... ik wil met je praten,' zei ze schor en liep op hem toe.

Hij knikte en wenkte haar om in zijn open rijtuigje te stappen.

'Nee, hier bedoel ik,' zei ze gespannen. 'Vind je het goed?'

Hij haalde zijn schouders op.

'Kunnen we die kant op lopen... naar het maïsveld?' vroeg ze. Ze voelde zich vreemd vrijpostig. Hij kwam naast haar lopen. 'Daarginds.'

Ze vroeg zich af of hij zou vragen wat ze op haar hart had, maar zoals gewoonlijk liet hij het aan haar over om de leiding te nemen. Maar terwijl haar dat vroeger somber had gestemd, werd ze nu door boosheid overvallen.

'Het is niet goed,' zei ze ineens.

Hij draaide zich naar haar toe en keek haar in het zwakke licht van de maan onderzoekend aan. 'Wat?'

Ze zweeg even om haar woorden zorgvuldig te kiezen. 'Onze verloving.' Ze liep nog een paar stappen voordat ze stilstond en hem aankeek. 'Misschien zijn we te hard van stapel gelopen,' zei ze zachter.

'Ik snap je niet, Grace.'

Onzeker nu, wilde ze niet ondankbaar klinken... of zelfs onvriendelijk. 'Ik had geen ja moeten zeggen op je aanzoek, Henry.' Ze keek naar de lucht. '*Ach*, dit is zo moeilijk.'

'Wacht eens even. Heb je er spijt van dat je erin hebt toegestemd om met me te trouwen?' Er klonk verbolgenheid in zijn stem.

Ze knikte langzaam en keek over zijn schouders in de verte.

Zijn gezicht betrok en ze voelde zich gemeen. Henry was een goede, betrouwbare man. Ze hoopte dat haar afwijzing niet tot bitterheid zou leiden. Ze wist maar al te goed hoe die emotie aan een mens kon knagen en hem uiteindelijk de baas worden.

Ze dacht aan hun eerste afspraakjes, het langzame rijden in

het rijtuig tot diep in de nacht. Hoe hij er tevreden mee was om urenlang achter elkaar te zwijgen. Eén keer had ze hem gevraagd: 'Waar denk je aan?' en hij had eenvoudig gezegd: 'Aan jou, Grace.'

Ze had het vertederend gevonden. Maar zijn onvermogen om zich duidelijker uit te drukken, had haar de stellige zekerheid gegeven dat Henry Stahl niet bezat wat zij in een echtgenoot verlangde.

'Ik geloof echt dat we een vergissing hebben begaan,' zei ze. 'Het spijt me dat ik het moet zeggen.'

Hij deed geen poging om haar op andere gedachten te brengen, noch gaf hij haar een afscheidskus op haar wang. Hij boog alleen even zijn hoofd en zuchtte diep. 'Goed dan,' zei hij en wendde zich af. 'Als dat is wat je wilt.' En zonder nog een woord klom hij in zijn rijtuigje en reed weg. Grace volgde hem met haar ogen tot paard en rijtuig twee zwarte omtrekken waren op de weg.

'Vaarwel, Henry,' fluisterde ze, half en half wensend dat hij meer moeite voor haar had gedaan.

Toen ze bij het flauwe schijnsel van het maanlicht op de silo van diaken Amos naar huis liep, voelde Grace zich merkwaardig verbonden met de rust van de avond. Ze voelde zich onmiddellijk zo tevreden dat het haar verbaasde en dat gaf haar de zekerheid dat ze voor Henry en voor haarzelf het juiste had gedaan.

Hoofdstuk 34

Toen de volgende morgen het wasgoed aan de lijn hing, vroeg Grace haar broer of hij het geschenk dat Henry haar had gegeven wilde terugbrengen. 'Alsjeblieft, Adam?' smeekte ze toen er onmiddellijk weerstand op zijn gezicht verscheen. 'Je hoeft geen woord tegen Henry te zeggen over de klok; dat vraag ik niet van je.'

Ze had geen spijt, maar ze voelde zich intens vermoeid. Deze brutale handeling sloeg elke hoop op verzoening in de toekomst de bodem in.

Adam keek haar strak aan. 'Het is niet netjes van je, Gracie.'

'Ja, ik weet dat het heel moeilijk is.'

'Denk er dan nog eens over waar je mee bezig bent.'

Ze zuchtte. 'Ik heb er goed over nagedacht, Adam. En... ik denk dat Henry de klok verwacht.'

'Dan moeten jullie gisteravond woorden hebben gehad.'

'Alleen mijn woorden.'

Adam schudde zijn hoofd. 'Ik hoop dat je minstens je excuses hebt aangeboden. Het was niet eerlijk om ja te zeggen als je er niet zeker van was.'

'*Jah*, je hebt gelijk. En ik ben zo vriendelijk geweest als het maar kon.'

Hij trok een gezicht. 'Dan moet het maar.' Haar broer volgde haar naar boven en nam uit haar kamer de prachtigste klok mee die ze ooit had gezien, en droeg hem naar zijn open rijtuigje. Hij tilde hem hoog op en legde hem voorzichtig in het rijtuig. Toen keek hij naar haar om. 'Ik kan je niet op andere gedachten brengen?' zei hij. 'Geen afscheidswoorden om Henry een beetje hoop te geven misschien?'

'Dit is geen overhaaste beslissing, Adam,' zei ze. 'Ik heb er een hele tijd over nagedacht.'

'Nou ja, als je het dan heel zeker weet.' Hij lachte haar vriendelijk toe, duwde zijn strohoed een stukje naar voren op zijn hoofd en was met één sprong in het rijtuig.

Dankbaar voor de steun van haar broer, hoe onwillig ook gegeven, zei ze: '*Denki* dat je het wilt doen.' Ze was opgelucht dat Adam haar haar besluit niet kwalijk nam.

'Graag gedaan.' Adam zwaaide, pakte de teugels op en klakte met zijn tong. En de trouwe, oude Willow stapte voorwaarts en trok de wagen over de oprijlaan naar de weg.

★

Halverwege de ochtend sloeg Heather beleefd Becky's uitnodiging om samen een boodschap te gaan doen af en gebruikte opnieuw haar scriptie als excuus om in haar kamer te blijven. Ze keek uit het raam en wachtte tot Becky paard en rijtuig had ingespannen en vertrokken was, voordat ze zich het huis uit waagde naar haar auto, in de hoop onopgemerkt weg te glippen.

Ze wilde naar het land van haar vader rijden om daar rond te snuffelen. Wat was ze blij dat haar vader over zijn eerste verdriet heen was. Zo leek het tenminste. Een briesje deed de bladeren van de esdoorns ruisen en ze merkte een geurig aroma op dat kwam aandrijven van Mill Creek, in het zuiden. Ze had een paar keer in de schemering langs de brede stroom gewandeld, peinzend over haar besluit om haar plannen voor de zomer te laten varen om aan haar ernstige diagnose te ontsnappen.

Nu ze het kleine stukje reed, zag ze in een smalle laan een busje staan. Een Amish vrouw stapte met haar kleine kinderen in terwijl een oudere man in een spijkerbroek en een gestreept overhemd ernaast stond. Was dat de chauffeur? Ze had van Marian Riehl gehoord dat mennonieten en anderen de kost verdienden door de Amish rond te rijden. Ze vond het fascinerend dat het een volk dat verboden was om een auto te bezitten of te rijden, wel was toegestaan om andere mensen te betalen om hen ergens naartoe te brengen. Nog zo'n raadsel van deze cultuur.

Toen paps land in zicht kwam, reed ze de berm in en stopte. Ze stapte uit, liep naar de passagierskant van de auto, leunde ertegenaan en staarde vol ontzag naar het land. Dit was de perfecte plek waar pap kon herstellen van zijn enorme verlies.

En mijn verlies. Ze besefte hoe vreselijk eenzaam ze sinds de dood van haar moeder was geweest. Toch kon ze er geen verandering in brengen dat ze potentiële vrienden en vriendinnen van zich afduwde.

'Dan heb ik tenminste een idyllisch plekje om naartoe te gaan als ik bij pap op bezoek wil,' mompelde ze terwijl ze door het vruchtbare groene veld liep.

Ik zie het al voor me, pap die aardappels verbouwt... Ze liep langs de omtrek van het stuk grond en dacht weer aan haar moeder. De enige voor wie ze zich volledig had opengesteld, moest ze voor altijd missen.

De lucht was diepblauw en genietend van de wind op haar gezicht besefte Heather dat haar moeder blij zou zijn als ze haar nu kon zien. 'Ze zou het te gek vinden dat ik hierheen ben gegaan,' zei ze hardop, met haar afspraak met de alternatieve arts in gedachten.

En nu ze over de akker uitkeek naar de boerderijen waarmee het land was bezaaid, kreeg Heather het gevoel dat ze haar allemaal binnen nodigden, alsof ze werd welkom geheten in dit landelijke, afgelegen gebied. Waar melkkoeien onbelemmerd vrij ronddwaalden en bedaard graasden in hoog weidegras, en waar veldkrekels elke avond een vertrouwd lied zongen. Toen ze eens een reusachtige rode zon geleidelijk boven de heuvels in de verte had zien ondergaan, was ze haast ademloos geweest door de schoonheid van het ogenblik.

Ze kreeg een verwachtingsvol voorgevoel. En voor het eerst

sinds haar aankomst hier vroeg ze zich af of er iets waar was van Becky's gepraat over leiding in het leven. Was ze hier door een onzichtbare hand naartoe gestuurd?

Heather glimlachte bij de gedachte, met een verrassend gevoel van hoop voor de toekomst.

Wat die ook brengen moge.

★

Terwijl ze Jakob nog eens koffie inschonk, keek Adah uit het keukenraam. Nadat ze de hele ochtend met de was bezig was geweest, was Grace nu in de buurt van het koelhuis haar kruidentuin aan het wieden. *Wat werkt dat kind toch hard.*

Ze was zo dol op dat lapje grond en ze verheugde zich al op de frisse smaken in hun salades, straks als het juni werd.

Het leek nog maar gisteren dat ze de kleine Grace had geholpen met de eerste aanplant van bieslook en tijm en andere kruiden. Lettie was er ook bij geweest, ze had toegekeken en hen aangemoedigd. Jaar na jaar had Grace zich erover verbaasd hoe hun kruidentuin weer tot leven kwam. Veel soorten zaaiden zichzelf uit.

Grace hield even op met schoffelen om naar de lucht te kijken en Adah besefte weer dat haar kleindochter de laatste tijd ongelooflijk onder spanning stond. Alle energie die het kostte om de familie bij elkaar te houden! En ze deed het zo goed.

Grace wil op zoek naar haar moeder om haar naar huis te halen…

's Nachts was Adah ontwaakt uit een nachtmerrie en ze had zich afgevraagd of het een voorteken was geweest. Ze had er tegenover Jakob niet te diep op in willen gaan, maar nu ze hier aan tafel zat, vond ze dat ze haar man moest vragen of ze een vergissing beging door de brief uit Ohio verborgen te houden.

★

Grace zag dat *Mammi* Adah naar buiten kwam en naar haar zwaaide. Even overwoog ze *Mammi* in vertrouwen te nemen over Henry; maar toen bedacht ze zich. Als mama hier was en wist wat ze had besloten, zou ze het er zeker mee eens zijn dat het goed was om Henry los te laten.

'Je bent al vroeg aan de gang,' zei haar grootmoeder, die haar eigen schoffel had meegenomen.

'Ik wilde een goed begin maken met de dag.'

'*Ach*, nu praat je net als je moeder... Die zegt dat ook... Ik bedoel...'

'Het is goed. Ik begrijp wat u bedoelt.' Ze wisselden een veelbetekenende blik en Grace richtte zich op en strekte haar rug. 'Ik heb vanmorgen in de schuur onder vier ogen met pa gepraat. Hij heeft er met tegenzin in toegestemd dat ik op zoek ga naar mama als de lammertijd voorbij is. Als de marktlammeren tenminste hard groeien.'

'Tja, er zal iemand naar haar moeten gaan zoeken.' *Mammi* knikte langzaam.

'Maar pa zegt ook dat ik niet alleen moet gaan.'

'Dat is verstandig.' Haar grootmoeder leunde met een nadenkend gezicht op haar schoffel. 'En wie denk je dat er met je mee zou kunnen gaan?'

'Zo ver ben ik nog niet,' gaf Grace toe. 'Er is nog wat tijd om daarover na te denken nu er nog steeds lammetjes geboren worden.'

Mammi haalde een stuk papier uit de plooien van haar jurk. Haar ogen glinsterden van tranen toen ze hem Grace toestak. 'Dan zul je dit wel nodig hebben.'

Grace nam het papier aan en vouwde het open. Geschrokken zag ze het adres van een hotel in Kidron, Ohio. 'Is dit...?'

'*Jah*... het adres waar je moeder en ik al die jaren geleden in Ohio logeerden. Ik heb er met je *Dawdi* over gepraat en hij vindt dat jij het moet hebben.' *Mammi* zweeg even en voegde er toen aan toe: 'We hopen allebei dat het je zal helpen haar te vinden.'

Ze stond versteld van de plotse verandering in *Mammi*'s opvattingen. 'Dus u vindt het niet erg meer?'

Mammi gaf haar een snel kneepje in haar hand. Haar ogen stonden nog vol tranen. 'Als het je lukt, zal je moeder ruim op tijd thuis zijn voor het bruiloftsseizoen. Of eerder… hopelijk.' Ze bukte weer en begon om de bieslook heen te wieden.

Grace was ervan overtuigd dat het mogelijk was. Hoe moeilijk kon het zijn om iemand te vinden in Ohio Amish land?

★

Gehurkt in het hooi wiegde Judah zijn nieuwe lam in zijn armen. Hij bleef even op afstand van de ooi, die uitrustte van de geboorte. Bijna dagelijks kwam er nu nieuw leven voort en hij was innig dankbaar voor zo veel gezonde lammetjes.

Vandaag was hij weer gaan wandelen, hij had het kreupelhout met zijn armen weggeduwd om zich een weg te banen over een weinig betreden pad in een bosachtig gebied in de buurt van Mill Creek. Dit keer liep hij niet met maaiende armen te rennen, maar hij zond een eenvoudig gebed op dat Lettie mocht weten dat hij van haar hield.

Hij streelde het lam in zijn armen en dacht aan Grace, die zo gretig was om haar zoektocht te beginnen. En hij kon zichzelf wel schoppen omdat hij zich had laten vermurwen. *Waar gaat ze zoeken?* Hij had zelf geen idee. De strenge voorwaarden die hij had gesteld waren zijn enige hoop, want geen mens zou de komende maand bereid zijn om familie en boerderijwerk achter te laten om Grace te begeleiden.

Maar stel dat ze Lettie wel vindt? Die mogelijkheid knaagde aan hem. Niet dat hij zijn vrouw niet terug wilde hebben; hij verlangde met hart en ziel naar haar. Maar hij hunkerde ernaar dat Lettie uit zichzelf thuiskwam, niet als antwoord op een smeekbede. Niet omdat Grace haar had gehaald. Judah wilde dat de bruid van zijn jeugd besloot terug te komen omdat ze van hem hield… van *hem* hield.

Voor zijn geestesoog zag hij Lettie hun oprijlaan in lopen, met de versleten, bruine leren koffer in haar hand. Misschien zou ze onopgemerkt het huis binnenglippen, voordat iemand het in de gaten had, net zoals ze in dat vreselijke donker was weggegaan toen ze allemaal vast in slaap waren.

En als ze klaar om een nieuwe dag te begroeten naar de keuken dwaalde, zou Judah haar daar zien, waar ze thuishoorde, en de woorden die veel te lang opgesloten hadden gezeten, zouden eindelijk van zijn lippen rollen.

Epiloog

Vanavond miezerde het een beetje toen ik naar buiten ging om op de schommelbank op de veranda te zitten. Maar algauw begon het harder te regenen, het spetterde op de balustrade… en af en toe ook op mij. Maar ik bleef lekker op mama's plekje zitten, met mijn blote voeten opgetrokken onder mijn lange jurk. Een soort beschutting. En, *ach*, wat had ik hard beschutting nodig!

Onwillekeurig moest ik denken aan Becky's korte bezoek van vandaag, toen ze vertelde hoe *befuddled* ze was over Heather, hun gast uit Virginia. De jonge vrouw gedroeg zich ineens afstandelijk en op een middag had ze zelfs gehuild volgens Becky, die zich afvraagt of ze soms verdriet heeft of ziek is. Nu weet ik dat dat de vrouw moet zijn geweest die ik laatst huilend langs de weg zag lopen. Zoals Becky beschreef hoe ze zich meestentijds voor iedereen afsluit, heb ik diep medelijden met Heather.

Maar Becky en haar familie kennende, zullen ze haar wel binnen de kortste keren weer in hun midden trekken.

Ik vertelde Becky over mijn groeiende verlangen om op zoek te gaan naar mama. Ik vroeg haar wat *zij* zou doen, maar het is vreselijk moeilijk om daar iets over te zeggen. Becky keek alsof ze door de bliksem getroffen was en zei: 'O, Grace… je familie heeft je hier nu harder nodig dan ooit.' Het is natuurlijk niet handig als mama en ik allebei weg zijn. In elk geval niet voor het einde van de lammertijd, zoals pa opperde. Ik ben blij dat hij het goedvindt, maar ik hoorde de aarzeling in zijn woorden maar al te goed. Had hij het me maar niet nagenoeg onmogelijk gemaakt. Er zal een wonder voor nodig zijn om iemand te vinden die met me mee kan.

Maar vinden zal ik iemand, omwille van ons allemaal, en pa in het bijzonder. Wie had ooit gedacht dat mama's vertrek hem zo zou aangrijpen dat hij er haast aan onderdoor is gegaan?

Er moet iets gebeurd zijn toen hij dagenlang sliep. Hij zegt nu af en toe meer dan vijf woorden achter elkaar, alsof hij er spijt van heeft dat hij zo zwijgzaam is geweest tegen mama. En zo lijkt er toch iets goeds te kunnen voortkomen uit tumult en teleurstelling. De emoties die we allemaal hebben doorstaan sinds mama's vertrek! Van mijn kant is alles vergeven, maar ik weet dat ik morgen alweer zal moeten bidden om een vergevensgezind hart... en overmorgen weer. Ik hoop alleen dat mama na haar eerste en enige telefoontje niet weer tegen ons zal blijven zwijgen.

Wat me blijft verbijsteren, is *Mammi* Adahs reactie op het hele geval. Ik ben haar zeker dankbaar dat ze me het adres van het hotel in Ohio heeft gegeven. Maar waarom zou ik denken dat mama daarheen gegaan is? En waarom schijnt het *Mammi* Adah niet te verbazen dat mijn moeder behoefte had aan een geheimzinnige reis?

Zoals *Mammi* Adah soms naar me kijkt... Dat is zacht gezegd zenuwslopend. Ik kan er niets aan doen, maar ik denk dat ze wellicht weet waarom mijn moeder zo hevig verlangde naar iets wat ze hier in Bird-in-Hand niet had. Waardoor zou een echtgenote en moeder van veertig jaar zich gedrongen voelen om zomaar de wereld in te gaan?

Mammi zegt dat het in de aard van de mens ligt om altijd meer te willen. Ik ben daar wel van overtuigd, als ik denk aan mijn korte verloving met Henry... en mijn onvermogen om de bruiloft door te zetten. Was het verkeerd van me om op meer te hopen? Ik denk van niet. De afgelopen dagen na onze scheiding heb ik vrede in mijn hart met wat ik heb gedaan. Als ik de rest van mijn leven *Maidel* moet blijven, dan zij het zo.

Op de veranda waaide een plotselinge windvlaag en de regen werd een ware stortbui, zodat ik gedwongen was om naar binnen te gaan, om me niet 'de dood op de hals te halen', zoals mama altijd waarschuwde toen alles nog rustig was onder ons dak. Hoewel de sfeer ook toen geladen was en zich opbouwde tot de storm van nu.

Ik ging naar mijn kamer, wikkelde me in een gehaakte deken en keek met veel genoegen naar Becky's laatste tekening van drie kolibries. Ik trok de omtrek van de laatste na en stelde me voor dat hij tot leven kwam en buiten boven mama's voederbakjes hing. Ik had me altijd afgevraagd waarom ik zo gek was op die tere vogeltjes en ik meende het nu te weten. Het ging om veel meer dan hun vrije vlucht; het was hun hardnekkige zoektocht naar de kracht onder hun vleugels.

In gedachten zei ik een couplet op uit een oud lied dat mama me had geleerd.

Vlug opende ik een lade van mijn kast en pakte het dagboek dat ik op mijn verjaardag had gekregen. Vervuld van een onverwacht gevoel van hoop schreef ik de prachtige woorden op.

De bomen staan in blad gezet,
de aarde dekt haar naaktheid met
een lichte groene wade;
en tulp en narcis evenzo:
veel heerlijker dan Salomo
bekleedt ze Gods genade.

Met de pen in mijn hand bekeek ik de prachtige tekening van mijn vriendin. Becky's blijvende vriendschap was me zo dierbaar.

Ten slotte kleedde ik me uit om naar bed te gaan en borstelde mijn haar. Mandy riep zachtjes in de gang en ik ging vlug naar haar toe om een poosje bij haar op bed te zitten voordat het tijd werd om de lantaarns te doven. Samen stortten we ons hart uit in een oprecht gebed voor onze moeder, zoals we elke avond weer doen, terwijl we ongeduldig wachten op haar terugkeer.

Woord van dank

Het scheppen van een nieuwe serie is altijd een speciaal begin; de blijdschap van een schone lei met personages en hun omstandigheden. *Geheimenis* is niet gebaseerd op een waar verhaal dat ik van een van mijn Amish vrienden of familieleden heb gehoord. Het is het gezamenlijke verhaal van talloze vrouwen die een kind bij de geboorte ter adoptie hebben afgestaan, vrijwillig of anderszins. De hartverscheurende reis van Lettie Byler en de reactie van haar dochter Grace daarop, ligt mij als adoptiemoeder bijzonder na aan het hart.

Tijdens het schrijven van deze roman bood een groot aantal mensen hulp en steun. Hun inbreng is van zo'n doorslaggevend belang dat ze een eigen hoofdstuk verdienen!

Mijn voortdurende dank aan mijn echtgenoot Dave, die evenals ik dol is op het brainstormen dat aan het schrijven voorafgaat. En aan onze dochter Julie, die mijn eerste concepten leest en gelukkig niet terughoudend is in het aanwijzen van pijnlijke vergissingen!

Dank aan mijn voortreffelijke redactieteam en recensenten: David Hortin, Rochelle Glöege, Julie Klassen, Ann Parrish en Jolene Steffer.

Ook dank aan mijn knappe nicht Kendra Verhage, die vorig jaar tijdens Thanksgiving de naam verzonnen heeft van de geliefde merrie van de familie Byler: Willow. Erg leuk! En aan haar lieve moeder, mijn tantetje Judie, die me in de laatste weken voor mijn inleverdatum heeft gesteund met gebed.

Mijn scherpzinnige en altijd even behulpzame consulenten in Lancaster County, van Eenvoud en *Englisch*: ik sta altijd weer te kijken van jullie prompte antwoorden, waar ik veel aan heb. Ook veel dank aan Barbare Birch, een buitengewone proeflezeres. En aan John Henderson, het mennonitisch informatiecentrum en het historisch genootschap van Lancaster.

Dank aan Carolene Robinson en Sandi Heisler, lieve vriendinnen en medisch consulenten. Jullie inzicht en kennis zijn van essentieel belang voor deze serie.

Voor hun trouwe gebeden en snelle feedback op titelideeën dank ik Dave en Janet Buchwalter, Debra Larsen, Donna De For, Bog en Aleta Hirschberg, Iris Jones, Jeanne Pallos, Barbara en Lizzie, en mijn eigen kleindochtertjes. En als laatste, hoewel hij de eerste zou moeten zijn, dank ik mijn lieve vader. Uw gebeden zijn me zo dierbaar!

Alle eer en lof aan onze Hemelse Vader, Schepper en ultieme Heler van gebroken harten, zonder Wie er geen verhaal zou zijn geweest.